156

GIL VICENTE

GIL VICENTE

OBRAS DRAMÁTICAS CASTELLANAS

EDICIÓN, ESTUDIO Y NOTAS DE THOMAS R. HART

ESPASA-CALPE, S. A.
MADRID

88422

Talleres tipográficos de la Editorial ESPASA-CALPE, S. A.
Ríos Rosas, 26.—Madrid

A
DÁMASO ALONSO,
maestro de vicentistas

INTRODUCCIÓN

De la vida de Gil Vicente apenas sabemos nada. Algunos eruditos dicen que debió nacer ya entrado el año 1452; otros, que no vino al mundo hasta 1475. Son simples conjeturas fundadas, en su mayor parte, en algo dicho por uno de los personajes de sus obras dramáticas arbitrariamente identificado con el propio dramaturgo (1). La fecha más probable, o por lo menos la que se cita con mayor frecuencia, es 1465. Tampoco sabemos dónde nació el poeta. Hace casi medio siglo que Aubrey Bell notó que Vicente menciona muy a menudo la Beira, región central de Portugal, y concluyó que probablemente había nacido allí (2). Otros estudiosos han mostrado, sin embargo, que, tanto para Gil Vicente como para sus contemporáneos, el *beirão* simbolizó el campesino ignorante. Se ha probado también que el lenguaje que

---

(1) Braamcamp Freire examina las teorías propuestas hasta 1920 en su *Gil Vicente*, págs. 48-49. Véase también Óscar de Pratt, *Gil Vicente*, págs. 69-71. Para los títulos completos de los estudios citados abreviadamente en la introducción y las notas, véase la Bibliografía.

(2) *Gil Vicente*, en *Boletim da Segunda Classe da Academia das Ciências de Lisboa*, IX (1915). Cito por la versión portuguesa, incluida en sus *Estudos vicentinos*, págs. 8-9.

emplean los rústicos del teatro vicentino no tiene nada
de específicamente *beirão;* los topónimos de los autos
tampoco muestran un conocimiento especial de la
Beira (3).

Se ha dicho repetidas veces que Gil Vicente, además de ser poeta, fue orfebre, y se le ha atribuido la
hermosa Custodia de Belem, actualmente en el Museo de Arte Antiguo de Lisboa, hecha con oro que
trajo Vasco da Gama cuando volvió de su segundo
viaje a la India y destinada al monasterio de los Jeró-
nimos de Belem, en los alrededores de Lisboa. Con
todo, la identificación del poeta con el orfebre no es
segura (4). Tal vez el problema no tenga mucha importancia desde el punto de vista de la crítica literaria: la vida del orfebre nos es aún menos conocida que
la del poeta. Sin embargo, podemos decir que la identificación del orfebre con el dramaturgo nos ayudaría
a explicar el conocimiento que tenía éste de la iconografía religiosa medieval (5).

Se ha discutido mucho el problema de la cultura literaria de Gil Vicente. ¿Conocía las literaturas antiguas?
¿Sabía latín? La opinión más autorizada es sin duda la
de Carolina Michaëlis de Vasconcelos. En la cuarta

---

(3) Véase Paul Teyssier, págs. 176-179.

(4) Según Aubrey Bell, obra citada, pág. 15, el primero que se
opuso a tal identificación fue Teófilo Braga, en un artículo periodístico
de 1873. Hace unos años, el historiador y crítico literario, António José
Saraiva, procuró demostrar que el orfebre no debe identificarse con el
dramaturgo. Afirma que el orfebre, necesariamente un empresario acau-
dalado, no hubiera tenido que pedir dinero al rey repetidas veces, y
que, a juzgar por la evidencia de los autos, la instrucción que había
recibido el poeta no fue la de un artesano, sino más bien la de un hombre versado en cuestiones teológicas. (*Historia de la cultura*, II, 234,
nota.)

(5) Véase I. S. Révah, *BHTP*, I (1950), 24.

de sus admirables *Notas vicentinas*, dijo doña Carolina que Gil Vicente fue «latinista sólo en el sentido, bastante limitado, de quien conoce los elementos de la gramática latina y sabe traducir y retraducir textos sencillos; y que, además, ha sacado de sus lecturas de textos romances algunas nociones de la historia, mitología, y arte antiguo de Roma» (6). Más recientemente, Joaquín de Carvalho intentó demostrar que el poeta debió ser muy versado en los escritos patrísticos; sugirió que Gil Vicente habría estudiado en alguna universidad, tal vez en Salamanca y quizá también después en la Sorbona (7). La tesis del señor Carvalho ha sido atacada por I. S. Révah, quien insiste que la erudición teológica de la cual dan muestras algunas obras vicentinas no indica forzosamente que el poeta haya conocido de primera mano los escritos latinos de los padres de la Iglesia: es mucho más probable que las fuentes de estas obras sean libros religiosos en portugués o en español (8).

Révah apoya así con nuevos argumentos la opinión de doña Carolina Michaëlis. Es cierto además, como dice Révah, que no debe buscarse las fuentes que utilizó Gil Vicente únicamente en los libros, sino también en el folklore peninsular y en los temas y las imágenes transmitidos por la predicación, la liturgia y la iconografía medievales (9).

¿Era Gil Vicente erasmista? Varios eruditos han querido ver huellas de la influencia de Erasmo en las

---

(6) *Notas Vicentinas*, pág. 220.
(7) *Os sermões de Gil Vicente*, en sus *Estudos sobre a cultura portuguesa*, II, 205-339.
(8) *Les sermons de Gil Vicente*, pássim.
(9) Ibíd., pág. 44.

obras del dramaturgo portugués (10). Hasta se ha
inventado una leyenda según la cual Erasmo apren-
dió portugués sólo para leer a Gil Vicente. Preferimos
seguir el parecer de Marcel Bataillon, quien dice que
«Erasmo, con toda seguridad, nunca leyó a Gil Vicente,
a no ser que Damião de Góis se haya divertido en traducir alguna de sus piezas al latín. Y si Gil Vicente
pudo leer a Erasmo, ciertamente no sacó de él nada
para su teatro. [Gil Vicente] no era un humanista cristiano, sino el portavoz de un anticlericalismo enrai-
zado desde mucho tiempo atrás en el pueblo» (11).

¿Cuándo murió Gil Vicente? No lo sabemos con
certeza. Lo más probable es que muriera a fines de
1536, o quizá a principios de 1537. Una car tatesti-
monial del 16 de abril de 1540 habla de «Gil Vicente,
que Dios perdone». Debió de morir, pues, antes de
aquella fecha (12).

Gil Vicente sirvió a dos reyes de Portugal, primero
a don Manuel y después a su hijo don Juan III, por
más de treinta años. Se representó su primera obra
dramática, el *Auto de la visitación*, en 1502, y la última, la *Floresta de Enganos*, en· 1536 (13) Fue algo
así como el dramaturgo oficial de la eorte. Su tarea
principal parece haber sido la preparación de diver-

---

(10)   Véase, por ejemplo, las notas de Marques Braga en su edición
de las *Obras completas*.

(11)   *Erasmo y España*, II, 213-214.

(12)   Braamcamp Freire, ob. cit., págs. 316-320.

(13)   Suelen citarse las obras vicentinas por los títulos portugueses
que llevan en la *Copilaçam* de 1562, aun cuando se trata de obras es-
critas enteramente en castellano. En una edición como ésta que va di-
rigida principalmente a los lectores españoles, me ha parecido mejor no
seguir la tradición. Conservo, sin embargo, los títulos originales de las
obras portuguesas y bilingües.

siones para las fiestas religiosas o simplemente para el recreo de los palaciegos. Esto nos explica, sin duda, por qué muchas de sus piezas apenas pueden juzgarse como composiciones dramáticas autónomas; se escribieron para ser representadas en una festividad determinada y no pretendieron ser más que uno de los elementos constituyentes de una fiesta palaciega. Buen ejemplo, entre las piezas incluidas en la presente colección, es el *Auto de las gitanas*.

Muchas de las particularidades del teatro vicentino se explican a causa del público ante el cual se representaron las piezas. Empero no debemos creer que Gil Vicente se viera forzado a traicionar su propia conciencia, ni parece que haya razón suficiente para afirmar, como lo hace Saraiva, que el autor «satisfacía gustos ajenos» cuando predicaba la Cruzada o celebraba las hazañas guerreras o amorosas de los héroes de los libros de caballerías (14).

Se han perdido algunas obras de Gil Vicente. Del *Jubileu de amores*, por ejemplo, sabemos sólo que escandalizó al nuncio, cardenal Aleandro, cuando la vio representar en casa del embajador portugués en Bruselas en 1531 (15). Por otra parte, I. S. Révah ha atribuido a Gil Vicente dos autos anónimos conservados en la Biblioteca Nacional de Madrid, el *Auto da geraçam humana* y el *Auto de Deus padre e Justiça e Misericórdia* (16). Dejando aparte los dos autos

---

(14) *História da Cultura*, II, 313-314.

(15) Véase la primera *Nota Vicentina,* «Gil Vicente em Bruxelas», de doña Carolina Michaëlis: se reproduce la carta del nuncio en las páginas 14-15.

(16) Ambos fueron editados por el mismo Révah con el título de *Deux «autos» méconnus de Gil Vicente;* sus argumentos en favor de la

descubiertos por Révah, tenemos cuarenta y cuatro obras dramáticas de Gil Vicente (17). De estas piezas, once están en castellano y quince en portugués; en las restantes, se usan ambos idiomas, valiéndose ciertos personajes del portugués y otros del español.

¿Por qué escribió Gil Vicente algunas veces en castellano y otras en portugués? ¿Por qué empleó a veces las dos lenguas en una sola pieza? Paul Teyssier sugiere tres principios que parece haber guiado al poeta en su elección de una o de otra (18). Primero, la tradición literaria. Cuando Gil Vicente se inspira directamente de un texto tiende a utilizar la lengua de su modelo. Así sus primeras piezas, donde sigue muy de cerca las de Juan del Encina y Lucas Fernández, están en castellano, o, más exactamente, en sayagués, el dialecto rústico estilizado que emplearon los maestros salmantinos. De la misma manera, están en castellano el *Don Duardos* y el *Amadís de Gaula*, que proceden de libros de caballerías españoles. El segundo principio que parece seguir Vicente es el de la verisimilitud. Todos los innumerables tipos humanos que figuran en el teatro vicentino tienen su propio lenguaje; todos hablan como hablarían si fueran efectivamente figuras de carne y hueso. Claro está que los españoles que aparecen en las obras vicentinas no dejarán de hablar su propio idioma, aun cuan-

atribución a Gil Vicente se encuentra en *Deux autos de Gil Vicente restitués à leur auteur*. Dicha atribución no ha sido aceptada por todos los eruditos en estudios portugueses; véase la reseña de Eugenio Asensio, *RFE*, XXXIII (1949), 409-414.

(17) No cuento entre las obras dramáticas el *Sermón hecho a doña Leonor*, en castellano, ni el *Pranto a María Pardo*, en portugués, impresas entre las «obras menudas» al final de la *Copilaçam* de 1562.

(18) Ob. cit., págs. 298-301.

do los otros personajes de la pieza hablan portugués,
tal como lo hace, por ejemplo, el castellano Juan de
Zamora del *Auto da Índia*. El tercer principio es el
de la jerarquía de las dos lenguas. A principios del
siglo XVI la literatura castellana fue incomparable-
mente más rica que la portuguesa. Todo portugués
culto debió conocerla. Además, la corte fue virtual-
mente bilingüe: de las tres mujeres del rey don Manuel, dos fueron hijas de los Reyes Católicos; la tercera fue hermana de Carlos V, como lo fue también
la mujer de Juan III. Es natural, pues, que tanto a
Vicente como a la mayor parte de sus contemporáneos les pareciera el portugués menos elegante que el
castellano, menos conveniente para la expresión de
temas o sentimientos nobles.

Es muy probable, desde luego, que Vicente no se
dejara guiar por unos principios abstractos al escoger
la lengua de que iba a servirse en una pieza determinada. Lo cierto es que a menudo nosotros podemos
alegar más de una razón para justificar su elección
del español o del portugués. El *Auto de la barca de
la Gloria*, por ejemplo, puede haber sido escrito en
español porque todos los personajes son altos digna-
tarios civiles o eclesiásticos. Su tema tiene también
una alta resonancia religiosa: la salvación del hombre
por la intervención directa de Cristo. La elección del
castellano, pues, puede obedecer a consideraciones
de jerarquía lingüística. Pero podríamos invocar también otro de los principios formulados por Teyssier,
el de la tradición literaria. Efectivamente, consta
que una de las fuentes del auto es la famosa *Danza
de la muerte* castellana; asimismo sabemos que las

lecturas teológicas de Vicente eran principalmente
castellanas.

La *Copilaçam* de 1562 divide las obras teatrales en
cuatro grupos: obras de devoción, comedias, tragico-
medias y farsas. Dicha división, sin embargo, no es
de Gil Vicente (19). Modernamente se ha propuesto
otras clasificaciones, unas cronológicas y otras según
el contenido de las piezas. Debemos advertir, ante
todo, que es muy difícil trazar la evolución del teatro vicentino por dos razones básicas. Primero, porque la cronología de las piezas no es sino muy incierta.
Segundo, porque en todas las etapas de la actividad
teatral de Gil Vicente se encuentra juntas obras maes-
tras y otras que, al menos para nuestro gusto moderno, no están nada logradas. Huelga añadir que un
estudio de la trayectoria dramática de Gil Vicente no
podría prescindir de las obras portuguesas y bilingües; asimismo no cabe dentro de los límites de una
introducción como ésta, sin más finalidad que la de
servir de guía a las composiciones castellanas del
poeta.

Deberíamos tal vez pensar más bien en una clasificación por materias de las piezas vicentinas. No
han faltado tentativas en este sentido, aunque quizá
ninguna de ellas sea plenamente satisfactoria. A continuación damos la clasificación propuesta por el estudioso inglés T. P. Waldron en la introducción a su
edición del *Amadís*, y agregamos los títulos de las
piezas castellanas, reunidas en este volumen, que a
nuestro parecer caben dentro de cada una de las categorías:

(19)   Véase I. S. Révah, *BHTP*, II (1951), 1-39.

1. Piezas tempranas, al estilo pastoril de Encina y Lucas Fernández: *Auto de la visitación; Auto pastoril castellano; Auto de los reyes magos.*
2. Moralidades: *Auto de San Martín; Auto de la sibila Casandra; Auto de la barca de la Gloria.*
3. Farsas.
4. Fantasías alegóricas: *Auto de los cuatro tiempos.*
5. Comedias románticas: *Comedia del viudo; Don Duardos; Amadís de Gaula* (20).

Quedan algunas de difícil clasificación. *El Auto de los cuatro tiempos* tal vez no debiera incluirse entre las fantasías alegóricas, puesto que las otras obras que encasillamos en esta categoría no tratan de cuestiones religiosas. Pero tampoco tiene mucho que ver con los autos al estilo pastoril, si bien es de tema navideño como éstos, ni con las moralidades, alguna de las cuales, el *Auto de la sibila Casandra*, también nos cuenta el nacimiento del Señor. El *Auto de San Martín*, de unos ochenta versos, apenas merece su posición entre las moralidades; no se puede comparar en nada a la *Sibila Casandra* ni a la *Barca de la Gloria.* Finalmente, el *Auto de las gitanas*, que la *Copilaçam* clasifica entre las farsas, no se parece en absoluto a las verdaderas farsas vicentinas. No hay intriga; es sólo un desfile de personajes pintorescos, revista musical en miniatura. Lo he dejado, pues, fuera de la clasificación aquí propuesta.

De nuestras cinco categorías, sólo tres figuran entre las piezas castellanas de Vicente. Falta la fantasía alegórica de tema profano. Omisión más grave es la de la farsa, género que Vicente cultivó con tanto

---

(20) Waldron, ob. cit., pág. 7.

éxito en obras como el *Auto da Índia*, el *Auto de Inês Pereira*, o el *Juiz da Beira*. En éstas se nos revela Vicente como fino conocedor de la vida portuguesa, especialmente en su aspecto popular, y nos da muestras del habla de cada una de las clases que formaban la sociedad lusitana de la época. Si no hay nada semejante en la parte castellana de su teatro, se debe probablemente a que Vicente no conoció bastante bien la vida española —no hay ninguna prueba de que visitara España— y fue, sin duda alguna, mucho menos sensible a los matices sociales y regionales del castellano que a los del portugués.

Inicia Gil Vicente su carrera de dramaturgo con el *Auto de la visitación;* con esta obra comienza también la historia del teatro literario portugués. Hubo seguramente representaciones dramáticas antes de que Gil Vicente empezara a escribir, pero no tenemos ningún texto anterior al *Auto de la visitación*. Según I. S. Révah, Gil Vicente no debe nada al teatro religioso portugués de la Edad Media; al iniciar la farsa portuguesa, en cambio, pudo contar con la tradición medieval de los *trebelhos, jogos* y *momos,* si bien media una distancia enorme entre estas improvisaciones más o menos espontáneas y las primeras piezas de Gil Vicente (21).

El *Auto de la visitación* fue recitado por el propio dramaturgo en el palacio de la Alcáçova, en Lisboa, la noche del 7 de junio de 1502, con motivo del nacimiento del príncipe Juan la mañana del día antes. Presenciaron el auto sólo los miembros de la familia

---

(21) Sobre las manifestaciones teatrales previcentinas, véase el importante estudio de Révah, *BHTP*, I (1950), 153-185.

real y algunos oficiales y damas de la corte. La pieza es sencillísima. Interviene en ella un solo personaje, y, de hecho, suele citarse por el título de *Monólogo del vaquero*. Sin embargo, la obrita no carece de movimiento. Empieza con la salida precipitada, y un tanto ruidosa, del vaquero, que protesta contra los que han intentado impedir que entre en la cámara de la reina. La acción se identifica así con las circunstancias de la representación; los miembros de la familia real que presencian el espectáculo se convierten en personajes pasivos del mismo, recurso que volveremos a encontrar en otras obras vicentinas, por ejemplo, la *Comedia del viudo* y el *Auto de las gitanas*.

En la *Copilaçam* de 1562 el *Auto de la visitación* principia la serie de las obras devotas, sin duda por razones de cronología: la rúbrica inicial del auto nos dice que «se pone aquí la dicha *Visitación* por ser la primera cosa que el autor hizo y que en Portugal se representó». En todo caso, tal clasificación, como ya hemos dicho, no es obra del propio dramaturgo; pero no deja de venir al caso, pues la obrita muestra muchas afinidades con las piezas navideñas de Encina y Lucas Fernández. El orden natural está perturbado como lo estuvo, según la tradición, cuando nació el Señor (vv. 58-70); las referencias al linaje del niño recuerdan las profecías de los autos navideños (versos 77-98); los pastores ofrecen regalos al recién nacido; finalmente, la lengua de la pieza imita evidentemente el dialecto sayagués cultivado por los maestros salmantinos. No debe extrañarnos, pues, que doña Leonor, viuda del rey don Juan II y abuela del príncipe recién nacido, sugiriera a Gil Vicente que

revisara el auto para que se representara en los maitines de la Navidad siguiente. La corte debió conocer
las obras de los salmantinos; es posible que alguna
de ellas se representara allí antes de que Gil Vicente
estrenara el *Auto de la visitación*.

Empero Gil Vicente no hizo lo que le pidió la reina
madre, tal vez porque, como dice la rúbrica final, cre-
yera que la materia del auto no se prestaba a tal re-
visión. Parece más probable, sin embargo, que quisiera intentar una tarea más ardua. Lo cierto es que,
en vez de revisar el *Auto de la visitación*, escribió una
pieza nueva y aun más estrechamente ligada a la
tradición del teatro salmantino: el *Auto pastoril castellano*.

Aquí Gil Vicente nos revela su perfecta maestría
de la tradición pastoril, tal como la venían cultivan-
do Encina y Lucas Fernández. En el *Auto pastoril
castellano* encontramos todos los rasgos distintivos del
género: el empleo del sayagués; los juegos rústicos de
los pastores; la sátira del orgullo que sienten éstos
de su linaje humilde, cosa que sin duda pareció especialmente graciosa al público palaciego; la reproducción, en un español lleno de sabor rústico entremez-
clado con fragmentos de latín más o menos corrompido, de las profecías tradicionales del nacimiento del
Señor.

Gil Vicente no se contentó con lo que habían hecho
los salmantinos. Les superaba muchísimo como poeta
lírico. No hay nada en las obras de Encina y Lucas
Fernández que pueda compararse con las delicadas
canciones de los autos navideños vicentinos como
«Aburramos la majada» y «Norabuena quedes, Men-

ga», del *Auto pastoril castellano*, y «Cuando la Virgen bendita», del *Auto de los reyes magos*. Gil Vicente aumenta también la tensión dramática de los autos. El auto navideño es un espectáculo más bien ritual que teatral, y su argumento, en el fondo, siempre el mismo; la libertad del poeta se limita a la invención de detalles. No caben sorpresas: todos saben cómo va a terminarse la pieza aun antes de que empiece. Pero Gil Vicente supo aumentar el interés dramático de sus autos, fijando la atención de su auditorio no ya en el nacimiento del Señor, sino más bien en las reacciones diversas de los hombres ante este acontecimiento.

En el *Auto pastoril castellano*, el pastor Gil se diferencia bastante de sus compañeros. No quiere tomar parte en los pasatiempos que les gustan a éstos (vv. 29-33). Prefiere estar solo y contemplar los cielos; ninguna zagala, por muy hermosa que sea, puede compararse con ellos (vv. 37-42). Ignora su propio destino: «que el ganado con que ando... quiçá será de otro dueño» (vv. 48, 51). Pero sabe que la vida pasa muy aprisa. La alusión al pastor Juan Domado, que recuerda la vieja tradición literaria del *ubi sunt*, nos permite entrever las dudas que angustian a Gil (vv. 52-60).

Su compañero, Bras, se niega a tomarle en serio. «El crego [clérigo] de Bico Nuño | te enseñó esso al domingo», le dice —anacronismo voluntario, como los que encontramos repetidas veces en el teatro religioso español— y le aconseja que se dedique al placer (vv. 63-69). Gil Vicente acentúa así la distancia entre el hedonismo de Bras y la austeridad moral de

Gil. Otro pastor, Lucas, se burla de que Gil confíe tanto en Dios para encontrar sus ovejas perdidas. Es posible que Gil tenga un no sé qué de santurrón que no agrada mucho a sus compañeros. No me atrevería a afirmar, sin embargo, que el propio Gil Vicente se burle de la fe sencilla de su protagonista, aunque sí se ríe de la ignorancia de éste, sin duda para contrastarla con la sabiduría que mostrará al fin del auto (22).

Empero, sólo Gil oye el canto del ángel. Únicamente él recibe la noticia del nacimiento de Cristo. Gil aparece ahora transformado como por milagro. Sabe todas las profecías acerca del nacimiento del Mesías; hasta conoce —y esto es lo que parece impresionar más a sus compañeros— la lengua latina. Aquí Gil Vicente soluciona uno de los defectos de la tradición heredada de los salmantinos, en cuyas obras los pastores humildes, cuyos juegos y disputas rústicos constituyen la primera parte del auto, deben también explicar la significación del nacimiento del Señor que lo concluye y culmina. Lucas Fernández había intentado solucionar el problema por medio de la introducción de un personaje, por ejemplo un ermitaño, que conoce las profecías y sabe emplear además el lenguaje culto; de esta manera consigue el dramaturgo no sólo poner de relieve el lenguaje rústico de los pastores, sino también dar más elegancia a la exposición de la Natividad (23). Gil Vicente le aventaja al

---

(22) Véase la plegaria mutilada que reza Gil, vv. 251-253. Notemos también que es Gil quien pronuncia la genealogía festiva de la esposa de Silvestre.

(23) Véase Bruce W. Wardropper, *Introducción al teatro religioso*, página 161.

establecer una oposición entre Gil y sus compañeros: ya no es cuestión de erudición ni de clase social, sino de temperamento. Gil ya está dispuesto a aceptar la noticia del nacimiento de Cristo, pronto a ponerse al servicio del rey recién nacido: por consecuencia, ya sabe cuanto le es necesario para la salud de su alma. Su conocimiento de las profecías y aun de la lengua latina, por muy impresionante que resulte a sus compañeros, no añade nada esencial (24).

En el *Auto de los reyes magos*, estrenado el día de los Reyes de 1502, Gil Vicente sigue otra vez a los salmantinos. El pastor Gregorio corresponde al Gil del *Auto pastoril castellano*. También él ha oído la voz del ángel pidiéndole que abandone su rebaño y vaya a buscar al niño Jesús. Hace trece días que Gregorio le busca sin poder hallarle, y ya comienza a desesperar un poco. Encuentra a Valerio, otro pastor, que trae consigo a fray Alberto. Gil Vicente acentúa el contraste entre el vivo deseo que siente Gregorio de conocer al Mesías y la indiferencia del fraile, que conoce las profecías del Nacimiento pero no ha hecho ningún esfuerzo para hallar al recién nacido. En vez del juego de pullas de las piezas salmantinas, los dos pastores se burlan del fraile. Ya se percibe la nota de ironía al presentar Valerio al fraile, cuando dice que «los lletrados | son guía de los errados» (vv. 63-64). Es evidente que la erudición del fraile no le ha incitado a buscar al niño Jesús; las preguntas de los pas-

---

(24) Tal vez Gil Vicente haya sido influido por las leyendas de personajes bíblicos que fueron agraciados con una ciencia infusa, como aconteció a los apóstoles cuando recibieron el don de las lenguas (Actos de los Apóstoles, 2, 4-12); véase también la historia de Moisés (Exodo, 4, 10-12).

tores hacen entrever también que el fraile no se ha dedicado al estudio de los problemas fundamentales de la religión, sino a la elucidación de quisquillas teológicas (25). El propio fray Alberto se increpa a sí mismo (vv. 90-102), aunque no logra desviar a los pastores de sus burlas irreverentes. Sin duda no carece de significación que las profecías tradicionales del nacimiento del Señor no están puestas en boca del fraile, sino que las anuncia un caballero, venido de Arabia para juntarse al séquito de los reyes magos. El caballero, como los soberanos y a diferencia del fraile, no sólo conoce las profecías, sino que también está dispuesto a ofrecerse al servicio del rey recién nacido. Así se subraya uno de los temas fundamentales de la pieza, el de que la erudición por sí sola no vale nada si no incita a la acción; sabemos, efectivamente, que los intereses teológicos de Gil Vicente eran siempre más bien éticos que metafísicos. El auto termina con la entrada en escena de los propios reyes magos, que cantan un delicioso villancico.

El *Auto de San Martín*, de sólo ochenta versos, fue representado en la iglesia de las Caldas de Lisboa durante la procesión del Corpus del año 1504. La obrita apenas tiene importancia poética ni dramática. Sí la tiene histórica, aunque sea debida a una equivocación: desde hace casi un siglo se viene repitiendo que es el primer auto sacramental (26). En realidad, más

---

(25) Claro está que Gregorio y Valerio no atacan a fray Alberto, a quien apenas conocen, sino a todos los frailes, blanco de frecuente sátira en el teatro vicentino; véase, por ejemplo, el prólogo del *Auto dos mistérios da Virgem (Auto da Mofina Mendes)*.

(26) Encabeza la colección de Eduardo González Pedroso, *Autos sacramentales. Desde su origen hasta fines del siglo XVII.* Biblioteca de

bien muestra que entonces todavía no se había cons-
tituido el género: a principios del siglo XVI se pudo
celebrar la fiesta del Corpus con cualquier obra teatral de asunto religioso. No era necesario que la obra
fuera alegórica, ni que tuviera nada que ver con la
Eucaristía (27).

En el *Auto de la sibila Casandra*, representado probablemente en diciembre de 1513, Gil Vicente vuelve a tratar un tema navideño. Lo trata, sin embargo, de una manera profundamente nueva, muy ale-
jada de las piezas de Encina y Lucas Fernández. La
fuente principal del auto no es una obra teatral, sino
una novela de caballerías italiana, el *Guerino Mes-
chino* de Andrea da Barberino, traducida al español
y publicada en Sevilla por Jacobo Cromberger en
1512 (28).

Al principio del auto encontramos a Casandra, vestida de pastora, sola en la escena. Su monólogo inicial expone uno de los temas principales de la pieza (vv. 1-22). El sentido parece claro: Casandra no
quiere casarse porque está convencida de que, para
la mujer, el matrimonio no puede ser otra cosa que

Autores Españoles, LVIII (Madrid, 1865). Pedroso se dio cuenta, sin
embargo, de que «su asunto no tiene relación alguna... con el misterio
de la Eucaristía» (nota a la pág. 3). Menéndez y Pelayo, a pesar de
que lo llama el ejemplo más antiguo del género que se conoce en castellano, admite que no tiene con el auto sacramental «más relación que
la de haber sido representado durante la procesión del *Corpus*». Discurso pronunciado ante el Congreso Eucarístico de Madrid de 1911, incluido en *San Isidoro, Cervantes y otros estudios* (Buenos Aires, 1944),
página 126.

(27) Véase Bruce W. Wardropper, ob. cit., pág. 164.
(28) Sobre las fuentes del auto, hay dos estudios fundamentales,
María Rosa Lida de Malkiel, *Fil*, V (1959), 47-63; I. S. Révah, *HR*:
XXVII (1959), 167-193.

una forma de esclavitud. En realidad, sin embargo,
sus palabras tienen otra significación, aunque ella
misma no la percibe. Lo que no comprende es la naturaleza exacta del matrimonio que no quiere aceptar: no es sólo la unión de un hombre y una mujer
sino también la unión de Cristo y el alma cristiana.
La respuesta a la pregunta de Casandra, «¿Quál será
pastor nacido... que me merezca?», es, desde luego, el
propio Cristo, el buen pastor que da su vida por sus
ovejas (Juan, 10, 11). Cuando Casandra se pregunta
«¿Quál es la dama polida, | que su vida | juega, pues
pierde casando, | su libertad cautivando?», y agrega
que la mujer, al casarse, se hace «siempre vencida, |
desterrada en mano ajena, | siempre en pena», insi-
núa naturalmente que ninguna persona sensata se
atrevería a hacer tal cosa; no se da cuenta de que
describe su propia condición, de la cual puede escapar
únicamente por medio del matrimonio que rechaza.

La condición de Casandra es la de todo ser humano.
Las ideas que expone sin saberlo en estos versos están
muy arraigadas en el pensamiento cristiano medieval. Nuestras vidas son una especie de destierro
que terminará sólo con la muerte, cuando volvemos
a nuestra propia patria, es decir, al cielo. Todos somos
también prisioneros, prisioneros del pecado y de la
muerte; sólo podemos escapar si nos entregamos a
Cristo. San Pablo se llama con frecuencia a sí mismo
prisionero de Cristo, *vinctus Christi Jesu*, y a veces
llama *concaptivi mei* a otros cristianos.

Un joven sale ahora a la escena. Está vestido de
pastor; más tarde hemos de saber que se llama Salomón. Ruega a Casandra que se case con él, pero ella

le rechaza. Es inútil insistir en la fuerza cómica de
la escena: Salomón es un joven labrador, muy satisfecho de sí, que no acierta a comprender cómo Casandra puede desdeñarle (29). Sí conviene en cambio
acentuar la significación teológica. Casandra recuerda a Salomón que no es la primera vez que se ha
negado a aceptar su oferta de matrimonio: «Lo que
te dixe hasta aquí | será ansí, | aunque sepa de mo-
rir» (vv. 59-61). «Aunque sepa de morir» —Casandra
le rechazaría a Salomón aunque de ello dependiera
su propia vida. Así es, efectivamente, porque Salomón aquí es una *figura Christi*, como lo es a menudo
en la literatura medieval. Al rechazarle, Casandra rechaza también el matrimonio espiritual de Cristo.

Salomón no logra convencer a Casandra. Queda
tranquila cuando él insinúa que ella está enamorada
de otra persona (como lo está, de hecho, puesto que
su orgullo, como todo orgullo, no es otra cosa que
amor propio); sigue repitiendo que no quiere casarse:
«No quiero ser desposada | ni casada, | ni monja, ni
ermitaña» (vv. 91-93). No deja de llamar la atención
el que Casandra no quiera hacerse monja, puesto que
esto significa renunciar al matrimonio espiritual: la
monja es, desde luego, la esposa de Cristo.

Al fin desespera Salomón de persuadir a Casandra,
y se marcha en busca de las tías de ésta, las sibilas
Erutea, Peresica y Cimeria. Ellas tampoco consiguen
que Casandra cambie de opinión; Salomón se marcha
una vez más y vuelve en seguida con sus tíos, los
profetas Moisés, Abrahán e Isaías. Casandra, sin em-

---

(29) Véase Leo Spitzer, *HR*, XXVII (1959), 56-77. Es sin duda el
mejor estudio crítico de la pieza, aunque haya algunos puntos discutibles.

bargo, se niega en absoluto a dejarse convencer por
los argumentos de los profetas. Quiere conservar su
virginidad, porque sabe que Dios ha do encarnarso
y una virgen ha de parir; no dice, empero, que cree
ser la virgen escogida.

Las otras sibilas confirman la profecía de Casandra. Erutea dice que el niño será expuesto en un pesebre, donde le verán pastores y reyes. Cimeria también ha tenido una visión de la Virgen y su hijo; sus
palabras anuncian otro de los temas principales de la
pieza, el de la *militia Christi*, en la cual todo cristiano tiene la obligación de servir. A Cimeria le aparece
María «con leda cara y guerrera»; está «contra Lucifer armada», y viste un yelmo que lleva inscritas las
palabras *Mater Dei* (vv. 470-474). Al fin, Peresica
profetiza la Crucifixión.

Entretanto Casandra ha guardado silencio. Ahora
anuncia que ella misma ha de ser la Virgen mencio-
nada en las profecías sibilinas. A los otros les escan-
daliza su presunción. «Cállate, loca perdida», le dice
Isaías, y agrega que Casandra es todo lo opuesto a
la Virgen, porque ésta «humildosa ha de nascer, | y
humildosa conceber, | y humildosa ha de criar» (546-
548). Además, se llama María; ¿cómo se atreve Casandra a decir que será ella la Madre del Mesías?
Isaías ha profetizado el nacimiento del Redentor; lo
han profetizado también Moisés y Abrahán, y hasta
Salomón. Sus profecías abarcan toda la historia humana hasta el fin del mundo. Las sibilas les recuerdan que ellas también son profetisas, y que efectivamente han profetizado el juicio final. Erutea ha
dicho cuanto necesitan saber los hombres de este jui-

cio; no ha revelado, sin embargo, cuándo ha de ser,
y esto lo va a descubrir ahora. Se acabará el mundo
cuando la Iglesia esté sujeta a «la tirana cobdicia»,
cuando le importe más su propia magnificencia que
las necesidades de los fieles, cuando los hombres vean
«perdida | y consumida | la vergüença y la razón | y rei-
nar la presunción» (vv. 644-647). En este momento,
se abren las cortinas del fondo de la escena, descubriendo así a la Virgen y a su Hijo.

¿Hay alguna significación especial en esta yuxtapo-
sición del juicio final y el nacimiento de Cristo? El
juicio final es también el segundo advenimiento de
Cristo, cuando vuelva al mundo para juzgar a todos
los hombres. Este segundo advenimiento, como el primero, llegará cuando el hombre lo necesite con mayor urgencia, cuando, como dice la sibila, la presunción y la locura sustituyan la vergüenza y la razón.
Dios se manifestó por primera vez al hombre por la
creación del universo; después de la caída, y como
resultado directo de ésta, el hombre ya no pudo lle-
gar al conocimiento de Dios por medio de la contem-
plación de la naturaleza. De ahí la necesidad de una
segunda manifestación divina, Dios hecho hombre
para que pueda hablar a los hombres. Casandra puede simbolizar al hombre bajo la Ley antigua; en ella,
el orgullo ha destruido la humildad y la razón.

Los profetas y las sibilas, a excepción de Casandra
—excepción altamente significativa— se acercan al
pesebre y adoran al niño Jesús. Moisés le llama «pas-
torcico nacido», palabras que nos recuerdan la aser-
ción arrogante de Casandra, al principio de la pieza,
de que nunca ha de nacer pastor que la merezca;

Salomón, con una frase que, igual que la visión de la Virgen guerrera anunciada por Cimeria, prefigura el tema de la *militia Christi* que volverá a aparecer al fin del auto, le llama «ab eterno capitán». Al fin, Casandra misma se acerca al pesebre para confesar su error. Sumamente avergonzada, no se atreve a pedir perdón a Cristo, y ruega a la Virgen que interceda por ella.

El auto termina con una exhortación a la guerra: «¡A la guerra, | cavalleros esforçados! | Pues los ángeles sagrados | a socorro son en tierra, | ¡a la guerra!» Suele decirse que esta canción final se refiere a una guerra contra los moros africanos; no tiene, pues, nada que ver con el argumento del auto. Creo, sin embargo, que los «cavalleros esforçados» de la canción deben identificarse con todos los cristianos, puesto que cada cristiano tiene la obligación de servir, al menos en sentido figurado, en la *militia Christi*. No carece de importancia que la propia Casandra se una a los otros personajes al cantar dicha canción. Casandra está dispuesta a hacer el papel que le corresponde, y al mismo tiempo invita a cada miembro del auditorio a aceptar un doble cometido, como el suyo propio, de *sponsa* y *miles Christi*.

El último de los autos castellanos de asunto navideño es el *Auto de los cuatro tiempos* (30). En él Gil Vicente se liberta, aun más definitivamente que en el *Auto de la sibila Casandra*, de la tradición de Encina y Lucas Fernández, y se inspira directamente en la liturgia: Eugenio Asensio ha mostrado que la

---

(30) La fecha de la primera representación no es nada segura. Braamcamp Freire, ob. cit., pág. 154, propone 1511 ó 1516.

fuente principal del auto es el Oficio de Nuestra Señora que se reza en adviento (31). Los espectadores acabarían de recitar todo o parte de dicho oficio: en el auto encontraron una adaptación dramática del *Laudate dominum de caelis* y el *Benedicite* de los tres mancebos en el Libro de Daniel. El auto es, pues, una laude escenificada, pariente lejano de las *rappresentazioni sacre* italianas; ensayo único, no consiguió arraigarse en el teatro peninsular (32).

El argumento del auto es muy sencillo. Los cuatro tiempos, acompañados de ángeles, del dios pagano Júpiter, y del profeta David, vienen al pesebre a adorar a Cristo recién nacido. Es muy escaso el interés dramático de la pieza. No hay intriga; el diálogo se limita a dos escenas, ambas muy breves (vv. 286-326 y 423-447). En la primera, el cambio de insultos entre Verano (es decir, Primavera) y Estío recuerda, aunque de lejos, el juego de pullas de los autos pastoriles. El resto del auto está compuesto de largos monólogos, entrecortados por canciones; notemos especialmente la encantadora cantiga paralelística intercalada en el recitativo del Verano, reminiscencia de las *cantigas de amigo* de los cancioneros medievales.

Menos atrayente, para nuestro gusto moderno, es el discurso de Júpiter, donde Gil Vicente hace alarde de su saber mitológico y cosmológico. Saber de segunda mano, según ha probado Eugenio Asensio.

---

(31) *RFE*, XXXIII (1949), 350-375. El artículo del señor Asensio ofrece no sólo un estudio ejemplar de las fuentes que Gil Vicente utilizó en la confección de la pieza, sino también una apreciación cabal de su valor poético.

(32) Ob. cit., pág. 375.

En la primera parte de su monólogo, la que precede
al breve diálogo con los cuatro tiempos, Júpiter de-
clara que ya no reinan los dioses paganos; la erudición mitológica, tan rara en el teatro vicentino, que
distingue esta parte del monólogo de Júpiter, la pide
prestada Gil Vicente a la *Coronación* de Juan de
Mena. Después del encuentro con los cuatro tiempos,
Júpiter pasa a tratar de otro tema: el homenaje del
universo al rey recién nacido. La fuente de la erudición geográfica y astronómica que aquí muestra Gil
Vicente es el famoso *Libro de proprietatibus rerum* de
Bartholomaeus Anglicus, que conoció en la versión
castellana de fray Vicente de Burgos, aparecida en
Tolosa de Francia en 1494 (33).

Auto religioso, aunque no de tema navideño, es el
Auto de la barca de la Gloria, representado en viernes
santo del año 1519 (34). Se ha dicho repetidas veces
que forma la tercera parte de una *Trilogía de las barcas*, que comprendería también el *Auto da barca do
Inferno* y el de la *Barca do Purgatório*, ambos en portugués. Efectivamente, la rúbrica que precede a la
Barca do Inferno en la *Copilaçam* de 1562 se refiere
a los tres autos como si formaran una sola obra di-
vidida en tres escenas. La autenticidad de dicha rúbrica ha sido puesta en tela de juicio por I. S. Révah,
quien señala sus inconsistencias y concluye que no
puede ser obra del propio dramaturgo sino de su
hijo, Luis Vicente (35). Tal vez exagere un poco al

---

(33)   En las notas al auto, doy una muestra de los trozos de la *Coronación,* y de la enciclopedia de Bartholomaeus Anglicus utilizados
por Gil Vicente.

(34)   Braamcamp Freire, ob. cit., pág. 126.

(35)   *Recherches*, I, págs. 76-80.

decir que Gil Vicente no pensó jamás escribir una trilogía o tríptico de las *Barcas:* escrito el *Auto da barca do Inferno*, el éxito de que gozó la pieza le llevó a escribir otras dos variaciones del mismo tema (36). Sin duda, no escribió Gil Vicente los tres autos a un tiempo; es probable que, al escribir la primera *Barca*, no pensara en sus dos continuaciones. Al escribir éstas, en cambio, debió de pensar en lo que ya tenía escrito. Los tres autos se destinaron al mismo auditorio; todos fueron representados ante la corte portuguesa, y muchos espectadores debieron presenciar los tres. ¿No es probable que Gil Vicente haya querido evitar inconsecuencias entre las piezas? ¿No habrá hecho algún esfuerzo para que los tres autos armonicen unos con otros? De hecho, en la *Barca do Purgatório* hay alusión al viaje al infierno del primer auto; en la *Barca de la Gloria*, el Diablo se refiere de pasada a los dos viajes precedentes (vv. 12-19). Me inclino a estar de acuerdo con el estudioso alemán, Albin Edouard Beau, cuando afirma que «hay una unidad estructural entre los tres autos [que] se presentan como partes integrantes de una sola obra» (37).

Esta unidad de estructura, de que habla Beau, no implica, sin embargo, que haya unidad de tono. La nota cómica, por ejemplo, tan acusada en la *Barca do Inferno*, apenas se deja oir en la de la *Gloria*. En ésta también falta el colorido nacional de la primera

---

(36) Ob. cit., pág. 78.

(37) As *«Barcas»* de Gil Vicente, ensayo recogido en sus *Estudos*, I, 162. Es sin duda el mejor estudio de conjunto sobre las *Barcas*. Véase también la edición, con traducción portuguesa e introducción y notas muy valiosas, de la *Barca de la Gloria* realizada por Paulo Quintela, y el estudio fundamental de Eugenio Asensio, *BHTP*, IV (1953), 207-237.

Barca. Le falta asimismo la sensación de vida, que
en las otras *Barcas* y sobre todo en la del *Infierno,*
resulta de la diversidad de tipos humanos que les da
su nota característica de desfile animado de personajes pintorescos y graciosos. Es menester confesar que
los personajes de la tercera *Barca* están mucho menos individualizados que los de la primera y segunda;
por eso, sin duda, suele considerarse inferior a ellas
en interés dramático.

Aunque es imposible justificar la falta de individua-
ción de los personajes de la tercera *Barca* desde el
punto de vista teatral o literario, sí se puede defender desde el teológico. Los personajes de la *Barca do
Inferno* no se arrepienten de sus actos; al contrario,
los volverían a repetir si pudieran. Los de la *Barca
do Purgatório,* aunque se arrepienten de sus pecados
y aceptan su destino con resignación, no dejan de
hablar en su propia defensa. Insisten en que no po-
dían obrar de una manera diferente. Los personajes
de la tercera *Barca,* en cambio, no procuran en absoluto defenderse contra las acusaciones del Diablo.
Con plena consciencia de sus pecados, no tienen deseo alguno de volver a pecar. Han llegado a un estado
de contrición perfecta. Es decir, ya no tienen voluntad propia, porque su deseo ha venido a identificarse con el de Dios; al renunciar a sus pecados,
renuncian también a una parte de su personalidad humana, a su individualidad, porque ésta ha sido for-
mada por la suma de sus buenas y malas acciones.

La primera pieza profana que vamos a analizar es
la *Comedia del viudo.* Según la *Copilaçam,* fue representada por primera vez en 1514. Hay buenas razo-

nes, sin embargo, para creer que se escribió después de 1521; Révah propone 1524 (38).

La *Comedia del viudo* no goza de mucho favor entre los estudiosos del teatro vicentino. Waldron dice que parece «un bosquejo primitivo» de la acción principal del *Don Duardos* (39). Dámaso Alonso ofrece la *Comedia del viudo* como ejemplo de la poca proporción de la trama que caracteriza las piezas vicentinas (40). Sospecho, efectivamente, que a la mayor parte de los lectores, la *Comedia del viudo* les parece dos acciones distintas, muy torpemente ligadas entre sí. Tal interpretación, sin embargo, no me parece muy acertada; analicemos de cerca la pieza.

La inicia un largo monólogo del propio viudo, donde nos da el retrato moral de la mujer que acaba de perder. Acentúa la perfecta obediencia de su mujer, quien no sólo hacía cuanto le mandaba, sino que «querría lo que yo querría, | amava lo que yo amava» (vv. 34-35). Al retratar a su mujer, el viudo nos describe también una casada perfecta, según las ideas del siglo xvi. Los escritores de la época insistían en el deber que tiene la mujer de obedecer en todo a su marido. Aquí está fray Ambrosio Montesino, cuyos famosos *Epístolas y evangelios por todo el año* debió conocer y admirar Gil Vicente: «Mas preguntarás: ¿cómo deve la muger mostrar amor a su marido? Respondo, primeramente, que ella deve honrar a su

---

(38) *BHTP*, II (1951), 24-25.

(39) Ob. cit., pág. 14. Notemos que, según Révah, *Don Duardos* es posterior a la *Comedia del viudo*, cosa que a Waldron le parece poco probable.

(40) Gil Vicente, *Tragicomedia de don Duardos*, ed. Dámaso Alonso, pág. 17.

marido... Lo segundo es que deven obedecer a sus
maridos en todas las cosas según dize San Pedro:
'Las mujeres sean obedientes a sus maridos.' Item,
dijo Nuestro Señor a Eva: 'Debajo del poder de tu
marido estarás puesta.' Por consiguiente, la mujer
que es desobediente y rebelde a su marido con per-
tinacia y menosprecio, gravemente peca» (41).

Lamenta el viudo que su mujer haya muerto an-
tes que él mismo: «y pues triste me dexó, | muriera
mezquino yo | y no ella» (vv. 8-10). Un fraile que ha
venido a consolarle, aunque admite que el viudo tiene razón al llorar la muerte de una mujer tan perfecta, le advierte que su dolor es excesivo: lamentar así
es rebelarse contra la voluntad de Dios. El viudo debiera más bien dar las gracias a Dios de que su mujer
haya muerto cristianamente.

Se marcha el fraile, y llega un compadre que también trata de consolar al viudo, aunque con menos
éxito que el fraile. En la escena con el compadre, Gil
Vicente vuelve a examinar los dos motivos que ya
comentamos, aunque de un modo muy distinto. Si
el viudo puede afirmar que su mujer era «siempre muy
humilde a mis castigos», es muy evidente que en la
casa del pobre compadre no es éste quien manda. Al
dolor que siente el viudo por la muerte de su mujer
se opone el que siente el compadre porque la suya
vive todavía.

Se marchan el compadre y el viudo. Solas en la
escena, las hijas de éste vuelven a hablar de la muerte de su madre. La mayor, Paula, trata de confortar
a su hermana por medio de los tópicos de la literatura

(41) Folio 31.

consolatoria. La escena presenta otra variación sobre la conversación entre el viudo y el fraile; una vez más, y sin transición alguna, se interpone una escena de farsa.

El cambio de tono corresponde a la llegada de un joven, que viene buscando trabajo. Contesta las preguntas de las muchachas, diciendo que se llama Juan de las Brozas y que es natural de Villar de la Cabrera. Es un rústico zafio y algo jactancioso, bastante parecido a los pastores de los autos navideños, cuyo dialecto sayagués él también emplea. Quizá debamos decir que lo es mientras está presente el viudo (42). Al marcharse éste otra vez, el joven deja de hablar al estilo pastoril; descubre un conocimiento perfecto del lenguaje del amor cortés. Se llama don Rosvel, es «hijo de duque y duquesa», y si viene disfrazado de pastor, la culpa es del amor que le ha traído «a la defesa con cayado».

Se ha enamorado de las hijas del viudo, pero no sabe escoger entre las dos; quizá pueda decirse que no se ha enamorado tanto de ellas como del propio amor. Puesto que él no sabe hacer la elección, pide al príncipe Juan que escoja a una de las hijas del viudo: don Rosvel se casará con la escogida. Aquí, la acción de la pieza viene a confundirse por un momento con las circunstancias de la representación. La intervención del príncipe, como la llegada un momento después de don Gilberto, hermano de don Rosvel, sirve, desde luego, en primer lugar para librar a éste de la necesidad de escoger entre las muchachas. Es el viejo artificio del *deus ex machina*, pero quizá aquí

---

(42) Gil Vicente no nos dice cuándo vuelve el viudo.

tenga una significación algo más literal de lo que creería un auditorio moderno. Al rey se le consideraba tradicionalmente el agente de Dios sobre la tierra, *vicarius Dei supra terram*. El lenguaje de la pieza insinúa que debemos interpretar las bodas que la terminan como obra de la voluntad divina; Paula dice que «Dios nos quiso ampurar | y nos casó» (vv. 1002-1003) y don Rosvel está de acuerdo: «Dios y la ventura quiso, | y también yo» (vv. 1006-1007).

Las bodas, como las que se celebran al final de tantas comedias del Siglo de Oro, simbolizan la vuelta al orden social bajo la protección de Dios (43). Para el siglo xvi, dicho orden social, como el propio orden cosmológico, se apoyaba en el principio de la estratificación jerárquica del universo. Pero don Rosvel ha roto esta ley al abandonar a sus padres, ocultando su propia identidad a fin de casarse con una novia de su propia elección. Al rechazar el puesto que le corresponde dentro del orden establecido, ya no es don Rosvel sino que, hasta cierto punto, deja de existir: «Don Rosvel no quiero ser | ni por sueño, | que otro soy des que os vi, | y por vos es mi plazer | tener dueño» (vv. 632-636). No carece de significación el que el casamiento de don Rosvel coincida con el descubrimiento de su identidad verdadera, antes revelada sólo a las hermanas Paula y Melicia.

Ahora comprendemos mejor la pertinencia de las escenas iniciales. El viudo ha alabado a su mujer por su humildad y obediencia; el fraile ha mostrado la necesidad de aceptar la adversidad como manifesta-

---

(43) Véase A. A. Parker, *The Approach to the Spanish Drama of the Golden Age* (Londres, 1957), pág. 14.

ción de la voluntad divina. En ambos casos se trata
de la expresión del mismo principio de orden jerár-
quico, principio muy bien resumido por San Pablo
cuando dice que la mujer debe estar sujeta a su marido de la misma manera que éste debe estar sujeto
a Cristo. (Epístola primera a los corintios, 11, 3.)

Es patente que la servidumbre de su dama que ha
practicado don Rosvel desentona con tal principio.
Si conviene que el amante sirva a su dama, es im-
prescindible que la mujer obedezca a su marido, como
Oriana le enseña a Amadís: «Señor, ya no es tiempo
que por vos se me diga tanta cortesía, ni yo la res-
ciba, que yo soy la que vos tengo de servir y seguir
vuestra voluntad con aquella obediencia que muger
a su marido deve.» (Libro IV, capítulo CXX.) Hay
que esperar que Paula, acordándose del ejemplo de
su madre, diga lo mismo.

El mismo tema del príncipe disfrazado de labrador,
Gil Vicente lo vuelve a tratar en la *Tragicomedia de
don Duardos*. Según Révah, la pieza fue escrita en
1522, pero no se llegó a representar por haberse sus-
pendido las representaciones teatrales en la corte a
causa de la muerte del rey don Manuel en diciembre
de 1521. Dada la extensión de la pieza —más de dos
mil versos—, es probable que no se destinara a la escena sino a la lectura; Gil Vicente habrá aprovechado
la suspensión de la actividad teatral palaciega para
iniciar una nueva etapa en su carrera de dramaturgo (44). Es el *Don Duardos* tal vez la más conocida,
al menos entre lectores españoles, de las obras dramáticas vicentinas, no sólo por sus propios méritos

(44)   *BHTP*, II (1951), 10-12.

poéticos, sino gracias a la edición magistral realizada
hace unos años por Dámaso Alonso.

El señor Alonso acentúa la presencia en la pieza de
una «afirmación renaciente de la personalidad humana: igualdad del hombre ante el amor» (45). Gil Vicente, sin embargo, nunca pone en duda la doctrina
tradicional del amor cortés, según la cual sólo pueden
experimentar las delicias y los tormentos del amor
los que gozan de cierto rango social. Don Duardos no
deja de ser príncipe, aun cuando se viste de labrador;
Camilote, por muy grotesco que sea, es un caballero
diestro y valiente. Parece evidente que el hortelano
Julián, que finge ser padre de don Duardos, no sería
capaz de comprender el amor que éste siente por Flérida, aunque lo conociese; basta recordar los argumentos que alega al intentar persuadir a su hijo fin-
gido para que se case con la labradora Grimanesa.
Tanto Flérida como Artada están convencidas de que
don Duardos no es lo que parece, al menos en parte,
porque no conciben que un campesino pueda sentir
una pasión semejante. Amandria nota acertadamente que todos, sean nobles o no, quieren servirse del
lenguaje del amor cortés, pero no admite que el fin-
gido hijo del hortelano pueda *sentir* el amor que pre-
gona con tanta elocuencia.

Sin embargo, sí hay en la pieza una afirmación de
la personalidad, o, quizá mejor, una afirmación de la
voluntad. Don Duardos, a diferencia del don Rosvel
de la *Comedia del viudo*, tarda mucho en descubrir a
Flérida su verdadera identidad. Se empeña en que
ella reconozca lo que su amor tiene de único, su ca-

(45)   Ob. cit., págs. 19. Véase también págs. 27-29.

rácter superlativo. Paradójicamente, don Duardos afirma su propio valor como amante a la vez que se humilla ante su dama: como don Rosvel, está dispuesto a servir a su dama de la manera más humilde, convirtiéndose en un simple labrador. Renuncia a su verdadera identidad y al puesto que le corresponde dentro de la jerarquía de la corte, para que sea la propia amada quien le confiera título de nobleza al aceptar la devoción que él le profesa.

Asimismo don Duardos exige no sólo que Flérida acepte el homenaje amoroso que él le rinde, sino también que ella corresponda a su amor. Es algo así como una inversión de la situación que solemos encontrar en las historias de amor cortés: aquí es el caballero quien insiste en probar la constancia de su dama. Que el amor puede exigir sacrificios al amante no es, por cierto, nada nuevo; sí lo es, en cambio, que aquí sea la dama quien se ve obligada a realizar el sacrificio.

Lo que don Duardos le pide a Flérida no es cosa fácil. Es verdad que al fin cede un poco en su empeño: al final de la pieza, después de haber matado al caballero salvaje Camilote, aparece vestido de príncipe. No deja de insistir, sin embargo, en que Flérida se marche con él, abandonando a su familia. Es precisamente ahora cuando Flérida y Artada se quejan más amargamente de las condiciones que impone don Duardos. Flérida aun le acusa de engaño y egoísmo: «Allegada es vuessa tema | al engaño. | Queréis vencer mi pelea, | y no queréis que me tema | de mi daño. | Queréis que pierda ell amor | a mi padre y a mi señora | y al sossiego, | y a mi fama y a mi loor |

y a mi bondad, que se desdora | en este fuego»
(vv. 1913-1924).

Lo razonable de su actitud lo señala Artada al decir que ésta es una «terrible partida», una «despedida
peligrosa» (vv. 1988, 1991).

Si don Duardos insiste en probar la constancia de
su dama, no lo hace sin ansiedad. Si Flérida fracasa-
ra, si se negara a hacer el sacrificio que exige don
Duardos, la pérdida sería tanto de él como de ella.
Es sencillamente imposible creer que él sea capaz de
decir: «Ahora bien, si ésta no me quiere, habrá otra.»
Si Flérida se empeñara en rechazarle hasta que descu-
briera quién es, don Duardos acabaría tal vez por
decírselo; pero Flérida ya no volvería a ser lo que había sido para él. Don Duardos se arriesga a perder lo
que más quiere. Es esto, y, desde luego, sus sufrimientos mientras no está seguro de su éxito, que le
absuelve de ser un monstruo de egoísmo.

Don Duardos sufre todas las angustias del amor;
hasta se regocija de su dolor y rechaza todo consuelo:
«Si el consuelo viene a mí, | como a mortal enemigo |
le requiero: | 'Consuelo, vete d'ahí. | No pierdas tiempo
conmigo; | no te quiero'» (vv. 879-884). El gozo del
propio dolor ya era un tópico de la poesía provenzal.
Gil Vicente lo vivifica, lo hace creíble, al dejarnos ver
que don Duardos sufre de veras. Aquí no habla a su
dama, sino que habla consigo mismo, estando solo,
de noche, en la huerta. Conviene notar también que
el primer soliloquio de don Duardos, del cual están
tomados los versos que citamos, sigue casi inmediatamente al ataque que dirige Amandria contra la
falta de sinceridad de los amantes: «Si alguno al dios

Apolo | hiziesse adoración | por su dama, | y esto estando solo | y llorando su passión, | éste ama. | Mas delante son Mancías; | en ausencia son olvido: | y el querer | es amar noches y días, | y quanto menos querido, | más plazer» (vv. 785-796). La función dramática de los soliloquios de don Duardos estriba en que nos ofrecen precisamente una prueba irrefutable de la sinceridad de su amor.

El problema de la sinceridad en el amor es tan importante para Flérida como lo es para el propio don Duardos. Recordamos que cuando Artada, al tratar de convencerla de que no debe hacer caso del fingido hijo del hortelano, menciona a don Duardos entre los que la requieren de amores, Flérida contesta: «Julián me da la guerra | por amor» (vv. 1160-61), es decir, porque la quiere de veras, y no porque el cortesano tiene obligación de servir a todas las damas (hoy día diríamos tal vez de galantearlas).

En la *Comedia del viudo*, Gil Vicente combina la tradición literaria del amor cortés, tal como la conocía a través de los cancioneros y las novelas de caballerías, con dos retratos del matrimonio, simbolizados por los personajes del viudo y del compadre; con ello nos da a conocer los límites de dicha tradición, los aspectos del amor que no menciona nunca. En *Don Duardos*, imprime nueva vida a las caducas fórmulas del amor cortés, subrayando precisamente su carácter de tales para mostrar acto seguido que en este caso no se trata de letra muerta tradicional, sino de vívidas emociones. Cuando don Duardos insiste en que Flérida corresponda a su pasión, Gil Vicente se aproxima mucho más a nuestro concepto moderno del amor romántico que a la tradición cortesana. Notemos que la pieza no termina con las bodas de don Duardos y Flérida; sin duda, don Duardos se casará con su dama cuando lleguen a Inglaterra, pero no se casa aquí, en Constantinopla, en presencia de los padres de ella. El amor aparece como una fuerza disgregadora que junta a los amantes sólo por separarlos del resto de la sociedad; no admite ningún término medio, ninguna limitación de su propia autoridad.

Ya nos hemos referido al *Auto de las gitanas*, representado, según la rúbrica de la *Copilaçam*, ante el rey don Juan III en Évora en 1521; es más probable, sin embargo, que se representara en 1525 (46). La pieza es muy sencilla. No hay intriga alguna; tampoco están nada individualizados los personajes. Es sólo una diversión palaciega. Cabe insistir en el aspecto cortesano de la obrita, puesto que los actores se dirigen repetidas veces a determinados miembros del auditorio, los cuales vienen así a desempeñar un papel importante, aunque tácito, en la propia pieza. Cada una de las buenaventuras que dicen las gitanas debió ajustarse a cierta dama de la corte, cosa que habrá dado un encanto especial a la pieza cuando se representó por primera vez ante un público pequeño de personas que se conocían bien unas a otras.

La última de las obras dramáticas castellanas es la *Tragicomedia de Amadís de Gaula*, al menos si aceptamos la fecha de 1533 que encontramos en la rúbrica de la *Copilaçam*. Révah sugiere la de 1523, principal-

---

(46) Braamcamp Freire, ob. cit., págs. 190-192.

mente a causa de la semejanza entre el *Amadís* y el *Don Duardos*; Waldron prefiere conservar la fecha tradicional (47).

En realidad, las dos piezas casi no tienen más parecido que el de inspirarse en episodios tomados de novelas de caballerías españolas. Falta casi por completo en el *Amadís* el lirismo que da al *Don Duardos* su embeleso especial. Según Waldron, el *Amadís* no es una libre adaptación de la novela, sino más bien una parodia de ella. Desgraciadamente, ha perdido gran parte de su fuerza cómica para los lectores de hoy, porque, como toda parodia, exige un conocimiento exacto de la obra parodiada. No nos damos cuenta, por ejemplo, de que el mensajero Arbindieta se confunde al contar las hazañas de Amadís. Sí percibimos que el protagonista de la pieza vicentina es una figura algo ridícula. Aunque es un héroe famoso, tal como es en la novela, nadie hace caso de él; hasta a su amada, la bella Oriana, no le interesan nada las hazañas guerreras del pobre Amadís. Es posible, desde luego, que finja una indiferencia que está muy lejos de sentir. Acierta Waldron al decir que la Oriana de la obra dramática supera en interés psicológico a la heroína de la novela; incluso es un personaje más complejo y, por lo tanto, más humano que el propio Amadís. Oriana le quiere, pero su orgullo no le permite confesárselo a él ni quizá a sí misma. En su retrato de Oriana, Gil Vicente da muestras de gran penetración psicológica; hay que decir, sin embargo, que dicho retrato, tal vez precisamente por estar tan

---

(47) Révah, *RHTP*, II (1951), 31; Waldron, pág. 46.

finamente matizado, no concuerda con el tono predominante de la pieza, que es el de una sátira burlesca de los libros de caballerías.

Conocemos una sola pieza de Gil Vicente que se imprimió en vida del autor: el *Auto da barca do Inferno*. Se conserva un solo ejemplar en la Biblioteca Nacional de Madrid. Según el colofón, el texto fue corregido e impreso por mandado del propio autor. Hay buenas razones para creer que la edición es de 1518 (48). La mayor parte de las otras piezas portuguesas y todas las castellanas, a excepción del *Don Duardos*, las conocemos únicamente a través de la *Copilaçam de todalas obras de Gil Vicente*, impresa en Lisboa por João Alvarez en 1562. Hay ediciones sueltas de tres piezas portuguesas, el *Auto de Inês Pereira*, el *Breve sumário da história de Deus*, y el *Diálogo sobre a Ressureição;* dichas ediciones, sin embargo, se imprimieron después de la muerte del dramaturgo. Finalmente, del *Auto da festa* no hay más que un pliego suelto de fecha desconocida; la obra no está incluida en la *Copilaçam*.

De la *Copilaçam* hay segunda edición, impresa en Lisboa por Andrés Lobato en 1586. Reproduce el texto de la *Copilaçam* de 1562, horriblemente mutilado por la censura inquisitorial. Sin embargo, el texto del *Don Duardos* ofrece algunos versos que faltan en la edición de 1562 y que no pueden ser obra de los propios censores de la Inquisición (49). Notemos, en fin, que existen otras dos versiones del ro-

---

(48) Véase Révah, *Recherches*, I, 21-24.
(49) Révah, *Recherches*, I, 18. La confrontación de los dos textos se encuentra en Braamcamp Freire, ob. cit., págs. 414-443.

mance con el cual termina el *Don Duardos;* una está
en el *Cancionero de romances,* impreso en Amberes
por Martín Nucio, probablemente entre 1547 y 1549;
la otra, en un pliego suelto, de fecha desconocida, de
la Biblioteca Nacional de Madrid.

Disponemos, pues, de un solo texto de las piezas
castellanas, a excepción del *Don Duardos:* es el que
nos ofrece la *Copilaçam* de 1562, impresa más de
veinte años después de la muerte de Gil Vicente.
Por desgracia, dicho texto no es nada satisfactorio.
Óscar de Pratt, buen conocedor del teatro vicentino,
lo ha llamado «el monumento más mutilado de nuestra literatura del siglo XVI» (50).

La confrontación sistemática, realizada por Révah,
del texto de la *Barca do Inferno* tal como aparece en
el pliego suelto de 1518 con la versión de la *Copilaçam,* nos muestra muy claramente cuáles son las deficiencias de ésta. ¿Por qué hay tantas diferencias
entre los dos textos? Podemos pensar en tres causas
posibles: 1) el propio Gil Vicente revisó sus obras en
vista de una edición definitiva; 2) la censura inquisitorial exigió que se suavizaran algunas de las auda-
cias del texto primitivo; 3) la corrupción del texto
se debe a Luis Vicente, hijo del poeta, que cuidó la
impresión de la *Copilaçam* y confiesa haber intentado
mejorar las obras de su padre (51).

---

(50) Ob. cit., pág. 125.
(51) Véase la dedicatoria al rey don Sebastián que escribió Luis Vicente para la *Copilaçam* de 1562: «E porque sey que já agora nessa
tẽrra ydade de V. A. gosta muyto dellas, e as lee e folga douvir representadas, *tomey a minhas costas o trabalho de as apurar* e fazer empremir
sem outro interesse senã servir V. A. com lhas deregir, e comprir com
esta obrigaçam de filho.» El subrayado es mío.

Révah rechaza terminantemente las dos primeras suposiciones. Insiste en que la Inquisición no intervino para nada en la preparación de la *Copilaçam;* las mutilaciones del texto se deben exclusivamente a «la falta de cuidado, la estupidez, y el mal gusto» del hijo del poeta (52).

Es posible, sin embargo, que Révah exagere algún tanto al echar a Luis Vicente la culpa de todas las profanaciones del texto de la *Copilaçam.* Algunas modificaciones pueden ser obra del propio dramaturgo; otras pueden haber sido impuestas por la Inquisición. En todo caso, no cabe duda de que la mayor parte de las mutaciones del texto las introdujo Luis Vicente, sin que éste se viera forzado a hacerlo por orden de la censura inquisitorial (53).

Todavía no hemos dicho nada de otra clase de problemas textuales que encontramos al estudiar las piezas castellanas de Gil Vicente. El lenguaje de dichas piezas es muy distinto del de los autores españoles de principios del siglo XVI. Algunas de las incorrecciones del castellano vicentino se deben, sin duda, a la mala trasmisión de los textos; pero no todas. Muchas aparecen igualmente en el castellano de otros escritores portugueses. Hasta podemos afirmar que los escritores portugueses que escribieron en castellano llegaron a crear un lenguaje literario con sus propias tradiciones, no siempre idénticas a las del castellano del otro lado de la frontera. Citemos

---

(52) *Recherches,* I, 10.
(53) Véase las reseñas del libro de Révah por Marcel Bataillon, *BH,* LIII (1951), 206-212, y Eugenio Asensio, *RFE,* XXXVII (1953), 279-286.

unas frases del magistral estudio que ha dedicado
Dámaso Alonso a la elucidación de los problemas del
castellano vicentino: «Durante varios siglos los portugueses que escriben en castellano, tienen por lo que
respecta a este idioma dos vías de nutrición. La una
viene de Castilla, y (dejando aparte los aportes por
relación personal, en una palabra, lengua hablada)
está constituida por el acervo literario castellano
reunido hasta aquella fecha. Ésta tiene el prestigio
de lo genuino y de los grandes nombres. Pero la otra,
aunque más modesta, es más familiar, más a la mano,
más inmediata y está constituida por el acervo de
literatura en castellano producida por portugueses...
En esta larga tradición no nos puede caber duda de
que los nuevos castellanizantes se nutrían con las
obras castellanas de los poetas que les habían prece-
dido en este camino. Tal teoría, dictada por el más
evidente sentido común, no hace sino comprobarse
en cuanto nos acercamos a los textos. Sin ella no se
explica el extraño aferramiento, la constante y ma-
chacona repetición de ciertos portuguesismos, a veces
absurdos, inexplicables» (54). No cabe dentro de los
límites de esta introducción un estudio pormenoriza-
do de las particularidades del castellano vicentino;
quien se interese por este aspecto de la creación literaria del poeta portugués debe consultar el trabajo
antes citado de Dámaso Alonso y el muy sustancioso
libro de Paul Teyssier (55). Sólo citaremos, a título
de ejemplo, algunos lusismos evidentes, tales como

---

(54) Ob. cit., págs. 136-37.
(55) Véase especialmente la segunda parte, *Le bilinguisme*, páginas 293-425.

la falsa diptongación *(tormiento* o *tromiento* en vez
de *tormento)* y el empleo del infinitivo conjugado
(«algo devéis descansar | en *hablardes* con Artada»,
Don Duardos, vv. 1494-1495). Otros muchos están
comentados en las notas.

Muchos de estos lusismos deben ser auténticamente
vicentinos; otros serán obra de los impresores, sin
duda portugueses, de la *Copilaçam.* Claro está, que
lo ideal sería rechazar éstos y conservar aquéllos. Pero,
por desgracia, en la mayor parte de los casos, es imposible discriminar las dos clases de errores. No queda
más remedio que conservarlos todos. Solución tanto
más necesaria porque las reglas de la versificación
vicentina no son nada rígidas. Dice muy acertadamente Dámaso Alonso, al hablar del empleo que hace
Gil Vicente del hiato y de la sinalefa, que «la métrica
vicentina casi no tiene más regla que la de la libertad» (56). Lo mismo podría decirse de otros muchos
aspectos de su versificación y de las normas que de-
terminan sus rimas. Teyssier ha mostrado, por ejemplo, que a Gil Vicente no le repugna emplear una palabra portuguesa al final de un verso español, cuando
lo exige la rima. Admite además que dos palabras
pueden rimar entre sí con tal que la traducción al
otro idioma las haga rimar: asimismo *fuente* puede
rimar con *monte,* porque la rima es perfecta en portugués: *fonte* aconsonanta con *monte* (57). Hay que

(56) Ob. cit., pág. 213.
(57) Según Teyssier, el origen de tal fórmula ha de buscarse en la
necesidad que siente Gil Vicente en las piezas bilingües de hacer rimar
una palabra castellana con otra portuguesa, cuando personajes españoles y portugueses intervienen en una misma estrofa (pág. 318).

aceptar el juicio de Teyssier cuando dice que «lejos de garantizar la existencia de ciertas formas o de ciertas palabras, la rima introduce un elemento de artificio. Una edición crítica de Gil Vicente no debe, pues, jamás intentar restituir una forma o una palabra... sólo porque la rima lo exige» (58).

El texto de la presente edición está basado en la *Copilaçam* de 1562, tal como se reproduce en el facsímil de 1928. He corregido las erratas evidentes de la *Copilaçam;* salvo en muy contados casos, no me he atrevido a enmendar el texto por motivos de metro o rima. En la nota correspondiente a cada enmienda, reproduzco el texto de la edición de 1562.

Por regla general, conservo las grafías de la *Copilaçam*. El lector debe tener presente que la pronunciación castellana de principios del siglo XVI era bastante diferente de la moderna. Todavía no se había producido el ensordecimiento de los sonidos *s* y *j*, que entonces se pronunciaban como en el francés moderno *rose* y *jour*. La ç era una africada sorda: *braço* se pronunciaba *bratso*. La *x* se pronunciaba como la *ch* francesa de *chose* (59). Sin embargo, he modificado algo la ortografía de los textos para facilitar su acceso al lector no especializado. Pongo o quito la *h* al uso del español moderno; escribo, pues, *hay, ahora, echar* en vez de *ay, aora, hechar*. No conservo las consonantes dobles sin valor fonético *(offender,* etc.); tampoco empleo *i* y *u* con valor consonántico, ni *y* y *v* con valor vocálico. Escribo, sin embargo, con *y* los plurales arcaicos *leys* y *reys*.

---

(58)   Ob. cit., pág. 323.
(59)   Véase Lapesa, págs. 239-241.

Se deshacen todas las elisiones de la edición de 1562. La elisión de una vocal se indica por un apóstrofo *(d'ahí, 'n esta* en vez de *dahí, nesta)*, salvo cuando a la vocal omitida le sigue otra idéntica, empleándose en este caso la ortografía moderna *(sobre esto, de ella* en vez de *sobresto, della)*. La puntuación y la acentuación van completamente modernizadas. No conservo las grafías *aa, ee, oo,* empleadas con frecuencia en la *Copilaçam* para indicar que una vocal está acentuada *(estaa, see, casoo)*.

Pongo en castellano las indicaciones escénicas, en portugués en el original. Los nombres de los personajes se escriben a la moderna, aun cuando en el texto mismo se emplea una forma arcaica. La disposición sintáctica de los textos no es siempre muy clara; por eso, a veces modifico un poco el texto al traducirlo al castellano. Téngase en cuenta que no todas las indicaciones escénicas son probablemente obra del propio Gil Vicente.

En las notas trato de explicar todas las palabras o construcciones en desuso en el español moderno o empleadas sólo con una significación diferente. Trato además de proporcionar al lector una idea del valor estilístico exacto de cada una de las particularidades del castellano vicentino que se encuentran en el texto; indico, por ejemplo, si una palabra determinada se consideraba arcaica a principios del siglo XVI, o si pertenecía únicamente al habla rústica. Huelga decir que he hecho un esfuerzo especial para entresacar los lusismos de las palabras usuales en el castellano quinientista.

En unos pocos casos, donde Gil Vicente parafrasea un texto conocido, por ejemplo, un fragmento bíblico o litúrgico, lo cito en las notas para que el lector pueda comprobar cómo lo utiliza el poeta.

Los números de los folios se refieren a la edición de 1562. Las letras *a*, *b*, *c*, y *d* indican las columnas de cada folio.

BIBLIOGRAFÍA

(Con unas pocas excepciones, sólo se incluye los libros y artículos citados en la introducción y las notas.)

1562: *Obras completas de Gil Vicente. Reimpressão 'facsimilada' da edição de 1562* (Lisboa, 1928).

1586: *Copilaçam de todalas obras de Gil Vicente* (Lisboa, 1586).

Alonso (Dámaso) y Blecua (José M.), *Antología de la poesía española: poesía de tipo tradicional* (Madrid, 1956).

Asensio (Eugenio), *El «Auto dos quatro tempos» de Gil Vicente*, en *RFE*, XXXIII (1949), págs. 350-375.

Asensio (Eugenio), *Las fuentes de las «Barcas» de Gil Vicente: lógica intelectual e imaginación dramática*, en *BHTP*, IV (1953), págs. 207-237.

Asensio (Eugenio), *Gil Vicente y las cantigas paralelísticas «restauradas». ¿Folklore o poesía original?*, en *Poética y realidad en el cancionero peninsular de la Edad Media* (Madrid, 1957), págs. 133-180.

Asensio (Eugenio), *El soneto «No me mueve, mi Dios...» y un auto vicentino inspirado en Santa Catalina de Siena*, en *RFE*, XXXIV (1950), págs. 125-136.

Atkinson (William C.), *«Comédias», «tragicomédias», and «farças» in Gil Vicente*, en *BdF*, XI (1950), págs. 268-280.

BdF: Boletim de Filologia (Lisboa).

BEP: Bulletin des Études Portugaises (Coimbra).

BH: Bulletin Hispanique (Burdeos).

BHTP: Bulletin d'Histoire du Théâtre Portugais (Lisboa).

Barbieri. Véase *Cancionero musical*.

Bartholomaeus Anglicus, *El libro de proprietatibus rerum*, traducción de fray Vicente de Burgos (Tolosa de Francia, Henrique Meyer, 1494).

Bataillon (Marcel), *Erasmo y España: estudios sobre la historia espiritual del siglo XVI*, traducción de Antonio Alatorre, 2 tomos (México, 1950).

Bataillon (Marcel), *Une source de Gil Vicente et de Montemor: la méditation de Savonarole sur le Miserere*, en *BEP*, III (1936), págs. 1-16, reimpreso en sus *Études sur le Portugal au temps de l'humanisme* (Coimbra, 1952), páginas 197-217.

Beau (Albin Eduard), *Estudos* (Coimbra, 1959). [Contiene cuatro estudios sobre Gil Vicente.]

Beau (Albin Eduard), *Sobre el bilingüismo en Gil Vicente*, en *StPh*, I, págs. 217-224.

Bell (Aubrey F. G.), *Estudos vicentinos*, traducción de António Álvaro Dória (Lisboa, 1940).

Bowra (C. M.), *The Songs of Gil Vicente*, en *Atlante*, I (1953); reimpreso en su *Inspiration and Poetry* (Londres, 1955), páginas 90-111.

Braamcamp Freire (Anselmo), *Vida e obras de Gil Vicente* (Lisboa, 1944).

Caldas Aulete. Véase *Diccionário contemporâneo*.

Cancionero castellano del siglo XV, ed. R. Foulché-Delbosc, 2 tomos (Madrid, 1912-15).

Cancionero musical de los siglos XV y XVI, ed. F. Asenjo Barbieri (Madrid, 1890).

Carvalho (Joaquim de), *Os sermões de Gil Vicente e a arte de pregar*, en sus *Estudos sobre a cultura portuguesa do século XVI* (Coimbra, 1947-1948), II, págs. 205-344.

Corominas (J.), *Diccionario crítico etimológico de la lengua castellana*, 4 tomos (Madrid, 1954-57).

Correas (Gonzalo), *Vocabulario de refranes y refranes proverbiales* (Madrid, 1924).

Covarrubias (Sebastián de), *Tesoro de la lengua castellana o española*, ed. Martín de Riquer (Barcelona, 1943).

Cunha (Celso Ferreira da), *Regularidade e irregularidade na versificação do primeiro «Auto das Barcas» de Gil Vicente*, en *StPh*, I, págs. 459-479.

Diccionário contemporâneo da língua portuguesa, feito sobre o plano de F. J. Caldas Aulete, 2 tomos (Lisboa, 1881 [?]).

Encina (Juan del), *Cancionero. Primera edición. 1496. Publicado en facsímile por la Real Academia Española* (Madrid, 1928).

Encina (Juan del), *Teatro completo*, ed. M. Cañete y F. Asenjo Barbieri (Madrid, 1893).

Fernández (Lucas), *Farsas y églogas. Reproducción en facsímile de la primera edición de 1514* (Madrid, 1929).

Fil: Filología (Buenos Aires).
Frenk Alatorre (Margit), *Quien maora ca mi sayo,* en *NRFH,* XI (1957), págs. 386-391.
Gil Vicente, *Auto da embarcação da Glória.* O texto original segundo a edição de 1562, com versão portuguesa, introdução e notas de Paulo Quintela (Coimbra, 1941).
Gil Vicente, *Obras completas,* ed. Marques Braga, 2.ª ed., 6 tomos (Lisboa, 1951).
Gil Vicente, *Poesías,* ed. Dámaso Alonso (México, 1940).
Gil Vicente, *Tragicomedia de Amadís de Gaula,* ed. T. P. Waldron (Manchester, 1959).
Gil Vicente, *Tragicomedia de don Duardos,* ed. Dámaso Alonso, I (Madrid, 1942).
Gillet (Joseph E.), *Coromina's «Diccionario crítico etimológico»: an Appreciation with Suggested Additions,* en *HR,* XXVI (1958), págs. 261-295.
Gillet (Joseph E.), *«Propalladia» and Other Works of Bartolomé de Torres Naharro,* 3 tomos (Bryn Mawr, Pensilvania, 1943-51).
Gillet (Joseph E.), *Spanish «echacuervo(s)»,* en *RPh,* X (1957), págs. 148-155.
Gillet (Joseph E.), *Spanish «fantasía» for «presunción»,* en *Studia philologica et litteraria in honorem L. Spitzer,* ed. A. G. Hatcher y K. L. Selig (Berna, 1958), págs. 211-225.
Gillet (Joseph E.), *Torres Naharro and the Spanish Drama of the Sixteenth Century,* en *Homenaje a Bonilla y San Martín* (Madrid, 1930), págs. 437-468.
Hart, Jr. (Thomas R.), *Courtly Love in Gil Vicente's «Don Duardos»,* en *Romance Notes,* II (1961).
Hart, Jr. (Thomas R.), *Gil Vicente's «Auto de la sibila Casandra»,* en *HR,* XXVI (1958), págs. 35-51.
HR: Hispanic Review (Filadelfia).
Joiner (Virginia), The Dramatic Art of Gil Vicente [Tesis inédita de la Universidad de Texas, 1940].
Joiner (Virginia) y Gates (Eunice) Joiner, *Proverbs in the Works of Gil Vicente,* en *PMLA,* LVII (1942), páginas 57-73.
Keniston (Hayward), *The Syntax of Castilian Prose: the Sixteenth Century* (Chicago, 1937). [Los números se refieren a los capítulos y párrafos.]
King (Georgiana Goddard), *The Play of the Sibyl Cassandra,* Bryn Mawr Notes and Monographs, II (Bryn Mawr, Pensilvania, 1921).
Kurlat (Frida Weber de), *Latinismos arrusticados en el sayagués,* en *NRFH,* I (1947), págs. 166-170.

Lapesa (Rafael), *Historia de la lengua española*, 2.ª ed. (Madrid, 1950).

Le Gentil (Pierre), *Note sur les compositions lyriques du théâtre de Gil Vicente*, en *Mélanges... Gustave Cohen* (París, 1950), págs. 249-260.

Lida de Malkiel (María Rosa), *Para la génesis del «Auto de la sibila Casandra»*, en *Fil*, V (1959), págs. 47-63.

Lihani (John) *Lucas Fernández and the Evolution of the Shepherd's Family Pride in Early Spanish Drama*, en *HR*, XXV (1957), págs. 252-263.

Lunardini (Peter J.), *The Poetic Technique of Gil Vicente* [Tesis inédita de la Universidad de New Mexico, 1953].

MP: Modern Philology (Chicago).

Mena (Juan de), *La coronación... con otras coplas añadidas a la fin fechas por el mismo poeta* (Sevilla, Jacobo Cromberger, 1520).

Menéndez Pidal (Ramón), *Manual de gramática histórica española*, 6.ª ed. (Madrid, 1941). [Los números se refieren a los párrafos.]

Michaëlis de Vasconcelos (Carolina), *Notas vicentinas* (Lisboa, 1949).

Montesino (Fray Ambrosio), *Epístolas y evangelios por todo el año* (Toledo, Juan Ferrer, 1549).

NRFH: Nueva Revista de Filología Hispánica (México).

O Livro de Vita Christi em lingoagem português, ed. Augusto Magne, S. J., I (Río de Janeiro, 1957).

Patt (Beatrice), *The Development of the Christmas Play in Spain from the Origins to Lope de Vega* [Tesis inédita de Bryn Mawr College, 1945].

PMLA: Publications of the Modern Language Association of America (Baltimore).

Pratt (Óscar de), *Gil Vicente: notas e comentários* (Lisboa, 1931).

Révah (I. S.), *«L'Auto de la Sibylle Cassandre» de Gil Vicente*, en *HR*, XXVII (1959), págs. 167-193.

Révah (I. S.), *La «comédia» dans l'oeuvre de Gil Vicente*, en *BHTP*, II (1951), págs. 1-39.

Révah (I. S.), *Deux autos de Gil Vicente restitués à leur auteur* (Lisboa, 1949).

Révah (I. S.), *Deux «autos» méconnus de Gil Vicente* (Lisboa, 1948).

Révah (I. S.), *Édition critique du «romance» de don Duardos et Flérida*, en *BHTP*, III (1952), 107-139.

Révah (I. S.), *Gil Vicente a-t-il été le fondateur du théâtre portugais?*, en *BHTP*, I (1950), 153-185.

Révah (I. S.), *Recherches sur les oeuvres de Gil Vicente. I. Édition critique du premier «Auto das barcas»* (Lisboa, 1951). *II. Édition critique de l'Auto de Inês Pereira* (Lisboa, 1955).

Révah (I. S.), *Les sermons de Gil Vicente: en marge d'un opuscule du professeur Joaquim de Carvalho* (Lisboa, 1949).

Révah (I. S.), *La source de la «Obra da geração humana» et de «l'Auto da alma»*, en *BHTP*, I (1950), 1-32.

RFE: Revista de Filología Española (Madrid).

Romancero general, ed. Agustín Durán (Madrid, 1924-26).

RPh: Romance Philology (Berkeley, Calif.).

RR: The Romanic Review (Nueva York).

Saraiva (António José), *História da cultura em Portugal*, 2 tomos (Lisboa, 1950).

Silva (A. de Moraes), *Diccionário da língua portugueza*, 8.ª ed., 2 tomos (Río de Janeiro, 1889-91).

Spitzer (Leo), *The Artistic Unity of Gil Vicente's «Auto da Sibila Cassandra»*, en *HR*, XXVII (1959), 56-77.

StPh: Studia Philologica. Homenaje ofrecido a Dámaso Alonso por sus amigos y discípulos con ocasión de su 60.º aniversario, I (Madrid, 1960).

Teyssier (Paul), *La langue de Gil Vicente* (París, 1959).

Torres Naharro. Véase Gillet.

Valdés (Juan de), *Diálogo de la lengua*, ed. J. F. Montesinos (Madrid, 1946).

Wardropper (Bruce W.), *Introducción al teatro religioso del Siglo de Oro (La evolución del auto sacramental: 1500-1648)* (Madrid, 1953).

OBRAS DRAMÁTICAS CASTELLANAS

AUTO DE LA VISITACIÓN

La obra de devoción siguiente procedió de f. 1
una visita que el autor hizo a la muy esclare-
cida reina doña María, en ocasión de su parto
y nacimiento del muy alto y excelente príncipe
don Juan, tercero de este nombre en Portugal.
Se pone aquí dicha visita por ser la primera
cosa que hizo el autor y que en Portugal se
representó, en presencia del muy poderoso rey
don Manuel, de la reina doña Beatriz, su
madre, y de la señora duquesa de Braganza,
su hija, en la segunda noche del nacimiento
del dicho señor. Estando así juntas estas per-
sonas entra un VAQUERO *diciendo:*

VAQUERO.   ¡Par diez! Siete arrepelones   f. 1 c.
             me pegaron a la entrada,
             mas yo di una puñada
             a uno de los rascones;
             empero, si yo tal supiera,   5
             no viniera;
             y si viniera, no entrara;

---

1 *par diez,* 'por Dios'. El empleo de *par* en vez de *por* en juramentos
es frecuente en el siglo XVI. Torres Naharro lo emplea exclusivamente
con la palabra *Dios,* o con una deformación de ésta. Véase Gillet, III,
345, nota 143. Para *diez,* cf. Lucas Fernández, folio f [v]: «Juro a diez,
yo también siento | esta noche turbación.»

y si entrara, yo mirara
de manera
que ninguno no me diera.
        Mas ¡andar! Lo hecho es hecho.
Pero, todo bien mirado,
ya que entré 'n este abrigado,
todo me sale en provecho.
Rehuélgome en ver estas cosas,
tan hermosas
que está hombre bobo en vellas;
véolas yo, pero ellas,
de llustrosas,
a ñosotros son dañosas.

        (Habla a la reina.)

¿Si es aquí a donde vo?
¡Dios mantenga! ¿Si es aquí?
Que yo ño sé parte de mí
ñi desllindo dónde estó.
Nunca vi cabaña tal,
en especial
tan ñotable de memoria;
ésta deve ser la gloria

---

13 *'n este*, 'en este'. Abunda en el castellano vicentino la aféresis de
la *e-* de *en (nel, nesta,* etcétera), al lado de las formas castellanas nor-
males *(en el, en esta)*. Es lusismo (port. *no, nesta)* frecuente en todos
los portugueses castellanizantes. Véase Teyssier, págs. 367-369.

17 *vellas*, 'verlas'. La asimilación de la *-r* final del infinitivo a la *l-*
inicial de un pronombre pospuesto abundaba en el siglo XVI; los poetas siguieron practicando la asimilación al final del verso durante todo
el siglo XVII. Véase Lapesa, pág. 242.

19-20 *llustrosas, ñosotros*. La palatalización de *l* y *n*, característica
de los dialectos españoles occidentales, es frecuente en los escritos sayagueses de Juan del Encina y Lucas Fernández, como lo es también en
las obras pastoriles castellanas de Gil Vicente. Véase Teyssier, páginas 68-70.

21 *vo*, 'voy'. Las formas sin *y* final ya se consideraban arcaicas en
la primera mitad del siglo XVI. Cf. Juan de Valdés, pág. 121: «*Yo so,*
por *yo soy,* dizen algunos, pero, aunque se pueda dezir en metro, no se
dize bien en prosa.»

principal
del paraíso terrenal.   30
O que sea o que no sea,
quiero dezir a qué vengo;
ño diga que me detengo
ñuestro consejo y aldea.
Embíame a saber acá   35
si es verdá
que parió vuestra ñobleza.
Mia fe, sí, que vuestra alteza
tal está,
que señal de ello me da.   40
    Muy alegre y plazentera,
muy ufana, esclarecida,
muy prehecha y muy luzida,
más mucho que d'antes era.
¡Oh, qué bien tan principal,   45
universal!
Ñunca tal plazer se vio.
Mi fe, saltar quiero yo;
¡He, zagal!
Digo, dizi, ¿salté mal?   50
    ¿Quién quieres que ño rebiente
de plazer y gasajado?   f. 2 a.
De todos tan desseado,
este príncipe excelente
¡oh, qué rey tiene de ser!   55
A mi ver,

36 *verdá*, 'verdad'. La pérdida de la -*d* final abunda en los textos
vicentinos, como también en los de Lucas Fernández. La forma no parece tener carácter rústico o dialectal. Véase *Don Duardos*, ed. D. Alonso, nota 241.
   43 *prehecha*, 'perfecta'. Es probable que Gil Vicente no se diera
cuenta de su carácter rústico. Tal metátesis de *r*, frecuente en portugués, se encuentra a menudo en el castellano vicentino. Véase Teyssier,
páginas 351-356.
   52 *gasajado*, 'placer que se toma en compañía'. Frecuente en la lengua medieval, ya no se empleaba más que en el habla rústica a principios del siglo XVI; lo usan a menudo Encina y Lucas Fernández.

devíamos pegar gritos;
digo que ñuestros cabritos
dend' ayer
60 ya ño curan de pascer.
    Todo el ganado retoça;
toda lazeria se quita;
con esta nueva bendita
todo el mundo se alvoroça.
65 ¡Oh, qué alegría tamaña!
La montaña
y los prados florecieron,
porque ahora se complieron
en esta misma cabaña
70 todas las glorias de España.
    ¡Qué gran plazer sentirá
la gran corte castellana!
Quán alegre y quán ufana
que vuestra madre estará,
75 y todo el reino a montón,
con razón,
que de tal rey procedió,
el más ñoble que ñació;
su pendón
80 no tiene comparación.
    ¡Qué padre, qué hijo, y qué madre!
¡Oh, qué agüela, y qué agüelos!
f. 2 b ¡Bendito Dios de los cielos,
que le dio tal madre y padre!
85 ¡Qué tías, que yo me espanto!
¡Biva el príncipe llogrado!
Que él es bien aparentado,
juri a San Junco santo.

---

72 *castellana*. La reina doña María, madre del príncipe recién nacido, era hija de los Reyes Católicos.

88 *juri a San Junco santo*. Cf. Lucas Fernández, folio f [II] v.: «No,
juro a Sant Junco sancto.» Los santos fantásticos abundan en el teatro
español del siglo XVI. Véase Gillet, índice general, s. v. «saints (fantas-
tic)». La -*i* final de *juri* en la fórmula *juri a* fue provocada sin duda
por *pesia, pesia a*, de *pese a;* cf. Gillet, III, 570, nota 239.

Si me ahora vagara espacio,
y de prissa no viniera, 90
jure a ños que yo os diera
cuenta de su generacio.
Será rey don Juan tercero,
y heredero
de la fama que dexaron, 95
en el tiempo que reinaron,
el segundo y el primero
y aun los otros que passaron.
Quedáronme allí detrás
unos treinta compañeros, 100
porquerizos y vaqueros,
y aún creo que son más;
y traen para al ñacido
esclarecido
mil huevos y leche, aosadas, 105
y un ciento de quesadas,
y han traído
quesos, miel, lo que han podido.
Quiérolos ir a llamar,
mas, según yo vi las señas, 110
¡hanle de messar las greñas
los rascones al entrar!

*Entran unos pastores y ofrecen al príncipe
los regalos mencionados.*

---

91 *jure a ños*, 'juro a Dios'. Cf. Gillet, III, 360-361, nota 5.

92 *generacio*, 'generación'. Latinismo frecuente en las obras de la escuela salmantina. Cf. Juan del Encina, folio CIV v.: «Pésame que no ay espacio | ... | contar la genealogía | de todo [*sic*] su gerenacio»; ibídem, folio CIII, donde rima con *palacio;* Lucas Fernández, D II.

105 *aosadas*. Cf. Covarrubias, s. v., 128 a: «Es un término muy usado para assegurar y esperar de cierto una cosa, y vale tanto como: osaría yo apostar.»

111 *hanle*, 'hanles'. *Le* por *les* es frecuente en castellano desde la Edad Media hasta hoy día; existió también en el portugués medieval. Véase Gillet, III, 105-106, nota 39; Keniston, 7.311.

*Y por ser cosa nueva en Portugal, gustó
tanto a la reina madre esta pieza que pidió al
autor la volviese a representar en los maitines
de Navidad, adaptándola al Nacimiento del
Redentor. Como el asunto era muy distinto,
en lugar de esto hizo el autor la obra siguiente.*

AUTO PASTORIL CASTELLANO

Entra primero un pastor inclinado a vida   f. 2
contemplativa, que anda siempre solitario.   f. 2 v.
*Entra otro que le censura esto. Y puesto que
la obra en sí misma, desde ahí en adelante,
es muy clara, no es menester más argumento.*

GIL.

    Aquí está fuerte majada.   f. 2 c.
Quiero repastar aquí
mi ganado; veislo allí,
soncas, 'n aquella abrigada.
Yo aquí estoy abrigado   5
del tempero de Fortuna.
Añublada está la luna,
¡mal pecado!
Lloverá, soncas, priado.
    Quiero aqui poner mi hato   10
que cumpre estar añazeando

---

4 *soncas,* 'seguramente, por cierto'. Sobre el origen de esta palabra
sayaguesa, frecuente en las obras de Encina y Lucas Fernández, véase
Gillet, III, 208, nota 117.

9 *priado,* 'pronto, dentro de poco'. Palabra del español medieval
que se conserva, sin duda como arcaísmo intencional, en el sayagués.
Véase Teyssier, págs. 58-59.

11 *cumpre,* 'cumple'. Puede ser lusismo, pero se encuentra también
en textos sayagueses. Gil Vicente emplea con mayor frecuencia la forma castellana normal. Véase Teyssier, pág. 359.

11 *estar añazeando,* 'divertirme, regocijarme'. Cf. Corominas, I, 225,
s. v. *añacea,* 'fiesta, diversión', atestiguado en varios textos medievales; Teyssier, pág. 39, cita ejemplos de Juan del Encina.

y andarme aquí holgando,
canticando rato a rato.
¡Huzia en Dios! ¡Vendrá el verano
15   con sus flores y rosetas!
Cantaré mil chançonetas,
muy ufano,
si allá llego bivo y sano.
        ¡Riedro, riedro! ¡Vaya el ceño!
20   Aborrir quiero el pesar.
Començaré de cantar
mientras me debroca el sueño.

        (Canta GIL.)

«Menga Gil me quita el sueño,
que ño duermo.»

        Entra BRAS

25 BRAS.   Di, Gil Terrón: tú ¿qué has,
            que siempre andas apartado?
    GIL.   Mi fe, cuido ¡mal pecado!
            que ño se te entiende más.
            Tú que andas siempre en bodas,
30   corriendo toros y vacas,
            ¿qué ganas tú, o qué sacas
f.2 d.   de ellas todas?
            Asmo, asmo que te enlodas.

---

14 *huzia,* 'confianza'. De empleo frecuente en el castellano medieval, y conservado como arcaísmo rústico en el sayagués de Encina y
Lucas Fernández.
    19 *riedro,* 'redro, atrás'.
    20 *aborrir,* 'abandonar', acepción frecuente en sayagués; ejemplos
en Teyssier, págs. 37-38.
    22 *debroca.* El sentido primitivo parece haber sido 'embrocar, va-
ciar una vasija volviéndola boca abajo', pero los salmantinos emplean
la palabra a menudo con el sentido figurado de 'destruir, atormentar'.
Véase Teyssier, pág. 46.
    33 *asmo,* 'estimo, juzgo'. Frecuente en la lengua medieval, esta pa-
labra se conserva como arcaísmo deliberado en los autos pastoriles de
los salmantinos.

Solo quiero canticar,
repastando mis cabritas   35
por estas sierras benditas.
Ño me acuerdo del lugar,
quando cara el cielo oteo
y veo tan buena cosa;
ño me parece hermosa,   40
ñi de asseo,
zagala de quantas veo.
Andando solo magino
que la soldada que gano
se me pierde de la mano,   45
soncas, en qualquier camino.
'N esta soledad me enseño
que el ganado con que ando
—ño sabré cómo ni quándo—,
según sueño,   50
quiçá será d'otro dueño.
¿Conociste a Juan Domado,

---

38   *cara al cielo*. Se encuentran ejemplos semejantes en Torres Naharro, *Comedia Calamita* II, v. 312, «cara el día», y *Comedia Aquila-
na*, III, v. 383, «de cara el mançano». Según Gillet, es probable que
cara tuviera una *a* embebida en la sílaba final (III, 215, nota 186). Juan
de Valdés, pág. 108, comenta: «*Cara* por *hazia* usan algunos, pero yo
no lo usaré jamás.»

43   *magino*, 'imagino'. Puede ser lusismo (lo emplea Gil Vicente alguna vez en portugués), pero nótese que se encuentra también en Juan
del Encina.

52   *Juan Domado*. En la *Copilaçam* de 1562 hay una nota al mar-
gen: «Ioã domado dezia por el rey dõ Ioã segũdo.» Aubrey Bell, página 160, propuso leer *dourado* en vez de *domado;* es difícil comprender
por qué prefirió la forma portuguesa a la castellana *dorado*. Más acertada parece la interpretación de Paul Teyssier (pág. 45): *domado* es el
sayagués *adamado adomado* y significa 'amado' Teyssier traduce «Jean
le Bien-Aimé» y dice que es criptónimo pastoral del rey Juan II. No
quiero, sin embargo, insistir mucho en este punto. Lo importante, a
mi parecer, es que el pastor Gil se refiera aquí al tema conocidísimo del
ubi sunt; la estrofa será, pues, otra muestra de la angustia metafísica
que acaba de manifestar Gil en los vv. 37-51.

que era pastor de pastores?
Yo lo vi entre estas flores
55 con gran hato de ganado,
con su cayado real,
repastando en la frescura
con favor de la Ventura.
Di, zagal,
60 ¿qué se hizo su corral?
  Vete tú, Bras, al respingo,
que yo descluzio del torruño.

BRAS. El crego de Bico Nuño

 te enseñó esso al domingo.

65 Anda, anda acompañado,
canta y huelga en las majadas,
que este mundo, Gil, a osadas,
¡mal pecado!
se debroca muy priado.

70 GIL. Aunque huyo la compaña,
ño quiero mal a pastor;
mas yo aprisco mejor
apartado en la montaña.
De contino siempre oteo,
75 ingrillando los oídos
si darán, soncas, gemidos
de desseo
los corderos que careo.

Habla LUCAS, *otro pastor, a lo lejos*

---

61 *al respingo*. Según Gillet, III, 643-644, nota 32, significa probablemente 'dando saltos'; Teyssier, pág. 60, dice que significa 'bailar'.

62 *yo desclucio del torruño*. *Desclucio* corresponde a la forma sayaguesa *descruciar*, documentada en Encina y Lucas Fernández; es una ultracorrección sugerida por la alternancia esp. *blanco*, port. *branco*, etcétera. Parece significar 'librar(se), renunciar a'. Cf. Juan del Encina: «Descruziemos del trabajo» (Égloga 8.ª). Véase J. E. Gillet, *HR*, XXVI (1958), 274-275. *Torruño* es el esp. *terruño;* la *o* fue sugerida sin duda por el port. *torrão*, que tiene el mismo sentido. Teyssier, pág. 60, traduce «moi je me repose du travail des champs».

63 *crego*, 'clérigo'. Se encuentra a menudo en textos sayagueses.

75 *ingrillando los oídos*, 'escuchando atentamente'. Lusismo; Caldas Aulete, s. v. *engrilar*, dice: «(pop.) endireitar: engrilou as orelhas».

LUCAS.   ¡Hao carillos!

GIL.   ¿A quién hablas?

LUCAS.   A vosotros digo yo,   80
                 ¿si alguno de vos me vio
                 perdidas unas dos cabras?

GIL.   Yo ño.

BRAS.   Ñi yo.

LUCAS.   ¡A Dios pliega!

GIL.   ¿Cómo las perdisti? ¡Di!

LUCAS.   Perdiéronse por ahí,   85
                 por la vega,
                 o algún me las soniega.
                 'N el hato de Bras Picado
                 andava Marta bailando;
                 yo estúvela oteando.   90
                 Boca abierto, tresportado,
                 y al son batiendo el pie,
                 estuve dos horas valientes;
                 el ganado entanamientes
                 ¡a la hé!   95
                 no sé para dónde fue.

GIL.   Y aun por esso que yo sospecho
                 me aparto de saltijones;
                 que vanas conversaciones   f. 3 b.
                 no traen ningún provecho.   100
                 Siempre pienso en cosas buenas,
                 yo me hablo, yo me digo,
                 tengo paz siempre comigo

---

79   *carillos*, 'amigos'. Voz frecuente en el teatro pastoril salmantino, aunque no pertenece propiamente al léxico sayagués. Covarrubias, s. v., 307 a, dice que es «vocablo aldeano, pero muy propio, y usado en la antigua lengua castellana». Véase Teyssier, pág. 41; John Lihani, *The Meaning of Spanish "carillo"*, MP, LIV (1956), 73-79.

83   *pliega*, 'plazca'. La diptongación por ultracorrección se encuentra muy a menudo en todos los autores portugueses que escribieron en castellano.

87   *soniega*, 'hurta'. Es lusismo (port. *sonegar*).

94   *entanamientes*, 'mientras tanto'. Véase Corominas, s. v. *mientras*, III, 370.

95   *a la hé*, 'a la fe'. *Hé* por *fe* es típicamente sayagués.

sin las penas
105   que dan las cosas agenas.

LUCAS.   Ño me quiero estar trastrás;
ya perdido es lo perdido.
¿Qué gano en tomar sentido?
¿Qué dizes, Gil? ¿Y tú, Bras?

110 GIL.   Tú muy perezoso estás.
¡Busca, busca las cabritas!
Tras que tienes muy poquitas,
ño te das
de perder cada vez más.

115   Encomiéndalas a Dios.

LUCAS.   ¿Qué podrá esso prestar?

GIL.   Él te las irá buscar,
que siempre mira por nos.

LUCAS.   Si los lobos las comieron,
120   ¿hámelas Dios de traer?
¡Harto terná que hazer!
Y si murieron,
mucho más que yo perdieron.

        Mas quiero llamar, zagales.
125   ¡Tengamos todos majada!

BRAS.   Sube 'n aquella assomada
y dales gritos mortales.

LUCAS.   Haze escuro. ¿Quién verá?
Caeré 'n un barrancón.

130 GIL.   Toma, lleva este tizón.

LUCAS.   Dalo acá;
éste ñunca alla irá.

(Llama LUCAS.)

¡Ah, Silvestre! ¡Ah, Vicente!
¡Ah, Pedruelo! ¡Ah, Bastián!
135   ¡Ah, Jarrete! ¡Ah, Bras Juan!
¡Ah, Passival! ¡Oh, Clemente!

---

121 *terná*, 'tendrá'. La lengua del siglo XVI vacilaba aún entre las formas con metátesis *porné, terné, verné*, usuales en la Edad Media, y las que se han impuesto en el castellano moderno.

SILVESTRE.	[Lejos]. ¡Ah, Lucas! ¿Qué ños quieres? Di.	
LUCAS.	Que vengáis acá priado.	f. 3 c.
	Tomaremos gasajado,	
	que Gil Terrón está aquí	140
	en abrigado	
	allegre y bien assombrado.	

Vienen los pastores y dice SILVESTRE:

SILVESTRE.	Ora terrible plazer	
	tenéis vosotros aca.	
BRAS.	¡Sí tenemos, soncas, ha!	145
	Pues, ¿qué havemos de hazer?	
	Quien al cordojo se dio,	
	más cordojo se le pega.	
SILVESTRE.	Bailemos una borrega.	
BRAS.	Mia fe, ño,	150
	que tú bailas más que yo.	
GIL.	¡Juri a ños que estás chapado!	
	¿Qué es esto, Silvestre hermano?	
SILVESTRE.	¿No ves que viene el verano	
	y soy rezién desposado?	155
GIL.	*¡Jesus autem intrinsienes!*	
	¿Quién te traxo al matrimuño?	
SILVESTRE.	Mi tío, Valasco Nuño.	
GIL.	Chapados parientes tienes.	
	¿Quién es la esposa que huviste?	160

147 *cordojo*, 'tristeza'. Ya se sentía como arcaísmo en tiempos de Gil Vicente; muchos ejemplos en textos sayagueses.

150 *mia fe*. Fórmula de juramento muy frecuente en el teatro pastoril. Véase Gillet, III, 347, nota 198.

152 *chapado*, 'hermoso, elegante'. De etimología incierta, es muy característica de los autos pastoriles de Encina y Lucas Fernández. Véase Teyssier, págs. 43-44.

156 *Jesus autem intrinsienes*. Según doña Carolina Michaëlis, páginas 270-271, procede del Evangelio de San Lucas, IV, 30: «Ipse autem transiens per medium illorum, ibat.» El texto bíblico, sin embargo, no parece venir muy al caso; Gil emplea la frase sólo como exclamación de sorpresa, sin significación precisa.

157 *matrimuño*, 'matrimonio'. Cf. v. 248 *demuño*. Estas formas, excepcionales en el castellano vicentino, fueron sugeridas sin duda por la

	SILVESTRE.	Teresuela, mi damada.
	BRAS.	¡Dios, que es moça bien chapada!
		y aun es de buen natío,
		más honrada del lugar.
165	GIL.	'N esso no hay que dudar,
		porque el herrero es su tío,
		y el jurado es ahijado
		del agüelo de su madre,
		y de parte de su padre
170		es prima de Bras Pelado.
		Saquituerto, Rodelludo,
		Papiharto y Bodonales
		son sus primos caronales
		de partes de Brisco Mudo.
f. 3 d.; 175		Es nieta de Gil Llorente,
		sobrina del Crespellón.
		Cascaollas Mamilón
		pienso que es también pariente,
		Mari Roiz la Mamona,
180		Torebilla del Mendral,
		y Teresa la Gabona
		su parienta es natural.
		Marica de la Remonda,
		Espulgazorras cabrera,
185		y la vieja bendizidera
		Rapiarta la redonda,
		la Ceñuda, la Plaguenta,
		Borracalles, la Negruça,
		la partera de Valmuça,
190		ahotas que es bien parienta.

---

rima; es de notar, sin embargo, que *demuño* aparece una vez al interior de un verso *(Reyes magos,* 88).

161 *damada,* 'amada'. Cf. v. 52, nota.

163 *natío,* 'nacimiento, linaje'. Otra palabra del castellano medieval conservado como arcaísmo rústico en sayagués.

173 *caronales,* 'carnales'. Los vv. 165-190 son imitación de un trozo de la *Comedia de Bras Gil y Beringuella* de Lucas Fernández; véase John Lihani, *HR,* XXV (1957), 252-263.

190 *ahotas,* 'de veras, por cierto'. Véase Gillet, III, 456-457, nota 75.

LUCAS.	¡Dios, que es casta bien honrada essa que havés rellatado!	
BRAS.	Ahora estás bien honrado. ¿Ño te dan con ella nada?	195
SILVESTRE.	Danme una burra preñada, un vasar, una espetera, una cama de madera. La ropa no está hilada.	
	Danme la moça vestida de hatillos dominguejos, con sus manguitos vermejos y alfarda muy llozida.	200
	Danme una puerca parida, mas anda muy triste y flaca.	
BRAS.	¿Ño te quieren dar la vaca?	205
SILVESTRE.	Ha tres años que es vendida.	
MATEUS.	¡Sus, alto, toste priado! Respiguemos la majada. Viénese la madrugada; dexemos el desposado.	210
BRAS.	Démonos a gasajado; tomemos todos plazer que ya ño quiere llover.	
GIL.	Ya ño, Dios sea loado.	
LUCAS.	Tengamos algún remedio: que juguemos. ¿Gil Terrón?	f. 4 a.; 215
GIL.	Juguemos al abejón, mas tiengo de estar en medio.	

202 *llozida*, 'lucida'. Abundan en el castellano vicentino ejemplos de *o* pretónica en vez de *u* y viceversa; es fenómeno frecuente en otros portugueses castellanizantes.

207 *toste priado*, 'inmediatamente'. Es frase hecha que se encuentra en la *Danza de la Muerte* y en Juan del Encina (Égloga 6.ª). Véase Teyssier, pág. 63.

205 *respiguemos*. En 1562, *respinguemos*. Acepto la corrección propuesta por Teyssier, pág. 60, nota.

217 *abejón*. Covarrubias, s. v., 27 a, dice: «El juego del abejón, que se haze entre tres, y el de en medio, juntas las manos, amaga a uno

	Bras.	Tú naciste más templano.
220	Gil.	¡Ora, sus, sus! Véisme aquí.
		Tú también pássat'allí,
		Bras hermano. Párate ansí.
		Ea, ¡sus!, pára la mano.
	Bras.	He miedo que me darás.
225	Gil.	Alça, alça el braço más.
		¿Tú ño ves cómo está Bras?
		¡Dite una de mal mes!
	Bras.	Ah, Dios te pliega comigo.
		Do a ravia la jugada.
230		¡Ora vistes qué porrada!
	Lucas.	Tú, amigo,
		ya ño consientes castigo.
	Bras.	Juguemos a adivinar.
	Lucas.	Que me plaz.
	Bras.	Di, compañero.
235	Lucas.	Mas comience Gil primero.
	Gil.	Que me plaz de començar.
		Começad de adivinar.
	Lucas.	¿Qué?
	Gil.	Sabello has tú muy mal.
		¿Quál es aquel animal
240		que corre y corre y no se ve?
	Bras.	Es el pecado mortal.

---

de los dos que le esperan, el un braço levantado y la mano del otro puesta en la mexilla, y da al que está descuidado; entonces ellos tienen libertad de darle un pestorejazo. El juego es ordinario, y lo es un modo de decir 'que juegan con alguno al **avejón'** quando le tienen en poco y se burlan dél.»

227   *de mal mes.* Exclamación que indica desafío [?]. Cf. *Auto da barca do Purgatório,* folio 50 v.: «Dou-t-eu muito de mau mes.»

238   *sabello has,* 'lo sabrás'. El futuro analítico con pronombre analítico se empleaba todavía a principios del siglo XVI. **Valdés,** págs. 50-51, lo rechaza, diciendo: «Tengo por mejor que el verbo vaya por sí y el pronombre por sí... Yo siempre digo: *Ayúdate y ayudaráte Dios.»* Sigue vivo en portugués, al menos en la lengua literaria.

MATEUS.	Mas el viento ¡mal pecado!	
	creyo yo que será ésse.	
LUCAS.	¡Que ño es buen juego éste!:	
	demos esto por pasado.	245
GIL.	Bien será, bía, acostar	
	que ya me debroca el sueño.	
	Santíguaos del demuño.	
SILVESTRE.	Yo ño me sé santiguar.	
GIL.	Dezid todos como yo:	250
	eñ el mes del padre	
	eñ el mes del fijo	
	—ell otro mes se m'olvidó.	f. 4 b.

Duermen y el ÁNGEL *los llama cantando*

ÁNGEL.	¡Ah, pastor!	
	que es nacido el Redemptor.	255
GIL.	Zagales, llevantar d'ahí,	
	que grande ñueva es venida	
	que es la virgen parida:	
	a los ángeles lo oí.	
	¡Oh, qué tónica acordada	260
	de tan fuertes caramillos!	
BRAS.	Cata que serían grillos.	
GIL.	¡Juri a ños	
	que eran ángeles de Dios!	
LUCAS.	Y nos aquí llevantados,	265
	¿qué le havemos de hazer?	
GIL.	Mi fe, vámoslo a ver.	
BRAS.	¿Y ansí despelluzados?	
GIL.	Pardiez, que es para ñotar,	
	pues el rey de los señores	270
	se sirve de los pastores.	
	Ñueva cosa	
	es ésta y muy espantosa.	

---

243   *creyo*, 'creo'. En portugués moderno, *creio;* pero en el siglo XVI la forma más usual era *creo*, igual que en castellano.

246   *bía*. Según Corominas, s. v., IV, 720, se empleaba mucho en la Edad Media con valor exclamativo, «sea para exhortar elípticamente a ir a un lugar..., sea para indicar, con un infinitivo narrativo, una acción que empieza intensamente». Véase también Gillet, III, 190, nota 475.

             Id vosotros al llugar
275   muy priesto, carillos míos,
             y ño vamos tan vazíos:
             traed algo que le dar,
             y el rabé de Juan Xavato
             y la guaita de Pravillos
280   y todos los caramillos
             que hay en el hato
             y para el niño un silvato.

             (Salen para el pesebre cantando.)

             Aburramos la majada,
             y todos con deboción
f. 4 c.; 285 vamos ver aquel garzón.
             Veremos aquel niñito
             d'agora rezién ñacido.
             Asmo que es el prometido,
             ñuestro Mexía bendito.
290   Cantemos a boz en grito:
             Con hemencia y devoción
             veremos aquel garzón.

             Y llegando al pesebre dice GIL:

GIL.   ¡Dios mantenga a vuestra gloria!
             Ya veis que estamos acá
295   muy allegres, ¡soncas ha!,
             de vuestra ñueble vitoria.

---

279   *guaita,* 'gaita'.
283   En 1562, *aburremos.*
285   *vamos ver.* La omisión de la preposición *a* después de verbos de
movimiento es frecuente en el castellano vicentino. Suele omitirse también en portugués; la omisión abunda en la lengua de Lucas Fernández y era frecuente en el español medieval. Véase *Don Duardos,* edición D. Alonso, nota 401-402.
291   *hemencia,* 'vehemencia'. Es probable que ya se sintiera como
arcaísmo a principios del siglo XVI.
293   *Dios mantenga.* Saludo característico del habla rústica. Véase
Teyssier, pág. 48.
296. *ñueble,* 'noble'.

	A vos, Virgen, digo yo	
	que el mochacho que hoy nasció,	
	ño entiendo que me entiende,	
	mas sí que todo comprende	300
	del punto que se engendró.	
LUCAS.	¡Qué casa tan pobrezita	
	escogió para ñascer!	
BRAS.	Ya comiença a padecer	
	dende su niñez bendita.	305
SILVESTRE.	De paja es su camazita.	
LUCAS.	Y establo su posada.	
BRAS.	Loada sea y adorada	
	y bendita	
	la su clemencia infinita.	310
GIL.	Señora, con estos hielos	
	el niño se está temblando.	
	De frío veo llorando	
	el criador de los cielos	
	por falta de pañizuelos.	315
	¡Juri a san!: si tal pensara,	
	o por dicha tal supiera,	
	un çamarro le truxera	
	de una vara	
	que ahotas que él callara.	320

Ora, vosotros ¿qué hazéis?   f. 4 d.
Con muy chapada hemencia
y con vuestra revelencia
dalde de esso que traéis.

---

305 *dende*, 'desde'. Al principio significaba 'de allí', pero se confun-
dió pronto con *desde;* sigue empleándose, con esta acepción, en muchas
zonas hispánicas. Véase Corominas, s. v. *ende.*

323 *revelencia*, 'reverencia'.

324 *dalde*, 'dadle'. Ya Valdés prefería las formas sin metátesis que
habían de triunfar en el castellano moderno: «yo, aunque todo se puede
dezir, sin condenar ni reprehender nada, todavía tengo por mejor que
el verbo vaya por sí y el pronombre por sí, y por esto digo *Al moço malo,
ponedle la mesa y embiadlo al mandado*» (págs. 50-51).

325 SILVESTRE.   Perdonad, Señor, por Dios,
                  que, como somos bestiales,
                  los presentes no son tales
                  como los merecéis vos.

                       *Cantando y bailando, le ofrecen [los rega-
                  los] y a la despedida cantan esta chanzoneta:*

                       ¡'N orabuena quedes, Menga!
330   ¡A la fe, que Dios mantenga!
                       Zagala sancta, bendita,
                  graciosa y morenita,
                  nuestro ganado visita
                  que nengún mal no le venga.
335   ¡'N orabuena quedes, Menga!
                  ¡A la fe, que Dios mantenga!
     GIL.   ¿Qué dezís de la donzella?
                  ¿No es harto prellozida?
     SILVESTRE.   Nunca otra fue ñascida
340   que fuesse muger y estrella
                  sino ella.
     GIL.   Pues, ¿sabes quién es aquella?
                  Es la zagala hermosa
                  que Salamón dize esposa,
345   quando canticava de ella.
                       Con su voz muy desseosa
                  en su canticar dezía:
                  «Llevántate, amiga mía,
                  columba mea fermosa,
350   amiga mi[a] olorosa:
                  tu boz suene en mis oídos,

---

326 *bestiales.* Probablemente no significa 'brutal, irracional', sino
'rústico, zafio'. Véase Gillet, III, 70, nota 20.
329 *¡Norabuena quedes, Menga!* Se conserva en el *Cancionero musical,* núm. 369.
338 *prellozida,* 'perlucida', es decir, 'muy brillante'. Véase *Reyes
magos,* nota 12.
348-350 Paráfrasis del Cantar de los Cantares, 2, 10: «Surge, propera, amica mea, columba mea, formosa mea et veni.»
351-353 Ibíd., 2, 14: «Sonet vox tua in auribus meis; vox enim tau
dulcis, et facies tua decora.»

que es muy dulce a mis sentidos,
y tu cara muy graciosa.
  Como el lilio plantada,   f. 5 a.
florecido entre espinos,   355
como los olores finos
muy suave eres hallada.
Tú eres huerta cerrada
en quien Dios venir dessea,
tota pulchra amica mea,   360
flor de virgindad sagrada.»

SILVESTRE. ¡Ha, Dios plaga con el roín!
    Mudando vas la peleja:
    ¡sabes d'achaque d'igreja!
GIL.   Ahora lo deprendí.   365
SILVESTRE. Con esso hablas llatín
    tan a punto que es plazer.
    ¡Más lo preciasse saber
    que me daren un florín!
BRAS.   Di, por vida de tu tío: 370
    ¿tú sabes de perfecías?
GIL.   Sé que dixo Malaquías:
    «Eis, el mi ángel os embío

354-355 Ibíd., 2, 2: «Sicut lilium inter spinas, sic amica mea inter filias.»

358 Ibíd., 4, 12: «Hortus conclusus soror mea, sponsa, hortus conclusus, fons signatus.»

360 Ibíd., 4, 7: «Tota pulchra es, amica mea, et macula non est in te.»

364 *achaque d'igreja.* Correas, pág. 640: «Saber de achaque de alguna cosa, o no saber. Es frase muy usada; sabe de achaque de libros, de estómago, de bestias.» Cf. *La Celestina,* ed. Cejador, I, 244. *Igreja* puede ser lusismo; pero nótese que está ampliamente documentado en español medieval y que lo emplea a menudo Lucas Fernández.

369 *daren.* Es el infinitivo conjugado portugués, muy frecuente en Gil Vicente y en la mayor parte de los poetas portugueses que escribieron en castellano. Traducimos: «Preferiría saberlo a que me dieran un florín.»

371 *perfecías,* 'profecías'.

373 *eis el mi ángel.* En 1562 *ex el. Eis* es lusismo, igual a la fórmula castellana *he aquí.* Los vv. siguientes son una adaptación de Mala-

con tan fuerte poderío
375 que aparejará la carrera
delante mi haz verdadera
en el sancto templo mío.»
«Tú, Bethlén, pequeña eres»
—diz Miqueas prophetando—,
380 mas no te catarás quando
serás grande en tus poderes,
quando sin cuido estuvieres.
Ternás el señoreador
d'Israel en tu favor
285 para quanto tú quisieres.»
LUCAS. De neñito tan boñito
hablavan soncas lletrados.
GIL. Los prophetas alumbrados
no jugavan a otro hito.
390 Con muy ahincado espirito
y con gozoso placer,
todos desseavan ver
f. 5 b. su ñacimiento bendito.
Porque éste es el cordero
395 *qui tolis peccata mundo,*
el nuestro Adán segundo
y remedio del primero.

---

quías, 3, 1: «Ecce ego mitto angelum meum, et praeparabit viam ante faciem meam; et statim veniet ad templum suum Dominator quem vos quaeritis.»

378-385 Adaptación bastante libre de Miqueas, 5, 2: «Et tu, Bethlehem Ephrata, parvulus es in millibus Iuda; ex te mihi agredietur qui sit dominator in Israel.»

390 *espirito,* 'espíritu'. La acentuación llana, garantizada por la rima, es usual en el castellano vicentino; no faltan ejemplos de *esprito* en español medieval. Véase Teyssier, pág. 347; Gillet, III, 120, nota 132.

395 Del Evangelio según San Juan, 1, 29: «Altera die vidit Ioannes Iesum venientem ad se, et ait: Ecce agnus Dei, ecce qui tollit peccatum mundi.» Es frase de uso frecuente en la liturgia; véase doña Carolina Michaëlis, pág. 293.

396-397 Cf. la primera Epístola de San Pablo a los corintios, 15, 45: «Factus est primus homo Adam in animam viventem, novissimus Adam in spiritum vivificantem.» Ibíd., 15, 21-22: «Quoniam quidem per ho-

Éste es el hijo heredero
de nuestro eterno Dios,
el qual fue dado a nos 400
por Mexías verdadero.
　Aquel niño es eternal;
invisible y vesible,
es mortal y immortal,
movible e immovible. 405
En quanto Dios invisible,
es en todo al Padre igual,
menor en quanto humanal,
y esto no es impossible.
　Echa el sol su rayo en mayo, 410
como mil vezes verés:
el mismo rayo sol es,
y el sol también es rayo.
Entre ambos visten un sayo
de un envés, 415
y una cosa misma se es.
　Ansí éste descendió
quedando siempre en el padre;
aunque vino a tomar madre,
del padre no s'apartó. 420

BRAS. 　¡Gil Terrón lletrudo está!
　¡Muy hondo te encaramillas!

---

minem mors, et per hominem resurrectio mortuorum. Et sicut in Adam
omnes moriuntur, ita et in Christo omnes vivificabuntur.» Véase también
la Epístola a los romanos, 5, 12-14. La fuente inmediata, sin embargo,
puede ser unos versos de Juan del Encina, folio 7 c: «Fue el primer
Adán formado | de virgen tierra en el mundo, | y assí Cristo, Adán se-
gundo, | fue de virgen encarnado; | el mundo fue condenado | por nues-
tro primero padre, | mas por Cristo fue librado, | y por su madre trocado |
el nombre de nuestra madre.»

402-420　Véase *Cuatro tiempos*, nota 1.

411　*verés*, 'veréis'. Gil Vicente vacila en el empleo de la desinencia
verbal -*és* por -*éis*. Tal vacilación existe tanto en los poetas castellanizantes del *Cancionero de Resende* como en autores españoles de fines
del siglo XV. Véase *Don Duardos*, ed. D. Alonso, nota 484.

422　*te encaramillas*, 'te elevas, te ensalzas'.

GIL	Dios haze estas maravillas.
BRAS.	Ya lo veo, ¡soncas ha!
	Quien te viere no dirá
	que naciste en serranía.
LUCAS.	Cantemos con alegría;
	que en esso después se hablará.

425

(Se marchan cantando.)

AUTO DE LOS REYES MAGOS

La dicha señora reina, muy satisfecha de f. 5 v.
esta pobre cosa [el Auto pastoril castellano]
pidió al autor que le hiciera otra obra para
el día de los reyes que venía, e hizo la si-
guiente. La introducción trata de un pastor
que determinó de ir a Belén y erró el cami-
no. Entra el pastor diciendo:

GREGORIO.
Asmo, asmo, soncas ha,   f. 5 c.
que me da
la fortuna trasquilón.
He dexado mi çurrón
y esclavón   5
y no sé qué hago acá.
Dios plega, ¿quién me dirá
adó está
este niño que es ñacido?
Que ando bobo perdido   10
sin sentido:
treze días perhavrá
que ño sé qué haga ya.

---

5 *esclavón*, 'eslabón, pedernal'.
7 *plega*, 'plazca'.
12 *perhavrá*. El prefijo *per-*, que se añade a los verbos para significar una acción totalmente cumplida, es frecuentísimo en Lucas Fernández y Juan del Encina. Según Frida Weber de Kurlat, *NRFH*, I

Ño sé parte ni recado
15   del ganado
y los perros son perdidos;
mis corderos dan gemidos
muy sentidos
por entrar en lo poblado;
20   todo mi hato he dexado
desmedrado
por buscar este neñito.
Dízenme que es tan boñito
que me aflito
25   por no havello topado
y ando desesperado.
Despepito mi sentido,
que en olvido
tengo los memoriales,
30   saltando por robredales
y enziñales,
que gota no he dormido
de aterido;

(1947), 170, tales formas deben considerarse como «latinismos disfra-
zados de dialectalismos rústicos»: «Los autores dramáticos nacidos en
Salamanca o en su comarca, o educados allí, tentados de su cultura
universitaria, que les ofrece las formaciones latinas con *per-*, parten de
un uso dialectal coincidente y crean con su apoyo una serie de formas
en cuyo origen está por un lado lo rústico y por otro el latín universi-
tario.»

16   *son perdidos*. La lengua del siglo xvi vacilaba entre el empleo de
ser y el de *estar* para indicar el estado resultante de una acción anterior;
véase Lapesa, pág. 248.

22   *neñito*, 'niñito'. Abundan en el castellano vicentino ejemplos de *e*
pretónica inicial en vez de *i*; es frecuente también en otros autores portugueses que escribieron en castellano. Véase *Don Duardos*, ed. D. Alonso, nota 1142.

27   *despepito*. De significado incierto; Teyssier, pág. 47, traduce «je
fais bien attention, je regarde attentivement».

30   *robredales*, 'robledales'. No es lusismo, sino forma del castellano
medieval que persiste hasta el Siglo de Oro; nótese que Covarrubias da
roble sólo como variante de *robre* (pág. 912 a).

de todo no me doy nada
si topasse la posada   35
muy loada
donde está rezién ñacido   f. 5 d.
este niño esclarecido.

Entra VALERIO, *otro pastor [acompañado
de un fraile, y dice aquél:]*

VALERIO.   ¿De dónde eres, pecador?
                ¡Di, pastor!   40
GREGORIO.   Pastor y bien desdichado,
                que ando descarriado,
                hambreado
                por ver Nuestro Redemptor.
                Dixo el ángel del Señor: 45
                «Pastor, pastor,
                ve y dexa tus cabritas»,
                y dexélas solezitas,
                muy marchitas,
                y ño sé ser sabidor   50
                adó ñació el Salvador.
                   Treze días son passados,
                bien contados,
                que ando perdido el tino
                sin hallar nengún camino   55
                ni soy dino
                de lo ver por mis pecados.
VALERIO.   Ora tienes bien librados
                tus cuidados;
                este padre, fray Alberto,   60
                que topé 'n aquel desierto,
                sabrá cierto
                esso, porque los lletrados
                son guía de los errados.

---

56 *dino,* 'digno'. Cf. Juan de Valdés, pág. 78: «quando escrivo para
castellanos, y entre castellanos, siempre quito la g y digo *sinificar* y
no *significar, manífico* y no *magnífico, dino* y no *digno,* y digo que la
quito, porque no la pronuncio».

65 GREGORIO.   Ha, flaire, ¿sabes dó vais?,
                    ¿o andáis
                    a de suso como yo?
                    El niño que nos crio
                    ¿dó nació?
70   ¿Qué es la nueva que me dais?
                    ¡Por Dios, que me lo digáis!
                    No hagáis
f. 6 a.   que me muera de cordojos.
    FRAILE.   Pastor, no tomes enojos,
75   que tus ojos,
                    verán quién todos buscáis.
    GREGORIO.   He miedo que me burláis.
                      ¿Traéis a ende breviario
                    o calandario,
80   o sois fraile como quiera?
                    Si aliño aquí hoviera,
                    bien quisiera,
                    si sabéis bien de vicario,
                    que digáis un trintanario
85   al rosario,
                    porque Dios me dexe ver,
                    sin tener
                    al demuño por contrario,
                    aquel precioso sagrario.
90 FRAILE.   Oh, bendito y alabado
                    y exalçado
                    sea Nuestro Redemptor,
                    que un rústico pastor
                    con amor
95   lo busca con gran cuidado,

---

65 *flaire*, 'fraile'; Gil Vicente emplea con mayor frecuencia la forma
castellana normal. Véase Teyssier, pág. 361.
74 *FRAILE* (indicación escénica). En 1562, *ir*[*mitão*].
76 *verán*. En 1562, *verran*.
88 *demuño*, 'demonio'.
91 *exalçado*, 'ensalzado'. Véase *Don Duardos*, ed. D. Alonso, nota 3.

desempara su ganado
muy de grado
por ver al niño glorioso:
¿qué haré yo, religioso
perezoso,   100
que ando tan sin cuidado
por aqueste despoblado?
   De estos pobres labradores
y pastores
quiso ser oferecido,   105
adorado y conocido
y servido
con cantares y loores,
escuchando sus primores
y clamores   110
la Virgen Nuestra Señora
y la vaquilla loadora
en la hora   f. 6 b.
que el Señor de los Señores
nació de flor de las flores.   115
   ¡Qué descanso y qué plazer
fuera ver
el resplandor glorioso,
aquel Verbo gracioso,
tan lloroso,   120
acabando de nascer!

VALERIO.   Buldas devéis de traer
a vender
que os estáis chacorveando.

FRAILE.   Harto es esso de desmando,   125
pues veis que estoy hablando,
contemplando

---

96   *desempara*, 'desampara'. Cf. *desestrado, Gloria,* v. 464.

105   *oferecido*. Es lusismo (port. *oferecer);* en el castellano vicentino
encontramos tanto *ofrecer* como *oferecer*. Véase Teyssier, pág. 351.

113   *en la hora.* En 1562, *en a hora,* probablemente errata.

124   *chacorveando*. De *echacorvear,* con aféresis típicamente vicentina
de la *e-* inicial, y esto de *echacuervo,* 'vendedor de bulas falsas'. Véase
J. E. Gillet, *Spanish «echacuervo(s)»,* en *RPh,* X (1957), 148-155.

lo que nos es menester
se suyos queremos ser.

130 VALERIO.   Dezidnos, padre bendicto,
¿halláis scripto
si es pecado estrañudar?
Más os quiero preguntar
y ñotar;
135   esperad ansí un poquito:
digo que escondo el cabrito
por hazer berrar la cabra,
y remojo la palabra
a cada habla,
140   ¿es gran pecado infinito,
o es medio pecadito?

GREGORIO.   Si el hombre de birra pura,
per ventura,
adrede despierna un grillo
145   por no vello ni oíllo
y encobrillo
¿es pecar contra natura?

VALERIO.   Otra cosa más escura
y más dura

---

129 *se suyos*, 'si suyos'. El empleo de *se* en vez de *si* es lusismo, muy
frecuente en el castellano vicentino, como lo es también en otros portugueses castellanizantes; es posible, y quizá probable, pues, que aquí sea
forma auténticamente vicentina y no simple error de imprenta. Nótese
que *se* era frecuente en antiguo leonés occidental, y se encuentra alguna
vez en Torres Naharro en textos de sabor rústico. Véase Gillet, III, 671,
nota 380; Teyssier, pág. 335.

131 *scripto*, 'escrito'. La aféresis de la *e-*, garantizada por el metro,
es frecuente en los textos vicentinos, tanto portugueses como castellanos; véase *Don Duardos*, ed. D. Alonso, nota 1476.

132 *estrañudar*, 'estornudar'. Cf. el port. antiguo *esternudar*.

142 *birra*, 'birria'. Aquí significa 'capricho', acepción que se conserva en algunas zonas hispánicas. Véase Corominas, s. v. *birria*. La forma
birra es lusismo.

143 *per*, 'por'. Es lusismo. Véase Teyssier, págs. 397-398.

148 *escura*, 'oscura'. Según Corominas, s. v. *oscuro, escuro* fue la
forma más común en castellano medieval y hasta el Siglo de Oro; es la
única que se halla en el *Quijote*.

quiero, Gregorio, hazer: 150
pregúntale, quiero ver
su saber, f. 6 c.
que a según su gestadura
es lletrado en la scriptura.

Decid, padre, ¿es gran pecado 155
deñodado
andar tras las zagalejas
y henchirle las orejas
de consejas
por metellas en cuidado? 160
Dexar entrar el ganado
en lo vedado
por andallas namorando,
¿estálo Dios oteando
y assechando? 165
Si de esto tiene cuidado,
ni punto estará parado.

Que todos en mi lugar
a la par
andan transidos d'amores: 170
los jurados, lavradores,
y pastores,
y aun el crego a más andar
lo veo resquebrajar
y sospirar 175
por Turibia del Corral.
Dizidme, fraile, ¿es gran mal
desigual,
o se deve perdonar,
pues no se puede escusar? 180

---

153 *a según*, 'según'. Frecuente en español antiguo; existió *a segundo*
en portugués medieval, y se encuentra alguna vez en Juan del Encina.
Véase *Don Duardos*, ed. D. Alonso, nota 624.

156 *deñodado*, 'denotado'.

163 *namorando*, 'enamorando'. Gil Vicente emplea tanto *namorar*
como *enamorar*, al parecer sin darse cuenta del carácter dialectal del
primero, puesto que lo emplea en textos no pastoriles; no es, pues, sayaguesismo, sino lusismo. Véase Teyssier, págs. 66, 368.

FRAILE.	Este mundo peligroso
	sin reposo
	nos trae a todos burlados,
	ciegos, mal aconsejados,
185	desviados
	d'aquel reino glorioso.
	¿Quién puede ser más dichoso
	ni gozoso
	que tener puesto el querer,
190	el amor y su poder
	sin torcer
f. 6 d.	'n este niño muy gracioso,
	puerto de nuestro reposo?
	Quien se viere sujuzgado
195	y apretado
	de mundano pensamiento,
	contemple su nacimiento.
	¡Quán contento
	lo verá desnudo echado,
200	de los fríos trespassado
	y adorado
	de los brutos animales!
	Luego olvidará los males
	desiguales
205	que le presenta el pecado.
GREGORIO.	¿Pecado es ser namorado?
VALERIO.	¿Crio Dios, por la ventura,
	hermosura
	para nunca ser amada?
210	Criola demasiada
	pera nada.
	¿Cómo dizís que es locura?
	Mirad, mirad la scriptura:
	¿qué cordura

---

194 *sujuzgado*, 'sojuzgado'. Las vacilaciones de timbre en las vocales no acentuadas son muy frecuentes en el castellano del siglo XVI. Véase Lapesa, págs. 237-238. También puede ser lusismo. Véase *Auto pastoril*, nota 202.

hallarés más amadora 215
dende Andrán hasta ahora?
'N esta hora
fue discreta criatura
que ño siga esta ventura.

    Se a Dios de esto pesara, 220
ño criara
zagalas tan relluzientes;
fueran prietas y sin dientes,
y las frentes
más angostas que la cara; 225
las narizes le ensanchara
y achicara
los ojos como hurones,
y ñunca nuestros coraçones
de passiones 230
nuestras vidas aterrara,
ni de Dios nos apartara. f. [7] a.

    Esmeróse su poder
en hazer
tan graciosas sus hechuras 235
que entre todas hermosuras
son más puras,
más dinas de obedecer.
¿Quién dexará de querer
su valer, 240
pues son de ñuestra costilla?
Que natureza nos ensilla
que ño podemos trocer
de subjectos suyos ser.

---

216 *Andrán*, 'Adán'. La forma portuguesa correspondiente, *Andrão*, la pone Gil Vicente en boca del labrador de la *Barca do Purgatório* (folio 50 d). Tales deformaciones del nombre abundan en textos quinientistas; véase Gillet, III, 733-736, nota 138.

218 *fue*, 'fuera'. Cf. Jorge Manrique, *Coplas por la muerte de su padre:* «Este mundo bueno fue | si bien usásemos dél.»

242 *natureza*, 'naturaleza'. Es lusismo; Gil Vicente no emplea nunca la forma castellana. Véase Teyssier, pág. 309.

243 *trocer*, 'torcer'. Véase *Visitación*, nota 43.

Entra un CABALLERO *que venía en compañía de los reyes magos y dice:*

245 CABALLERO.   ¡Mantenga Dios los señores!
    FRAILE.   ¡Dios loores!
    VALERIO.   Soncas, vengáis norabuena.
                  Tú, abaixa la melena.
    GREGORIO.   Ño me pena.
250 CABALLERO.   Dizidme, amigos pastores,
                  ¿sois sabedores
                  se iré por aquí bien
                  para el lugar de Belén?
    GREGORIO.   Yo allá vo adó vais,
255   y ando, asmo, como andáis.
    VALERIO.   Andad, señor, por aquí
                  o por allí.
    CABALLERO.   Mira bien, pastor, qué dizes.
    VALERIO.   En frente de las narizes,
260   a perdizes
                  andaréis, prometo a mí.
    CABALLERO.   ¡Qué linage tan bestial,
                  animal,
                  este bruto pastoriego!
265 VALERIO.   Doy a ravia el palaciego
                  ¡por San Pego!
                  que quiçás por vuestro mal...
    FRAILE.   Toda la descortesía
f.[7]b.   es villanía.
270   Señor, ¿de dónde sois vos?
    CABALLERO.   D'Arabia.
    FRAILE.   ¡Bendígaos Dios!
    GREGORIO.   ¿Arabio sos?

---

248 *abaixa la melena,* 'sé respetuoso'. Véase *Don Duardos,* ed. Dámaso Alonso, nota 531.

266 *por San Pego.* Cf. Lucas Fernández, folio [2] v.: «espera, pese a
Sant Pego, | y dirvos he lo que oí». Véase *Visitación,* nota 88.

272 *sos,* 'sois'. En sayagués se emplea *sos* tanto por *sois* como por
eres. Véase Teyssier, págs. 61-62.

CABALLERO. Sí, y perdí la compañía
    de una gran cavallería
    que venía.   275
    Átino tras d'una estrella
    y ellos van empós della
    sin perdella
    y alcançarlos quería,
    y Fortuna me lo desvía.   280
FRAILE.   ¿Y adónde van, si sabéis?
CABALLERO. Van tres reys
    adorar con sentimiento
    y muy grande acatamiento
    el nacimiento   285
    del Señor de todas greys.
    En nuestra tierra sabréis
    si queréis
    que desde Ballán se vellava
    la señal que se esperava   290
    que mostrava
    el nacimiento que veis
    del Señor de nuestras leys.
GREGORIO. Dezid, señor, qué estrella era.
FRAILE.   ¡Quién la viera!   295
CABALLERO. Es muy reluziente estrella,
    y un niño en medio de ella
    muy más que ella

---

276 *atino*. Corominas, s. v. *tino*, dice: «Es de notar la conciencia
que había en los autores tempranos de que *atinar* era algo menos que
acertar, o sea precisamente 'apuntar', 'tratar de acercarse a un blanco',
de lo que tenemos pruebas muy repetidas en un autor de lenguaje tan
tradicional y preciso como Juan de Valdés (h. 1535): 'Algunas veces
atinan y otras veces *aciertan*'.»

282 *reys*, 'reyes'. Véase *Casandra,* nota 446.

296 La fuente que utilizó Gil Vicente puede ser la colección de
Epístolas y evangelios por todo el año de fray Ambrosio Montesino; cito
según la edición de Toledo, 1549, folio 26 v.: «Estos tres reyes fueron
seguidores del propheta Balaã, el qual prophetizó en esta manera:
Nascerá una estrella de Jacob, y saldrá una vara derecha de Israel
[Números, XXIV, 17]. De lo qual también dize Crisóstomo sobre Sant
Matheo que ciertos pueblos escogieron .xii. de sí mismos, y quando

	reluziente en gran manera,
300	una cruz en su cimera
	por bandera.
GREGORIO.	¿Dónde se vio tal señal?
CABALLERO.	Del monte vitorial.
FRAILE.	¡Oh, divinal
305	vitoria muy verdadera
	de nuestra culpa primera!
	Oh, profeta Esaías,
	bien dezías:
f. [7] c.	«Llevántate a ser alumbrado,

muriesse uno pusiessen otro en su lugar, los quales subieron sobre un monte muy alto y fizieron oración a Dios que les mostrasse la estrella que avía prophetizado Balaã; y viniendo el tiempo del nascimiento de Christo, en la misma hora de la media noche aparesció sobre ellos en el ayre una estrella muy resplandeciente y fermosa, en cuya parte de arriba estava una ymagen de un niño pequeño que traía consigo una imagen de cruz, de cuya vista se alegraron mucho porque lo merescieron ver en su tiempo.» Puede haberse inspirado igualmente en un trozo de la *Vita Christi* de Ludolfo de Sajonia, que conocía probablemente en la versión castellana del mismo fray Ambrosio Montesino; lo cito, sin embargo, del incunable portugués de 1495, *O livro de Vita Christi em lingoagem português*, ed. Augusto Magne, I (Río de Janeiro, 1957), 149: «Os magos soos a viiam [a estrela], e em ela parecia uũ Menino sôbre cuja cabeça stava ũa coroa de ouro muy esprandecente.» Cf. fray Íñigo de Mendoza, ed. Foulché-Delbosc, *Cancionero castellano*, I, 28 b: «dentro de su resplandor | trae [la estrella] al Niño Redemptor | con su dura cruz a cuestas». El tema está documentado también en la iconografía medieval, por ejemplo, en ua tríptico de Roger van der Weyden; véase Erwin Panofsky, *Early Netherlandish Painting: its Origins and Character* (Cambridge, Mass., 1953), I, 277. Según Panofsky, la fuente es el capítulo *De nativitate domini nostri Jesu Christi* de la *Legenda aurea* de Jacobo a Voragine.

303 *del monte vitorial*, 'de Gólgota'. La reunión de los tres reyes magos en una encrucijada cerca del monte Gólgota es tema bien conocido de la pintura medieval, inspirado probablemente en el *Liber trium regum* de Johannes Hildesheimensis. Cf. la *Adoración de los Magos* del Bosco, actualmente en el Museo del Prado. Véase Erwin Panofsky, obra citada, I, 64, 83.

309-319 Paráfrasis de Isaías, 60, 1-3: «Surge, illuminare, Ierusalem, quia venit lumen tuum, et gloria Domini super te orta est. ...Super te

310

Hierusalén visitado
y acatado.
Recibe tus alegrías,
que la gloria del Messías
que querías

315

sobre ti es ya venida,
y los reys de gran partida
nobrecida
'n el resplandor de tus días
en tus tierras los verías.»

320

    David 'n el psalmo setenta
y uno cuenta
reys de Tarsis y Sabá
y de Arabia verná
con humildá,

325

muy gran compaña sin cuenta,
adorar sin más afrenta,
muy contenta.

CABALLERO. D'oro llevan gran presente,
encenso, mirra excelente,

330

humilmente.

VALERIO. Mira bien, Gregorio, atenta
este señor qué recuenta.

GREGORIO.   Cavallero rellator,

f. [7] d.
335

yo pecador,
villano, nescio, bestial,
no pensé que érades tal

---

autem orietur Dominus, et gloria eius in te videbitur. Et ambulabunt gentes in lumine tuo, et reges in splendore ortus tui.»

317 *nobrecida,* 'ennoblecida'.

322-330 Del salmo 71, 10: «Reges Tharsis et insulae munera offerent; reges Arabum et Saba dona adducent.» El simbolismo de los regalos sería familiar a cualquier lector del siglo XVI. Cf. Juan del Encina, folio 13 a: «Los dones que le traxeron | son encienso, mirra, y oro; | a Dios encienso ofrecieron, | por hombre mirra le dieron, | y oro a rey de gran tesoro. | ... | un don a Dios se ofrecía, | y el otro a rey convenía, | y el otro a la sepultura. «Cf. fray Íñigo de Mendoza, pág. 31 y sigs.; *Vita Christi*, ed. Magne, pág. 157 y sigs.; fray Ambrosio Montesino, *BAE*, XXXV, 464.

y hablé mal,
de que tengo gran dolor.

CABALLERO. Yo te perdono, pastor,
340   que el Señor
por cualquier culpa mortal
no pide ál al pecador.

*Aparecen los tres reyes magos cantando el
villancico siguiente:*

Quando la virgen bendita
lo parió,
345   todo el mundo lo sintió.
Los coros angelicales
todos cantan nueva gloria;
los tres reyes, la vitoria
de las almas humanales.
350   En las tierras principales
se sonó
quando nuestro Dios nasció.

*Y cantando así todos juntamente, ofrecen
los reyes sus regalos. Y así muy alegremen-
te cantando se van. Y acaba en breve, porque
no había tiempo para [escribir] más.*

---

342   *ál,* 'otra cosa'. Cf. Juan de Valdés, pág. 105: «No digo *ál* adonde
tengo que dezir *otra cosa,* aunque se dize: *So el sayal ay ál* y *En ál va
el engaño.*»

AUTO DE SAN MARTÍN

La obra siguiente fue representada ante la f. 84
muy caritativa y devota señora reina doña
Leonor en la iglesia de las Caldas, en la pro-
cesión del Corpus Christi de 1504. El asunto
es el acto de caridad que hizo el bienaventura-
do SAN MARTÍN *cuando compartió su capa*
con el POBRE.

Entra el POBRE *diciendo:*   f. 85 r.

POBRE.   Oh, piernas, llevadme un passo siquera;
manos, pegaos 'n aqueste bordón;
descansad, dolores, de tanta passión
siquera un momento en alguna manera.
Dexadme passar por esta carrera;   5
iré a buscar un pan que sostenga
mi cuerpo doliente hasta que venga
la muerte que quero por mi compañera.
Devotos cristianos, dad al sin ventura
limosna que pide por verse plagado.   10
Mirad ora al triste, que estoy lastimado
de pies y de manos, por mi desventura.

---

1 *siquera*. Tanto la falta como el exceso de diptongación abundan
en todos los portugueses que escribieron en castellano.

2 *bordón*. En 1562, *bordão*, probablemente error de imprenta.

Mirad estas plagas que no sufren cura;
ya son incurables por mi triste suerte.
¡Ay!, que padezco dolores de muerte
y aquesto que bivo es contra natura.
    Mirad ora el triste con mucho dolor
que ante de muerto me comen gusanos.
Mirad el tollido de pies y de manos.
Mirad la miseria de mí, pecador.
Dadme limosna por aquel Señor
que guarde a vosotros de tantos dolores.
Limosina bendita me dad, mis señores,
que ya no la puede ganar mi sudor.
    Haved compassión del pobre doliente
que ya se vio sano, mancebo y luzido.
Oh, mundo que ruedas, ¿a qué me has traído?
¡Qué rezio solía yo ser y valiente!
¡Quán alabado de toda la gente
de rezio galán! ¿Qué fue de mi bien?
Oh, muerte que tardas, di: ¿Quién te detien'?:
que yo no me atrevo a ser más pasciente.
    Oh, pasciencia, que en Job reposó,
¿qué quieres que haga con tantos tormentos?
Perdóname tú que mis sufrimientos
no pueden callar la miseria en que so.
Criante rocío, ¿qué te hize yo?
que las hiervezitas floreces por mayo
y sobre mis carnes no echas un sayo,
ni dexan dolores que lo gane yo.
    Dexe la muerte las niñas, las dueñas,
y dexe donzellas galanas bevir;
dexe las aves cantares dezir
y dexe ganados andar por las peñas.

---

19   *tollido*, 'tullido'.

23   *limosina*. Sobra una sílaba. Nótese que en el v. 21, donde hay
limosna, falta una sílaba; dicho verso admitiría, pues, la enmienda *limosina*.

31   *di: ¿Quién*. En 1562, *de quien*. Acepto la enmendación propuesta
por Aubrey Bell, pág. 170.

Llévame a mí: ¿por qué me desdeñas   45
y matas sin tiempo quien merece vida?
Sácame ya de esta cárcel podrida,
mi ánima triste, no queras más señas.

Dadme ora limosna por la passión
del hijo de Dios, que pobre se vido,   50
d'aquel que por nos fue muerto y herido,
doliente y plagado por la redempción.
Mirad ora, ricos, que tenéis razón
dar de sus bienes pues sois tesoreros;
sed de los suyos buenos despenseros   55
y vuestras riquezas se os doblarán.

Viene SAN MARTÍN, *caballero, con tres pajes y dice el* POBRE:

POBRE.   Devoto señor, real cavallero,
bolved vuestros ojos a tanta pobreza.
¡Que Dios os prospere vuestra gentileza!
Dadme limosna que de hambre me muero.   60
S. MARTÍN.   Hermano, ahora no traigo dinero.
¿Vosotros traéis que demos, por Dios?
PAJE.   No, ciertamente.
S. MARTÍN.   ¿Entrambos a dos
no traéis que demos a este romero?
POBRE.   No hay dolor que en mí no lo sienta: 65
haved de mis males, señor, compassión.
S. MARTÍN.   ¡Quién ahora tuviesse d'aquessa passión
la parte que tienes que más t'atormenta!

---

50 *vido*, 'vio'. Sigue vivo en el habla popular. Véase Menéndez Pidal, 120, 5.

56 *doblarán*. En 1562, *doblaron*. Nótese que la rima es buena en portugués *(razão: dobrarão)*.

62 *que*, 'algo que'. Véase Keniston, 15, 86.

66 *compassión*. En 1562, *compacion*.

Después del v. 80. *prosa*, 'texto religioso para ser cantado'. Véase Corominas, s. v.

f. 86 POBRE.   ¡Guárdeos Dios de tan grande afrenta!
70   ¡Dios lo prospere con mucha salud!
                             Dadme limosna por vuestra vertud,
                             que mi gran pobreza no hay quien la sienta.
       S. MARTÍN.   No sé qué te dé, de dolor de ti,
                             ni puedo a tus males poner remedio:
75   partamos aquesta mi capa por medio,
                             pues otra limosna no traigo aquí.
                             Ruégote, hermano, que rogues por mí:
                             pues sufres dolores 'n esta triste vida,
                             tu ánima en gloria será recebida
80   con dulces cantares diziendo assí:

                             Mientras SAN MARTÍN *parte la capa con
                             su espada, cantan muy devotamente una pro-
                             sa* [*él y los tres pajes*]; *no hay más, porque el
                             auto fue pedido muy tarde.*

AUTO DE LA SIBILA CASANDRA

La obra siguiente fue representada ante la   f. 8
dicha señora en el monasterio de Xóbregas en
los maitines de Navidad. En ella se trata de
la presunción de la sibila CASANDRA, *que se*
había enterado por espíritu profético del mis-
terio de la encarnación, y presumía ser la vir-
gen de quien el Señor había de nacer. Y por
eso nunca quiso casarse. La dicha CASANDRA
entra vestida de pastora diciendo:

CASANDRA.   ¿Quién mete ninguno andar   f. [8] a
ni porfiar
en casamientos comigo?
Pues séame Dios testigo
que yo digo   5
que no me quiero casar.
¿Quál será pastor nacido
tan polido
ahotas que me meresca?
¿Alguno hay que me paresca   10
en cuerpo, vista y sentido?
    ¿Quál es la dama polida
que su vida
juega, pues pierde casando,
su libertad cautivando,   15
otorgando
que sea siempre vencida,

desterrada en mano agena,
siempre en pena,
20   abatida y sujuzgada?
¡Y piensan que ser casada
que es alguna buena estrena!

Entra SALOMÓN.

SALOMÓN.   ¡Casandra, Dios te mantenga,
y yo venga
25   también mucho norabuena!
Pues te veo tan serena,
nuestra estrena
ya por mí no se detenga;
y pues ya que estoy acá,
30   bien será
que diga a qué soy venido,
y tanto estoy de ti vencido
que creo que se hará.

f. [8] b. CASANDRA.   No te entiendo.
SALOMÓN.   Anda, ven,
35   que por tu bien
te enbían a llamar tus tías,
y luego d'aquí a tres días
alegrías
ternás tú y yo también.
40 CASANDRA.   ¿Qué me quieren?
SALOMÓN.   Que me veas
y me creas
para hecho de casar.

CASANDRA.   Lo que d'ahí puedo pensar:
que ellas o tú devaneas.
45 SALOMÓN.   ¿Somos parientes o qué?
Bien se ve
que soy yo para valer
tal, que juro a mi poder
que, de no ser,
50   ni esta paja me dé.

---

48   *juro a mi poder*. Cf. Juan del Encina, *Teatro completo*, ed. M. Cañete y F. Asenjo Barbieri (Madrid, 1893), págs. 12 y 68.

	Yo soy bien aparentado	
	y abastado,	
	valiente zagal polido,	
	y aun estoy medio corrido	
	de haver acá llegado.	55
	Anda, si quieres venir.	
CASANDRA.	Sin mentir,	
	tú estás fuera de ti:	
	lo que te dixe hasta aquí	
	será ansí,	60
	aunque sepa de morir.	
SALOMÓN.	¿No me ves?	
CASANDRA.	Bien te veo.	
SALOMÓN.	No te creo;	
	pues, ¿no queres?	
CASANDRA.	No te quero.	65
SALOMÓN.	Casamiento te requero.	
CASANDRA.	Ya primero	
	dixe lo que es mi deseo.	f. [8] o.
SALOMÓN.	¿Qué me dizes?	
CASANDRA.	Yo te digo	70
	que comigo	
	no hables en casamiento;	
	que no quiero ni consiento	
	ni con otro ni contigo.	
SALOMÓN.	¿Quiéres tú estar a cuenta?	75
CASANDRA.	¿Y en essa afrenta	
	tengo contigo de estar?	

---

61 *aunque sepa de morir,* 'aunque tenga que morir'. Véase Gillet, III, 780-781, nota 513.

72 *no hables en casamiento.* El empleo de *hablar en* en vez de *hablar de* puede ser lusismo, pero no faltan ejemplos en textos castellanos del siglo XVI. Véase *Don Duardos,* ed. D. Alonso, nota 337; Teyssier, página 328.

75 *estar a cuenta,* 'estar encinta' [?]. Cf. *estar fuera de cuenta,* 'haber cumplido ya los nueve meses la mujer preñada'. Es posible, sin embargo, que se trate de la expresión portuguesa *estar na conta,* registrada por Caldas Aulete, que significa «servir para o fim a que se destina; ser suficiente».

No me quiero cautivar,
pues nascí horra y isienta.

80 SALOMÓN.   Tu tía misma me habló
y prometió
muy chapado casamiento.

CASANDRA.   Otro es mi pensamiento.

SALOMÓN.   Pues yo siento

85   que bien te meresco yo,
y por esso vine acá.

CASANDRA.   Bien está.

SALOMÓN.   Según el tu no querer,
a mi ver,

90   otro amor tienes allá.

CASANDRA.   No quiero ser desposada
ni casada,
ni monja ni ermitaña.

SALOMÓN.   Dime qué es lo que te engaña,

95   que essa saña
empleas mal empleada.
Toma consejo comigo
o contigo,
quando sin passión te veas;

100   y mira lo que desseas,
qué razón trae consigo.

CASANDRA.   No pierdas tiempo comigo:
ya te digo
bien clara mi entención.

105 SALOMÓN.   ¡Quién te viesse el coraçón
por mirar mi enemigo
y saber por qué razón!

f [8] d. CASANDRA. No tomes de esto passión
ni alteración,

110   pues que no desprecio a ti:
mas nació quando nací
comigo esta openión,
y nunca más la perdí.

---

79 *isienta,* 'exenta'.
104 *entención,* 'intención'. Véase *Reyes magos,* nota 22.

SALOMÓN.   ¿Qué te hizo el casamiento?
           ¿Es tormiento   115
           que se da por algún hurto?
CASANDRA.   Y aun por esso le surto,
           porque es curto
           su triste contentamiento.
           Muchos de ellos es notorio   120
           purgatorio,
           sin concierto ni templança;
           y si algún bueno se alcança,
           no es medio plazentorio.
           Veo quexar las vezinas   125
           de malinas
           condiciones de maridos:
           unos de ensobervecidos
           y aborridos;
           otros de medio galinas;   130
           otros llenos de mil celos
           y recelos,
           siempre aguzando cuchillos,
           sospechosos, amarillos,
           y malditos de los cielos.   135
           Otros a garçonear
           por el lugar
           pavonando tras garcetas,
           sin dexar blancas ni prietas,
           y reprietas.   140
           ¿Y la muger? Sospirar,
           después en casa reñir
           y groñir,
           y la triste allí cautiva.
           ¡Nunca la vida me biva   145
           si tal cosa consentir!

---

117   *surto*, 'rechazo' [?].
124   *plazentorio*, 'placentero'.
130   *galinas*, 'gallinas, cobardes'. Cf. port. *galinha*.
146   *consentir*, 'consintiere'. Futuro de subjuntivo sin desinencia, como en portugués. Véase Teyssier, págs. 373-374.

Y pues eres cuerdo y sientes,

para mientes:

muger quiere dezir moleja;

150   es ansí como una oveja

en peleja,

sin armas, fuerças ni dientes;

y si le falta sentido

al marido

155   de la razón y vertud

¡ay de niña juventud

que en tales manos se vido!

SALOMÓN.   No soy de essos ni seré,

por mi fe,

160   que te tenga en bolloritas.

CASANDRA.   ¿Y con floritas

piensas que me engañaré?

No quiero verme perdida,

entristecida

165   de celosa o ser celada.

Tirte afuera. ¿No es nada?

¡Pues antes no ser nacida!

Y ser celosa es lo peor,

que es dolor

170   que no se puede escusar.

De los vientos haze mar,

y afirmar

que el blanco es d'otra color;

---

149 *moleja*, 'blandura'. Etimología tradicional. Cf. San Isidoro,
Etymologiae, XI, II: «Mulier vero a mollitie, tamquam mollier, detracta
littera vel mutata, appellata est mulier.»

156 *niña juventud*. Aubrey Bell, pág. 160, sugiere que *niña* puede
ser errata y propone leer *miña*, port. *minha*. La corrección parece in-
necesaria. Cf. los versos siguientes: «Aquel caballero, madre, | tres
besicos le mandé: | creceré y dárselos he. | Porque fueron los primeros |
en mi niña juventud, | prometílos por vertud, | amores tan verdaderos»
(D. Alonso y J. M. Blecua, *Antología*, pág. 14).

160 *bolloritas*, 'velloritas'. Puede ser error de imprenta, pero nótese
que en portugués *e* átona tiende a pasar a *o* cuando está en contacto
con una consonante labial; véase Teyssier, pág. 161.

166 *tirte afuera*. Para este imperativo, véase Gillet, III, 548, nota 88.

	de las buenas haze malas	
	con sus falas,	175
	y de los sanctos, ladrones.	
	No quiero entrar en passiones,	
	pues que bien puedo escusarlas.	
SALOMÓN.	Do seso hay, no hay celuras	
	sino holguras,	180
	que el seso todo bien da.	
CASANDRA.	El seso es no ir allá.	
SALOMÓN.	Calla ya,	
	que te recelas a escuras.	
CASANDRA.	Állende de esso, sudores	185
	y dolores	
	de partos, llorar de hijos:	
	no quiero verme en letijos,	f. 9 b.
	por más que tú me namores.	
SALOMÓN.	Yo voy llamar all aldea	190
	Erutea	
	y a Peresica, tu tía,	
	y a Cimeria, y tu porfía	
	delante de ellas se vea.	
CASANDRA.	¿Y a mí qué se me da?	195
	¿Quién será	
	que me case a mi pesar?	
	Si yo no quiero casar,	
	¿a mí quién me forçará?	

Vase SALOMÓN *y canta* CASANDRA.

	Dizen que me case yo:	200
	no quiero marido, no.	

---

175 *falas,* 'hablas, conversaciones'. Lusismo, empleado probablemente por la rima. Véase Tayssier, págs. 318-319. La misma explicación vale sin duda por el verso 178: la rima es buena en portugués *(escusá-las).*

179 *no hay.* En 1562, *no ya,* que debe ser errata.

188 *letijos,* 'litigios, contiendas'. Para ejemplos de esta forma arcaica, véase Gillet, III, 327, nota 44.

191-193 Para los nombres de las sibilas, véase María Rosa Lida de Malkiel, *Filología,* V (1959), 47-48, nota.

                    Más quiero bivir segura
                    'n esta sierra a mi soltura,
                    que no estar en ventura
205   si casaré bien o no.
                    Dizen que me case yo:
                    no quiero marido, no.

                    Madre, no seré casada
                    por no ver vida cansada,
210   o quiçá mal empleada
                    la gracia que Dios me dio·
                    Dizen que me case yo:
                    no quiero marido, no.

                    No será ni es nacido
215   tal para ser mi marido;
                    y pues que tengo sabido
                    que la flor yo me la so,
                    dizen que me case yo:
                    no quiero marido, no.

                    Vuelve SALOMÓN, *vestido de pastor, con*
                    ERUTEA, PERESICA *y* CIMERIA. *Entran bai-*
                    lando una chacota, y dice CIMERIA *a* CA-
                    SANDRA:

f. 9 c.; 220 CIMERIA.   ¿Qué te parece el zagal?
              CASANDRA.   Ni bien ni mal,
                           que no quiero casar, no.
                           Vosotras, ¿quién vos metió
                           que case yo?
225   Pues sabed que pienso en ál.
              CIMERIA.   Tu madre en su testamiento,
                           no te miento,
                           manda que cases, que es bueno.
              CASANDRA.   Otro casamiento ordeno
230   en mi seno;
                           que no quiero ni consiento.

---

217   *so*, 'soy'. Véase *Visitación*, nota 22.
Antes del verso 220. *chacota*, 'baile rústico'. Véase Corominas, s. v.

SALOMÓN.	Loco consejo has tomado.	
	Estó espantado.	
	¿Dó se halló tal desvarío?	
CASANDRA.	Mi fe, 'n el coraçón mío;	235
	yo lo fío	
	que no vo camino errado.	
	No quiero dar mi limpeza	
	y mi pureza	
	y mi libertad isienta,	240
	ni mi ánima contenta,	
	por sessenta	
	mil millones de riqueza.	
PERESICA.	¡Si tu madre esso hiziera!	
CASANDRA.	Bien, ¿Qué fuera?	245
PERESICA.	Nunca tú fueras nacida.	
CASANDRA.	Yo quiero ser escogida	
	en otra vida	
	de más perfecta manera.	
ERUTEA.	Escucha, sobrina mía,	250
	todavía:	
	no puedes sino casar	
	y éste deves tomar	
	sin profiar,	
	que es muy bueno en demasía.	255
CASANDRA.	¿Cómo ansí?	
ERUTEA.	Es generoso	
	y vertuoso,	
	cuerdo y bien assombrado;	f. 9 d.
	tiene tierras y ganado	
	y es loado	260
	músico muy gracioso.	
SALOMÓN.	Tengo pumares y vinas	
	y mil pinas	
	de rosas pera holgares;	

---

254 *profiar,* 'porfiar'.
262-263 *vinas, pinas,* 'viñas, piñas'. Tal vez sea errata.
264 *pera holgares,* 'para que huelgues'. Infinitivo conjugado. Véase
Auto pastoril, nota 369.

88422

265		tengo villas y lugares y más treinta y dos galinas.
	ERUTEA.	Sobrina, este zagal es real, y para ti está escogido.
270	CASANDRA.	No lo quiero ni lo pido por marido, ¡guárdeme el Señor de mal!
	CIMERIA.	¿Tú no ves cómo es honrado y sossegado
275		quanto otro lo será?
	CASANDRA.	¿Qué sé yo si se mudará, o qué hará quando se vea casado? ¡Oh, quántos ha hí solteros
280		plazenteros, de muy blandas condiciones, y casados son leones y dragones y diablos verdaderos!
285		Si la muger de sesuda se haze muda, dizen que es bova perdida; si habla, luego es herida, y esto nunca se muda.
290	SALOMÓN.	Muy entirrada está; bien será que no le digamos más; pues tú t'arrepentirás y querrás
295		y el diablo no querrá.
	ERUTEA.	Muy más aína quiçá se hará
f. 10 a.		si la serviesses d'amores.
	SALOMÓN.	¡Qué moça para favores!
300		¿No veis qué respuestas da?

---

279 *ha hí*, 'hay'. Lusismo. Véase Teyssier, págs. 381-383.
290 *entirrada*, 'obstinada'. Véase Teyssier, pág. 392; Gillet, III,
542-543, nota 8.

PERESICA.	¡Si tus tíos allegassen
	y le hablassen,
	que son hombres entendidos!
CIMERIA.	Par Dios son, y bien validos
	y sentidos:
	bien sé yo que lo acabassen.
SALOMÓN.	Quiérolos ir a llamar
	al lugar.
	Veremos esto en qué para,
	aunque ella se declara
	por tan cara
	que ha de ser dura d'armar.

305

310

[*Vase* SALOMÓN *y*] *vuelve en seguida con* ISAÍAS, MOISÉS *y* ABRAHÁN, *bailando los cuatro una folía y cantando la cantiga siguiente:*

¡Sañosa está la niña!
¡Ay Dios!, ¿quién le hablaría?

VOLTA

En la sierra anda la niña
su ganado a repastar,
hermosa como las flores,
sañosa como la mar.
    Sañosa como la mar
está la niña.
¡Ay Dios!, ¿quién le hablaría?

315

320

ABRAHÁN.	¡Digo que estéis norabuena!
	Por estrena
	toma estas dos manijas.
MOISÉS.	Y yo te doy estas sortijas
	de mis hijas.
ISAÍAS.	Yo te doy esta cadena.
SALOMÓN.	Dart' hía yo bien sé qué,

325

---

328   *dart' hía,* 'te daría'. Véase *Auto pastoril*, nota 238.

		mas no sé
330		quánto puede aprovechar.
	ERUTEA.	Muchas cosas haze el dar,
		como contino se ve.
f. 10 b.	CASANDRA.	¿Téngome de captivar
		por el dar?
335		No me engaño yo ansí:
		yo digo que prometí
		sólo de mí
		que no tengo de casar.
	MOISÉS.	Blasfemas, que el casamiento
340		es sacramento,
		y el primero que fue.
		Yo, Moysén, te lo diré,
		y contaré
		dónde huvo fundamiento.
345		En el principio crio
		y formó
		Dios el cielo y la tierra
		con quanto en ello se encierra;
		mar y sierra
350		de nada lo edificó;
		era vacua y vazía
		y no havía
		cosa per quien fuesse amado;
		el spirito no criado
355		sobre las aguas luzía.
		Fiat luz, luego fue hecha
		muy prehecha,
		sol y luna y las estrellas,

345-355 Paráfrasis de Génesis, 1, 1-2: «In principio creavit Deus caelum et terram. Terra autem erat inanis et vacua, et tenebrae erant super faciem abyssi, et Spiritus Dei ferebatur super aquas.»

354 *spirito*, 'espíritu'. Véase *Auto pastoril*, nota 390.

356-366 Paráfrasis de Génesis, 1, 3; 1, 16: «Dixitque Deus: Fiat lux. Et facta est lux... Fecitque Deus duo luminaria magna: luminare maius, ut praeesset diei: et luminare minus, ut praeesset nocti: et stellas.»

criadas claras y bellas
todas ellas   360
per regla justa y derecha.
Al sol diole compañera
por pracera,
de una luz dambos guarnidos,
dominados y medidos,   365
cada uno en su carrera.

Hagamos más —dixo el Señor
criador—
hombre a nuestra semejança,
angélico en la esperança   370
y en liança,
y de lo terrestre señor.   f. 10 c.
Luego le dio compañera,
en tal manera
de una gracia ambos liados,   375
dos en una carne amados,
como s'ambos uno fuera.

El mismo que los crio
los casó
y trató el casamiento,   380
y por su ordenamiento
es sacramento
que al mundo stabaleció;
y pues fue casamentero
él primero   385

---

363 *pracera*, 'parcera, compañera'. Véase Corominas, s. v. *aparcero;*
dicha acepción, frecuente en la Edad Media y en el Siglo de Oro, se conserva hoy sólo en dialectos occidentales.

367-372 De Génesis, 1, 26: «Et ait [Deus]: Faciamus hominem ad
imaginem et similitudinem nostram; et praesit piscibus maris, et vola-
tilibus caeli, et bestiis, universaeque terrae, omnique reptili, quod mo-
vetur in terra.»

373-377 De Génesis, 2, 18; 2, 24: «Dixit quoque Dominus Deus:...
faciamus ei adiutorium simile sibi... Quamobrem relinquet homo pa-
trem suum, et matrem, et adhaerebit uxori suae: et erunt duo in carne
una.»

383 *stabaleció*, 'estableció'. Véase *Reyes magos*, nota 131.

y es ley determinada
¿cómo estás tú embirrada,
diziendo que es captivero?

CASANDRA.   ¿Qué? Quando Dios los hazía
390   y componía,
en essos tales no hablo;
mas 'n aquellos que el diablo
en su retablo
haze y ordena cadaldía.

395   Por cobdicia los ayunta
y no pregunta
por otra virtud alguna;
y depués que la fortuna
los enfuna,
400   toda gloria le es defunta.

Si yo me casasse ahora,
dende a una hora
no querría ser nacida.
No tengo más de una vida
405   y, sometida,
dix' «Casandra, tirte afuera».
Marido, ni aun soñado,
ni pintado:
no curéis de profiar,
410   porque para bien casar
no es tiempo concertado.

f. 10 d. ABRAHÁN.   ¿Y si cobras buen marido
comedido
y nunca apassionado?

415 CASANDRA.   ¿Nunca? Estáis muy errado,

---

387 *embirrada,* 'obstinada'. Es lusismo.

394 *cadaldía.* Frecuente en la lengua medieval. D. Alonso nota que
«es curioso ver a Gil Vicente emplear esta expresión, ya rústica en su
tiempo, en obras tan aristocráticas como *Don Duardos* y *Amadís*» (*Don
Duardos,* nota 131).

399 *enfuna,* 'enfunda, hinche'. Port. *enfunar.*

402 *dende,* 'de allí'. Cf. Torres Naharro, *Comedia Ymenea,* introito,
v. 25: «Caséme dend'a un rato.» Véase *Auto pastoril,* nota 305.

padre honrado,
porque esso nunca se vido.
¿Cómo puede sin passión
y alteración
conserva[r]se el casamiento?   420
Múdase el contentamiento
en un momiento
en contraria división.
    Sólo Dios es perfeción
sin razón,   425
si verdad queréis que hable;
que el hombre todo es mudable
y variable
por humanal comprissión.
Pero yo quiero dezir   430
y descobrir
por qué virgen quiero estar:
sé que Dios ha de encarnar,
sin dudar,
y una virgen ha de parir.   435

ERUTEA.   Esso bien me lo sé yo
y cierta so
que 'n un presepe ha de estar,
y la madre ha de quedar
tan virgen como nació;   440
también sé que de pastores
labradores
será visto y de la gente,
y le traerán presente
de Oriente   445
grandes reys y sabedores.

---

429   *comprissión*, 'temperamento'. Véase Corominas, s. v. *complejo*.
438   *presepe*, 'pesebre'. Es lusismo.
446   *reys*, 'reyes'. Plural monosilábico como en port. *reis*, garantizado por el metro. Vicente usa ambas formas, pero usa mucho más la primera, no del todo desconocida en el castellano de la segunda mitad del siglo XV, por ejemplo, en fray Íñigo de Mendoza. Véase *Don Duardos*, edición D. Alonso, nota 811.

CIMERIA.	Yo días ha que he soñado
	y barruntado
	quo vía una virgen dar
450	a su hijo de mamar
f. 11 a.	y que era Dios humanado;
	y aun depués me parecía
	que la vía
	entre más de mil donzellas;
455	con su corona de estrellas
	mucho bellas,
	como el sol resplandecía.
	Nunca tan glorificada
	y acatada
460	donzella se pudo asmar
	como esta virgen vi estar;
	ni su par
	no fue ni será criada.
	Del sol estava guarnida,
465	percebida,
	contra Lucifer armada,
	con virgen arnés guardada,
	ataviada
	de malla de sancta vida.
470	Con leda cara y guerrera,
	plazentera,
	el resplandor piadoso,
	el yelmo todo humildoso
	y *mater Dei* por cimera;
475	y el niño Dios estava

---

449 *vía*, 'veía'. Frecuente en el castellano de fines del siglo XVI. Véase Gillet, III, 90, nota 125.

452 *depués*, 'después'. Lusismo (port. *depois)* empleado varias veces en el castellano vicentino al lado de *después.*

456 *mucho bellas,* 'muy bellas'. Ambas construcciones existen en el castellano de principios del siglo XVI, aunque la primera es mucho menos frecuente, como lo es también en el castellano vicentino. Nótese, sin embargo, que Gil Vicente la emplea mucho más que los escritores españoles contemporáneos, sin duda porque las dos construcciones estaban todavía muy vivas en portugués. Véase Teyssier, págs. 329-330.

	y la llamava	
	«madre, madre» a boca llena;	
	los ángeles, *gratia plena*,	
	muy serena;	
	y cada uno la adorava,	480
	Diziendo «rosa florida,	
	esclarecida,	
	madre de quien nos crio,	
	loado aquel que nos dio	
	reina tan sancta nacida».	485
ERUTEA.	Peresica, tú nos dezías	
	que sabías	
	de esta virgen y su parto.	
PERESICA.	Mi fe, de ello sé bien harto	
	y reharto:	490
	llena estoy de profecías.	f. 11 b.
	Empero, son de dolor:	
	que el Señor,	
	estando a vezes mamando,	
	tal vía de quando en quando	495
	que no mamava a sabor:	
	una cruz le aparecía	
	que él temía,	
	y llorava y sospirava;	
	la madre lo halagava	500
	y no pensava	
	los tromientos que él vía.	
	Y començando a dormir,	
	veía venir	
	los açotes con denuedo:	505
	estremecía de miedo,	
	y no puedo	
	por ahora más dezir.	
CASANDRA.	Yo tengo en mi fantasía	
	y juraría	510

502 *tromientos*, 'tormentos'.
509 *fantasía*. Aquí significa probablemente 'presunción'. Véase Joseph E. Gillet, *Spanish «fantasía» for «presunción»*, en *Studia philologica et litteraria*, págs. 211-225.

que de mí ha de nascer,
que otra de mi merescer
no puede haver
en bondad ni hidalguía.

515   ABRAHÁN.   Ya Casandra desvaría.

         ISAÍAS.   Yo dería
que está muy cerca de loca
y su cordura es muy poca,
pues que toca,
520   tan alta descortesía.

      SALOMÓN.   ¡El diablo ha d'acertar
a casar!
Por mi alma y por mi vida,
que quien la viera sabida
525   y tan leída,
que se pudiera engañar.

            Casandra, según que muestra
essa repuesta
tan fuera de conclusión,
f. 11 c.; 530   tú loca, yo Salamón,
dame razón:
¿qué vida fora la nuestra?

   CASANDRA.   Aún en mi seso estó:
que soy yo.

535   ISAÍAS.   Cállate, loca perdida,
que de essa madre escogida
otra cosa se escrevió.

            Tú eres de ella al revés
si bien ves,
540   porque tú eres humosa,
sobervia, y presumptuosa,
que es la cosa
que más desviada es.
La madre de Dios sin par,
545   es de notar

---

516   *dería*, 'diría'. Véase *Don Duardos*, nota 564-566.

540   *humosa*, 'orgullosa'. Cf. Covarrubias, s. v. *humo*: «tener muchos
humos, tener gran presunción y altiveza».

que humildosa ha de nascer,
y humildosa conceber,
y humildosa ha de criar.
        Las riberas y verduras
y frescuras   550
pregonan su hermosura;
la nieve, la su blancura,
limpia y pura
más que todas criaturas;
lirios, flores y rosas   555
muy preciosas
procuran de semejalla,
y en el cielo no se halla
estrella más lumiosa.
        Antes sancta que engendrada,   560
preservada,
antes reina que nacida,
eternalmente escogida,
muy querida,
por madre de Dios guardada,   565
por vertud reina radiosa,
generosa,
per gracia emperadora,
per humildad gran señora,
y hasta ahora   f. 11 d.; 570
no se vio tan alta cosa.

ISAÍAS.   El su nombre es María,
que desvía
de ser tú la madre de él;
y del hijo, Emanuel: 575
manteca y miel
comerá, como yo dezía.

ABRAHÁN.   Dos mil vezes lo dezías,
que el Messías

---

559   *lumiosa,* 'luminosa'. Lusismo.

575-576   Cf. Isaías, 7, 14-15; «Ecce virgo concipiet et pariet filium,
et vocabitur nomen eius Emmanuel. Butyrum et mel comedet, ut sciat
reprobare malum, et eligere bonum.»

580
será Dios bivo en persona,
y aun te juro a mi corona
ahotas que no mentías.

MOISÉS.
Y tú también, Salamón,
585
buen garçón,
los cantares que hazías
todos eran profecías
que dezías
de ella y de su prefeción:
fermosa *mea, columba mea,*
590
quien te vea,
de vista o a sentido,
gózese por ser nacido,
por fuerte zagal que sea.

ABRAHÁN.
Si hoviéssemos de declarar
595
y platicar
quanto de ella está escrito,
sería cuento infinito
que el spirito
no puede considerar:
600
todo fue profetizado
por mandado
d'aquel hazedor del mundo
hasta aquel día profundo,
no segundo
605
mas postrero, es devulgado.

ISAÍAS.
De esso profetó Africana.

PERESICA.
Y tú, hermana,
de esse juizio hablaste,

f. 12 a.
escreviste y declaraste
610
quanto baste
para enformación humana:
pero quándo ha de ser
es de saber.

---

589   Del Cantar de los Cantares, 2, 10; «Surge, propera, amica mea,
columba mea, formosa mea, et veni.»
   606   *profetó,* 'profetizó'.

ISAÍAS.   Las señales os diré,
          porque las sé   615
          muy ciertas y bien sabidas.
PERESICA. ¡Ansí Dios te dé mil vidas!:
          que las digas
          y yo te lo serviré.
ISAÍAS.   Quando Dios fuere ofendido   620
          y no temido,
          generalmente olvidado,
          no será mucho alongado,
          mas llegado,
          el juizio prometido;   625
          quando fuere lealtad,
          y la verdad,
          despreciada y no valida;
          quando vieren que la vida
          es abatida   630
          del que sigue la bondad.
              Quando vieren que justicia
          está en malicia,
          y la fe fría, enechada,
          y la iglesia sagrada   635
          captivada
          de la tirana cobdicia;
          quando vieren trabajar
          por llevantar
          palacios demasiados,   640
          y los pequeños menguados,
          dessollados,
          no puede mucho tardar.
              Y quando vieren perdida
          y consumida   645
          la vergüença y la razón
          y reinar la presunción,
          'n esta sazón
          perderá el mundo la vida;   f. 12 b.

---

619   *serviré*, 'premiaré'. Véase Corominas, s. v. *siervo*.

650   y quando más segurado
                y olvidado
                de la fin él mismo sea:
                en aquel tiempo se crea
                que ha de ser todo abrasado.

                *Se abren las cortinas [y se descubre el lu-
                gar] donde está todo el aparato del nacimien-
                to, y cantan cuatro* ÁNGELES:

655 ÁNGELES.   Ro, ro, ro...
                nuestro Dios y Redemptor,
                ¡no lloréis que dais dolor
                a la Virgen que os parió!
                Ro, ro, ro...
660   Niño, hijo de Dios padre,
                padre de todas las cosas,
                cessen las lágrimas vuessas:
                no llorará vuestra madre,
                pues sin dolor os parió,
665   ro, ro, ro...
                ¡no le deis vos pena, no!
                Ora, niño, ro, ro, ro...
                nuestro Dios y Redemptor,
                ¡no lloréis que dais dolor
670   a la Virgen que os parió!
                Ro, ro, ro...
     MOISÉS.   'N aquel cantar siento yo
                y cierto so
                que nuestro Dios es nacido,
675   y llora por ser sabido,
                y conoscido,
                que es de carne como yo.
     CIMERIA.   Yo ansí lo afirmaría
                y juraría
680   que lo deven estar briçando,
                y los ángeles cantando
                su divinal melodía.

_____

662   *vuessas*, 'vuestras'. Véase *Gloria*, nota 26.

ISAÍAS.	Pues, vámoslo adorar,	f. 12 c.
	y visitar	
	el rezién nascido a nos:	685
	verán nuestros ojos dos	
	un solo Dios,	
	nascido por nos salvar.	

Vanse cantando y bailando una chacota, y llegando al pesebre. Dice PERESICA:

PERESICA.	Erutea, ¿ves allí	
	lo que vi,	690
	la cerrada flor parida?	
ABRAHÁN.	¡Oh, vida de nuestra vida,	
	guarecida	
	y remediada por ti.	
	A ti adoro, Redemptor,	695
	mi Señor,	
	Dios y hombre verdadero,	
	sancto y divino cordero,	
	postrimero	
	sacrificio mayor.	700
MOISÉS.	¡Oh, pastorzico nacido	
	muy sabido,	
	de tu ganado cuidoso,	
	contra los lobos sañoso,	
	y piadoso	705
	al rebaño enflaquecido:	
	por la tierna carne humana,	
	nuestra hermana,	
	que 'n esse briço sospira,	
	que nos livres de tu ira	710
	y las ánimas nos sana.	
SALOMÓN.	¿Qué oración, Dios, te harán?	
	¿Qué dirán?	
	Oh, gran rey desde niñito,	
	per natureza bendito,	715
	infinito,	
	ab eterno capitán,	

f. 12 d.   de celeste imperio heredero
                            por entero,
720   de deidad coronado,
                            adórote, Dios humanado
                            y por nos hecho cordero.

ISAÍAS.   Adórote, sancto Messías,
                            en mis días
725   y para siempre te creo,
                            pues con mis ojos te veo
                            en tal asseo
                            que cumples las profecías.
                            Niño, adoro tu alteza
730   con firmeza,
                            y pues no tengo desculpa,
                            a tus pies digo mi culpa
                            y confiesso mi flaqueza.

CASANDRA.   Señor, yo, de ya perdida
735   'n esta vida,
                            no te oso pedir nada,
                            porque nunca di passada
                            concertada,
                            ni deviera ser nacida.
740   Virgen y madre de Dios,
                            a vos, a vos,
                            corona de las mugeres,
                            por vuestros siete plazeres,
                            que quieras rogar por nos.

745 CIMERIA.   Espejo de generaciones
                            y naciones,
                            de Dios hija, madre y esposa,
                            alta reina gloriosa,
                            especiosa,
750   cumbre de las perfeciones;
                            oh, estrada en campos llanos
                            de humanos
                            sospiros a ti corrientes,
                            oidora de las gentes,
755   encomiéndome en tus manos.

PERESICA.   Oh, clima de nuestro polo,   f. 13 a.
             un bien solo,
             planeta de nuestra gloria,
             influencia de vitoria,
             por memoria   760
             nuestro sino laureolo.
ISAÍAS.   *Ave, stella matutina,*
             bella y dina,
             ave, rosa, blanca flor,
             tú pariste el Redemptor   765
             y tu color
             del parto quedó más fina.

             Acabada así su adoración, cantan la can-
             tiga siguiente, que hizo el autor y a la cual
             él mismo puso música.

             Muy graciosa es la donzella,
             ¡cómo es bella y hermosa!
             Digas tú, el marinero   770
             que en las naves bivías,
             si la nave o la vela
             o la estrella es tan bella.
             Digas tú, el cavallero
             que las armas vestías,   775
             si el cavallo o las armas
             o la guerra es tan bella.   f. 13 b.
             Digas tú, el pastorzico
             que el ganadico guardas,
             si el ganado o los valles   780
             o la sierra es tan bella.

             Es cantada por todos los personajes, y bai-
             lada de terreiro, de tres por tres. Y por despe-
             dida se canta el villancico siguiente:

---

757   *un bien solo.* En 1562, *un ben olo,* que no hace sentido. Corrijo
según 1586.
761   *nuestro sino laureolo.* El sentido no está claro. Leo Spitzer, páginas 72-73, nota, propone leer *aureolo* en vez de *laureolo,* sin duda
acertadamente. *Sino* no es 'hado, destino', sino *signo.* Cf. *dina* en v. 763
y *Reyes magos,* nota 56.

¡A la guerra,
cavalleros esforçados!
Pues los ángeles sagrados
785   a socorro son en tierra,
¡a la guerra!
            Con armas resplandecientes
vienen del cielo bolando,
Dios y hombre apellidando
790   en socorro de las gentes.
            ¡A la guerra,
cavalleros esmerados!
Pues los ángeles sagrados
a socorro son en tierra,
795   ¡a la guerra!

---

783   *esforçados.* En 1562, *esforçades,* errata.

AUTO DE LOS CUATRO TIEMPOS

f. 15 v.

*La obra siguiente se llama [Auto] de los cua-
tro tiempos. Fue representada al muy noble
y próspero rey don Manuel en la capilla de
San Miguel del palacio de Alcaçova, en la ciudad de Lisboa, por mandado de la sobredicha
señora, su hermana, en los maitines de Navidad.*

*Entra el SERAFÍN y dice al arcángel y a
dos ángeles que le acompañan a éste:*

SERAFÍN.

f. 16 a.

Nuevo gozo, nueva gloria
criada en el seno eterno
es llegada.
Gran mudança, gran vitoria
por nuestro Dios sempiterno   5
nos es dada.

---

1 y sigs. «El serafín emplea... el recurso retórico más frecuente
en los himnos de Navidad: la 'communicatio idiomatum'. Dreves-Blu-
me, *Ein Jahrtausend lateinischer Hymnendichtung*, Leipzig, 1909, II,
página 8, la describen así: 'En consecuencia de la unión de ambas natu-
ralezas sin mezclarse, podemos y debemos predicar de Dios propiedades
humanas, y del hombre divinas, cayendo en aparentes contradicciones.'
Un ejemplo clásico es el 'Nascitur puer senex' del himno *Vix tantum
caeli capiunt;* o, en el himno de Hildevert de Lavardin *Alpha et o magne
deus,* los versos 'Factor factus creatura, | sempiternus, temporalis, | mo-
riturus immortalis, | verus homo, verus deus'... Fácil sería hallar pasa-
jes paralelos en la *Vita Christi* y en Lucas Fernández.» (E. Asensio,
RFE, XXXIII (1949), 366.

La clara luz anciana
mudada, hecha moderna
en nuevo trage,
10 y la bondad soberana
se alegra en la edad tierna
sin ultrage.
Nuestro gozo se acrecienta,
nuestra gloria va pujando
15 'n este día
y la infernal serpienta
ya privando va del mando
que tenía.
Los secretos a braçadas,
20 muy más que puedo deziros
revelados,
las pazes son acabadas
y los antiguos sospiros
son cessados.
25 Ya el mundo tenebroso
relumbra por las alturas
do salió
porque el obrador poderoso
exalçó las criaturas
30 que crio.
La clara obra infinita,
infinitamente obrada
y obradora,
quiso su bondad bendita
35 que fuesse manifestada
'n esta hora.
El infinito amador,
infinitamente amando
cosa amada
40 de infinito valor,

f. 16 b.

---

11 *se alegra*. Nótese que en el siglo XVI era bastante frecuente la
falta de concordancia entre el número del sujeto y el del verbo. Cf. v. 338.
Véase Keniston, 36, 4 y sigs.

19 *a braçadas*. En 1562, *abraçados*. Adopto la corrección propuesta
por E. Asensio, ob. cit., pág. 367.

supo dónde, quiso quándo
ser mostrada;
y el amor mediante,
por do el amador y amado
son liados,   45
es plantado en un infante
con el padre en un estado
concordados.
    Pues ¡vámosle a ver nacido!
Veremos cómo está puesto   50
el infinito,
de humana carne vestido,
de huessos, niervos compuesto
tamañito.
Veremos cómo se muestra,   55
rezién nacido d'ahora
poco ha;
veremos la reina nuestra,
nuestra gran superiora,
quál está.   60
    Vamos ver pulcra y decora
cómo está, clara y lumbrosa,
descansada;
vamos ver Nuestra Señora,
la más bella y graciosa   65
desposada;
vamos ver la clara silla
eternalmente guardada
en alto grado;
vamos ver la sin manzilla,   70
vamos ver la preservada
de pecado.
    Emperatriz soberana,   f. 16 c.
de todo cuento del viso
angelical,   75

---

53 *niervos*, 'nervios'. La forma *niervo* puede ser lusismo con falsa
diptongación; pero nótese que se encuentra alguna vez en textos castellanos quinientistas. Véase Corominas, s. v. *nervio*.
62 *lumbrosa*, 'luminosa'.

reina del cielo a la llana,
señora del paraíso
terrenal,
la gran princesa sin falta
80   de este valle lacrimoso
donde mora,
la gran duquesa muy alta
de la paz y del reposo
desde ahora.

85   Vamos ver con qué donzellas,
con qué galas, con qué arreos
la hallamos,
la madre de las estrellas,
cumbre de nuestros desseos
90   que esperamos.
Lleguemos darle loores;
vamos servir su alteza
esclarecida,
que no terná servidores
95   según siempre amó pobreza
en esta vida.

Llegando los cuatro al pesebre, a saber: el
SERAFÍN, *los ángeles y el arcángel, adoran al*
Señor cantando el villancico siguiente:

A ti dino de adorar,
a ti, nuestro Dios, loamos;
a ti, Señor, confessamos
100   *sanctus, sanctus* sin cessar.
Immenso padre eternal,
omnis terra honra a ti,

---

97 y sigs. Adaptación libre, en forma de villancico, de uno de los más famosos himnos de la iglesia medieval, el *Te Deum laudamus.* He aquí los versos parafraseados: «Te Deum laudamus, te Dominum confitemur. | Te aeternum Patrem omnis terra veneratur. | Tibi omnes angeli, tibi caeli et universae potestates, | Tibi cherubim et seraphim incessabili voce proclamant: | Sanctus, sanctus, sanctus Dominus Deus Sabaoth!»

tibi omnes angeli
y el coro celestial.
Pues que es dino de adorar,   105
querubines te cantamos,
arcángeles te bradamos   f. 16 d.
sanctus, sanctus sin cesar.

*Y después de la adoración de los serafines
vienen los cuatro tiempos, y primero viene un
pastor que representa el* INVIERNO. *Viene cantando:*

INVIERNO.   Mal haya quien los embuelve,
los mis amores.   110
¡Mal haya quien los embuelve!
(Habla.)
¡Ora, pues eya raviar!
¡Grama de val de sogar
que ño hay pedernal
ni parejo de callentar!   115
Vienta más rezio que un fuele
de parte del regañón;
enfríame el coraçón,
que ño ama como suele.
(Canta.)
¡Mal haya quien los embuelve!   120
(Habla.)
¡La lluvia, cómo desgrana!
Doy a ravia el mal tempero;
aquesto no llieva apero
para que llegue a mañana.

---

105   *es,* 'eres'. Lusismo (port. *és*).

113   *grama de val de sogar.* Doña Carolina Michaëlis, pág. 462, sugiere
que puede ser alusión al Val de Sogo, topónimo de la provincia de León.
La explicación, sin embargo, no parece muy probable.

115   *callentar,* 'calentar'. No es sayaguesismo, aunque lo parezca;
véase Gillet, III, 470, nota 242.

116   *fuele,* 'fuelle'. Cf. port. *fole*.

123   *apero.* Según Teyssier, pág. 39, la frase significa «il n'y a pas
moyen que cela dure jusqu'à demain». Me pregunto, sin embargo, si

125   ¡Mal grado haya la nieve!
        que mis amores, triste yo,
        quando yo más firme estó
        no los hallo como suele.
                (Canta.)
                ¡Mal haya quien los embuelve!
                (Habla.)
130   Las uñas trayo perdidas,
        los pies llenos de frieras;
        mil ravias de mil maneras
        trayo en el cuerpo metidas.
        Tengo el hielo en los huessos;
135   muérenseme los corderos.
                (Canta.)
        Los mis amores primeros
        en Sevilla quedan presos,
        los mis amores.
        ¡Mal haya quien los embuelve!
                [*Habla.*]
f. 17 a.; 140   ¡Oh, qué friasca nebrina!
        Granizo, lluvia, ventisco,
        todo me pierdo a barrisco;
        el cierço me desatina
        mis ovejas y carneros:
145   de niebla no sé qué es de ellos.
                (Canta.)
        En Sevilla quedan presos
        per cordón de mis cabellos
        los mis amores.
        ¡Mal haya quien los embuelve!
                [*Habla.*]
150   Todo de frío perece,
        las aves todas se fueron:
        las más de ellas se sumieron,
        que nenguna no parece,

---

no es más probable que el sujeto del verbo *llegue* sea el Invierno: «si
esto sigue así, no podré vivir hasta mañana».
    127   *estó,* 'estoy'. Véase *Visitación,* nota 22.
    140   *nebrina,* 'neblina'.

ni cigüeñas, ni milanos,
ni patoxas, xirgueritos,   155
tórtolas y paxaritos,
y mis amores tamaños.
    (*Canta.*)
En Sevilla quedan ambos
los mis amores.
¡Mal haya quien los embuelve!   160
    [*Habla.*]
    ¡Hi de puta! ¡Qué tempero
para andar enamorado,
repicado y requebrado,
con la hija del herrero!
Los borregos de mis amos,   165
la burra, hato y cabaña,
con la tempestad tamaña
no sé adó los dexamos.
    (*Canta.*)
En Sevilla quedan ambos,
sobre ellos armavan bandos.   170
Los mis amores,
¡mal haya quien los embuelve!
    [*Habla.*]
    Quiérome echar a dormir,
ver si puedo callentar.
¡Ora, pues, eya raviar,   175
que no tengo de morir!
Por mal trajo que me dés,
no m'ha de matar desmayo.
¡Oh, quién m'hora ca mi sayo
para cobrirme estos pies!   f. 17 b.; 18

    Sale el VERANO, *cantando.*

---

179 *quién m'hora ca mi sayo.* Según Margit Frenk Alatorre, *NFRH,*
XI (1957), 387, «es una frase desiderativa, violentamente elíptica, con
un sentido indudable: ¡Quién me diera ahora acá mi sayo...!»
    Antes del v. 181. *el verano,* 'la primavera'. El discurso del Verano es
una adaptación bastante libre de un capítulo de la famosa enciclopedia

Verano.   En la huerta nasce la rosa.
               Quiérome ir allá
               por mirar al ru[i]señor
               cómo cantava.

                    [*Habla.*]

185   ¡Afuera, afuera, ñubrados,
               nebrinas y ventisqueros!
               Reverdeen los uteros,
               los valles, sierras y prados.
               ¡Rebentado sea el frío
190   y su ñatío!

---

de Bartholomaeus Anglicus, que Vicente conocía en la versión española
de fray Vicente de Burgos, *El libro de proprietatibus rerum* (Tolosa de
Francia, 1494). Doy aquí algunas muestras del cap. 5 del libro IX:
«Verano es segund algunos dizen el principio del año & comiença quan-
do el sol es en el signo del carnero | & comiença de subir a setentrión | ...
El verano dura fasta que el sol es en el signo de geminos. Es a saber
tanto como el sol pasa tres signos. De los quales cada uno ha su mes.
...El primero es so el signo del carnero & comiença en los .xviii. días
de março | & dura fasta los .xvii. de abril. El segundo es so el signo de
toro que comiença a los .xvii. de abril | & dura fasta los .xviii. de
mayo. El tercero es so el signo de los geminos | & comiença de los .xviii.
de mayo fasta los .xvii. de junio... En el verano la sangre se comiença
de multiplicar al cuerpo & los umores que en el yvierno estavan encogi-
dos por la frialdad se comiençan de estender & mover por la calor del
tiempo del verano... El tiempo del verano abre la tierra, que es cerrada
en yvierno por la frialdad | & haze salir las yervas que son ascondidas |
& renueva la tierra de flores & de yervas | & mueve las aves a cantar & a
volar, & alegra todo el mundo | & por esto es llamado verano por la
verdura | o por la vigor. Ca entonce todas yervas & plantas toman
fuerça & vigor de verdear. Este tiempo es bueno a labrar las tierras.
E es tiempo de alegría & de amores: en él se alegran todas cosas | en él
la tierra verdesce & los árboles portan sus hojas & los prados sus flores;
el cielo reluze | & la mar es serena | las aves cantan & hazen sus nidos,
& todas las cosas que eran quasi muertas reviven.»

184   *cantava.* Se acentuaba probablemente *cantabá,* como en muchas
poesías castellanas de tipo tradicional. Véase Gil Vicente, *Poesías,* edición D. Alonso, pág. 71.

186   *ventisqueros.* En 1562, *nentisqueros.*

187   *uteros,* 'oteros'.

Salgan los nuevos vapores,
píntese el campo de flores
hasta que venga el estío.

[*Canta.*]

Por las riberas del río
limones coge la virgo: 195
quiérome ir allá
por mirar al ruiseñor
cómo cantava.

[*Habla.*]

Suso, suso, los garçones,
anden todos repicados,   200
namorados, requebrados,
renovar los coraçones.
Agora reina Cupido
desque vido
la nueva sangre venida;   205
ahora da nueva vida
al namorado perdido.

[*Canta.*]

Limones cogía la virgo
para dar al su amigo:
quiérome ir allá   210
para ver al ruiseñor
cómo cantava.

[*Habla.*]

¡Cómo me estiendo a plazer!
¡oh, hi de puta zagal!
¡Qué tiempo tan natural   215
para no adolescer!
Quántas más vezes me miro
y me remiro,
véome tan quillotrado,   f. 17 c.
tan lluzio y bien assombrado   220
que nunca lazer me tiro.

---

195 *virgo,* 'doncella'. Arcaísmo, frecuente en la lírica gallegoportu-
guesa medieval.
221 *lazer,* 'ocio'. Cf. port. *lazer.*

[*Canta.*]
Para dar al su amigo
en un sombrero de sirgo:
quiérome ir allá
225   para ver al ruiseñor
cómo cantava.

[*Habla.*]
Las abejas colmeneras
ya me zuñen los oídos,
paciendo por los floridos
230   las flores más plazenteras.
Quán granado viene el trigo,
nuestro amigo,
que, pese a todos los vientos,
los pueblos trae contentos.
235   Todos están bien conmigo.

El sol que estava somido,
partido de este horizón,
se sube a septentrión
en este tiempo garrido.
240   Por esso vengo florido,
engrandecido,
dando mal grado a enero;
Géminis, Toro y el Carnero
me traen loco perdido.

245   Hago claras las riberas,
el frío echo en las fuentes,
el tomillo por los montes
huele de dos mil maneras.

---

227 En 1562, *ovejas,* evidente errata.
246 Cf. Bartholomaeus Anglicus, IX, cap. 8: «[en e yvierno] los
cuerpos son muy fríos por de fuera mas son calientes por de dentro,
como parece por exemplo en las aguas de los poços & fuentes, que son
mas calientes en el yvierno que en el estío. Ca el calor natural del agua
fuye la frialdad del ayre, & se cierra dentro de las venas de la tierra,
& por este recogimiento es más caliente el agua de los poços & fuentes
en este tiempo que la de los ríos».
Antes del v. 254 Cf. Bartholomaeus Anglicus, IX, cap. 6: «El estío es caliente & seco & es generación de cólera: porque en este tiem-

La luna, ¡quán clara sale!
Si me vale, 250
tengo tres meses floridos
y después de estos complidos
es por fuerça que me calle.

Entra el Estío, *figura muy larga, muy en-*
ferma, y muy magra. Lleva una capa de paja
y dice:

Estío.   Terrible febre ifimera,   f. 17 d.
              ética y fiebre podrida   255
              me traen seca la vida,
              acosándome que muera.
              Dolor de mala manera
              trayo en las narizes mías;
              no duermo noches ni días,   260
              ardo de dentro y de fuera.
              La boca tengo amargosa,
              los ojos trayo amarillos,
              flacos, secos los carrillos,
              y no puedo comer cosa.   265

---

po el sol sube quanto puede sobre nosotros | & es totalmente opósito
a nuestras cabeças. Assí que él emprime entonce en nuestros cuerpos
grande calor | ca también haze en los otros cuerpos... Este tiempo
haze los días luengos & las noches breves | & madura los frutos... E este
tiempo seca las riveras o ríos & de úmidas & aguosas las haze todas
duras & secas como tierra... Este tiempo por su sequedad & calor
mueve la cólera & la fleuma | do viene la fiebre continua & otras
enfermedades.»

254 y sigs. Cf. Bartholomaeus Anglicus, VII, cap. 22: «Las fiebres
son divisas de tres maneras segund que el cuerpo humano es compuesto
de tres cosas: es a saber de espíritus | de humores | & de miembros for-
mados. La primera specie es quando los espíritus son destemplados en
calor y es llamada effímera. La segunda es en los humores y es llamada
fiebre podrida. La tercera es en los miembros firmes y es llamada fiebre
éthica.»

265 *cosa*, 'nada'. Es poco frecuente esta acepción en el siglo xvi;
véase Keniston, 40, 65.

La sed es cosa espantosa,
la lengua blanca, sedienta,
la cabeça m'atromienta
con callentura raviosa.

270   Mi calma perseverada,
mis días duran mil años:
los calores son tamaños
que es cosa descompassada.

275   Ell agua toda ensecada,
polvorosos los caminos,
los melones y pepinos
hazen dolencia dobrada.

Cáncer, Virgo y el León,
los resistros de mis días,
280   saben las cóleras mías
y las flemas quántas son.

También saben la razón
d'aquesta mi callentura,
y porque quiere Ventura
285   que tenga siempre cessón.

VERANO.   ¡Oh, hi de puta, qué asseo!
¿A qué veniste, mortaja?
Siempre vienes hazer paja
todo quanto yo verdeo.

290   ¡Cómo vienes luengo y feo
y chamuscado el carrillo,
seco, flaco y amarillo,
f. 18 a.   vestido de mal asseo!

Oh, mal logrado d'estío,
295   ¿a qué vienes? vete, vete,
no estío, mas hastío.

ESTÍO.   Calla, calla, verdolete,
que bueno es el tiempo mío,
porque assesa tus locuras,

---

268   *m'atromienta*, 'me atormenta'.
279   *resistros*, 'registros'. En el siglo XVI existían las formas *quise*
y *quige*, *resistir* y *registir*, etc.; véase Menéndez Pidal, 72, 2.
299   *assesa*, 'hace más cuerdo [a alguien]'. Véase Gillet, III, 666,
nota 131.

300

tus vanas flores y rosas,
y otras cosas coriosas
que en ti no son seguras.

VERANO.   Este que viene, ¿quién es?
INVIERNO. El otoño, por mi vida.

[*Sale el* OTOÑO.]

OTOÑO.   ¡Ora, norabuena estéis!   305
VERANO.   ¡Buena sea tu venida!
OTOÑO.   Todos juntos, ¿qué hazéis?
VERANO.   Yo bien tengo trabajado,
          y este cara d'ahorcado
          me secó quanto aquí veis.   310
OTOÑO.   Ya todo está madurado:
          yo vengo coger el fructo.
VERANO.   Pues, si tú no hallas mucho,
          este estío lo ha estragado.
OTOÑO.   Muy bien está, Dios loado.   315
INVIERNO. Abellotas no nacieron.
VERANO.   Muchas fructas se comieron
          en estotro mes passado.
OTOÑO.   No quedó fructa ni nada,
          ni hojas no las verás: 320
          tú, verano, de hoy a más,
          acógete a tu mesnada.
          Tú, estío, a tu posada,
          cura bien tu callentura;
          que se viene la friura,   325
          ternás quartana doblada.

---

301 *coriosas*, 'curiosas'. Véase *Auto pastoril*, nota 202.
304 *otono*, 'otoño'. Cf. port. *outono*.
312 *fructo*. Se pronunciaba sin duda *fruto;* nótese que la rima es
buena en portugués *(fruito: muito).*
325 *se viene,* 'si viene'. Véase *Reyes magos*, nota 129.
Antes del v. 327 Cf. Bartholomaeus Anglicus, VIII, cap. 24: «segund
el error de los gentiles & segund las fablas de los poetas es el soberano
padre de los dioses».

Entra JÚPITER *y dice:*

JÚPITER.　　　Oh, tú, gigantea diesa,
　　　　　　　delante la ligereza
　　　　　　　de Boreas
330　　　　　　toda la tierra atraviessa;
f. 18 b.　　　da combate a la tristeza
　　　　　　　do la veas.
　　　　　　　Di al resto de Eneas,
　　　　　　　prosperada Romulana,
335　　　　　　gran señora,
　　　　　　　que haga fiesta las peleas
　　　　　　　pues que Latonio y Diana
　　　　　　　hoy adora.
　　　　　　　　　Aclara, Febo lumbroso,
340　　　　　　los passos peligrinantes

---

327 *gigantea diesa,* 'la Fama'. Cf. la *Coronación* de Juan de Mena,
glosa a la copla 48: «En esta presente copla... se faze una exclamación
a la deesa de la fama: & díxole gigantea porque fue, según los poetas
escrivieron, del linaje de los gigantes, de la qual escrive Vergilio en el
su quarto libro Eneydos, & dize que esta deesa de la fama fue fija de la
tierra y del inaje de los gigantes..., y que tenía alas libianas para
bolar... Y realmente, hablando esta deesa, no es sino la fama que corre
del bien o del mal. E dízenle ser hija de la tierra: porque sobre las terrenales cosas se levanta.» La forma vicentina *diesa* es ultracorrección
basada en *deesa* (o *deessa*), frecuente en castellano y portugués antiguos
y empleada en este fragmento de Juan de Mena. Véase *Don Duardos*, edición D. Alonso, nota 133.

334 *prosperada Romulana,* la ciudad de Roma, fundada, según la
leyenda, por Rómulo.

337 *Latonio y Diana,* 'el sol y la luna'. Véase Mena, glosa a la copla 1:
«Diana se puso aquí, aunque improprio, por aquella planeta que se
llama Luna... Assímismo fingen los poetas Diana aver sido deesa de la
castidad y de la caça, e que aquella deesa fue convertida en aquella
planeta que llamamos Luna. ['Aquel hijo de Latona'] es el sol, y enten-
démoslo por el fijo de Latona según las poéticas ficiones que dixeron
que Febo fue hijo de Latona... E porque fue gran filósofo & muy res-
plandeciente en sciencia fingen los poetas ser convertido en aquella
planeta que llamamos sol, & los gentiles assí como a dios del sol lo sa-
crificavan.»

que camino,
porque el tiempo mentiroso
de los dioses triunfantes
pierde el tino.
No se usará ya más   345
venerar tiemplo a Diana,
ni a Juno,
ni se verá ni verás
estar Febrúa ufana
'n el trebuno.   350
    Ni Apolo se verá,
ni los Bacos adorados
de romanos,
ni el Himeneo será
padre de los casados   355
persianos,
ni las ninfas agoreras
traerán aguas por fuegos
de las gentes,
ni las hadas hechizeras   360
mostrarán fengidos fuegos
de serpientes.
    Eneyades y Dianas,
las Dríades caçadoras,
y Neptuno,   365
y las tres diesas troyanas
dexarán de ser señoras
de consuno,

---

354 Cf. Mena, glosa a la copla 16: «Por entonces avía un dios que se llamava Ymineo acerca de los gentiles; y éste era dios de los casamientos.»

357 *las ninfas agoreras.* Cf. Mena, glosa a la copla 16: «Otrosí las donzellas Belides, hijas del rey Danao de Argos, cessaron de echar agua con los cántaros en la tina sin fondón [cuando cantó Orfeo en el infierno].» Téngase en cuenta que, según la tradición, el descenso de Orfeo al infierno simbolizaba el de Cristo.

364 *Dríades.* En 1562, *Priades.* Véase Mena, glosa a la copla 6: «El qual Narciso fue amado de muchas dueñas y deesas, assí dríades como enayades, y a todas desechava.»

y la Ramusa donzella,
370 decida de su castillo
f. 18 c. con ultrage,
y todas éstas con ellas
darán al niño chequillo
el menage.
375 La nueva Ifante Safós
sobió al monte Parnaso
con aliño
de traer en tierra Dios,
de los alpes en lo raso,
380 hecho niño.

---

369 *la Ramusa donzella*, 'la ventura'. Cf. Mena, glosa a la copla 50:
«Ramusia está aquí por la ventura, & dízese Ramusia de un castillo
llamado Ramusio donde la ventura en tiempo de los gentiles tenía el
mayor templo.»

370 *decida*, 'baje'.

374 *menage*, 'homenaje'.

375 *la nueva Ifante Safós*, 'la Virgen'. Cf. Mena, glosa a la copla 3:
«En Grecia en la cibdad Micelina fue esta infanta llamada Saphos Les-
bia, el linaje de la qual la gran antigüedad ha destruydo por tinieblas
de olvidança. [Dicen los poetas] que se dio a saber muchas artes y entender en todas sciencias: en lo qual se presume ella ser de alta estirpe
siquier de limpia generosía. Ésta tanto resplandecía de sciencia que
meresció subir & subió al monte Parnaso: & vido & supo todas filosófi-
cas sotilezas: & bañóse en aquella fuente castalia de Febo & meresció
ser acompañada de las nueve musas, que quiere dezir ser guarnescida
de las nueve sciencias. ...En esta segunda parte de la presente copla
se demuestra la excelencia de la sabiduría que se entiende por aquel
monte... Ca la sabiduría en las alturas mora; & aquesto assí se demuestra que toda la buena sciencia de Dios proviene: y él es verdadera sabiduría: el qual mora en las alturas.»

379 *los alpes*, 'las montañas'. Cf. Mena, glosa a la copla 29: «Alpes
dize aquí por altos montes aunque propiamente alpes montes de Gallia
son. ...E por esso dixe aquí alpes: según lo testifica Isidoro en el décimo
de las *Ethimologías*, título nono, *de montibus:* la qual altura es compara-
da a la sabiduría. A la qual prudencia & sabiduría, quando los hombres
a ella vienen estonces recrean & descansan, porque por ella saben conocer la perfeción de la perdurable vida y el engaño de aquesta.»

La qual Ifante gloriosa
en la Castalia fuente
se bañó,
porque, siendo generosa,
humildosa por el monte   385
se sobió.

La muy escura visión
de la cavierna Saturna,
con las vidas
de las hijas de Monjergón   390
y de la diesa noturna,
son sumidas.

Los veninos ponçoñosos
que de Medusa salieron
goteando,   395
sus auctos tanto dañosos,
quando tal misterio vieron,
van cessando.

La Echene venenosa
y aquella Estés, laguna   400
infernenta,
desd' ahora temerosa,
está su boca importuna
de contenta.

Creo que vio los bramidos   405
de los brejos ancianos
d' alegría,

---

390 *las hijas de Monjergón.* Cf. Mena, glosa a la copla 10: «Estas tres fijas fingieron los poetas ser fijas de Moygergón & de la deesa de la noche: y fueron deesas graves & malas de amansar: & fueron assí dichas fijas de Moygergón, que quiere dezir traymiento de mal... Otrosí estas fijas fueron Euménides llamadas.» Sobre el origen del nombre Moygergón, véase Carolina Michaëlis, págs. 335-345.

399 *la Echene venenosa.* Cf. Mena, glosa a la copla 9: «Echine era una serpiente que fingían los poetas criarse en una laguna de los infiernos llamada Stix, diziendo que avía muy gran cuerpo & cubierto de escamosas conchas & amarillas; la lengua dezían que vibrava siquier esgrimía tan a menudo que do tenía una lengua parecía que tenía tres.»

406 *brejos.* Cf. port. *brejo,* 'pantano, marisma'.

porque hoy son abatidos
los infernales tiranos
410 'n este día.
f. 18 d.   Todos van hoy adorar
al criador poderoso
que es nacido:
las aves con su cantar
415 y el ganado selvinoso
con bramido;
los salvaginos bestiales
con olicorne pandero
dan loores;
420 y los brutos animales
adoran aquel cordero,
y los pastores.
          Pues ¿qué hazéis, tiempos hermanos,
descuidados del amor
425 del que nació?
Llevantad todos las manos:
vamos ver aquel Señor
que nos crio.
INVIERNO. No dezís se puedo yo:
430 ¿no veis que estoy regañado
del tempero?
VERANO.   Quant' es yo, sudando estó.
ESTÍO.   Fiebres me tienen cansado
pero no os diré de no,
435 que verlo quiero.
INVIERNO. Oh, Júpiter, si en tu ventura
topássemos allá huego, luego
holgaría.
JÚPITER. Él, criador y creatura,
440 es el mundo y es el huego,
y él lo embía.

---

437 *huego*, 'fuego'. Podría ser sayaguesismo, pero nótese que lo
emplea también Jupiter en el v. 440; es probable, pues, que Gil Vicente no se diera cuenta de su carácter dialectal. **Véase Teyssier,**
página 64.

Estío.	Aquesta dolencia mía le tengo de encomendar de coraçón.	
Verano.	Yo cantaré d' alegría.	445
Otoño.	Comecemos a cantar una canción.	

*Van cantando una cantiga francesa hasta
que lleguen al pesebre:*

	¡Ay de le noble villa de Pariz!	f. 19 a.
Júpiter.	Alto niño en excelencia,	
	yo vengo de las alturas	450
	a te adorar	
	y traerte obediencia	
	de todas las criaturas	
	sin faltar.	
	De toda la redondeza,	455
	sin faltar, digo, nenguna,	
	se ayuntaran	
	y adorar tu grandeza,	
	tu divinidad sola una,	
	me embiaran.	460
	Diana y Febo lumbroso,	
	Mars, Mercurio, Venus, Juno,	
	donde moran,	
	y Saturno venenoso,	
	todos juntos de consuno	465
	te adoran.	
	Castos y Polas juñidas	

---

448 *¡Ay de le noble villa de Pariz!* Canción conservada en el *Cancionero musical*, núm. 429.

458 *adorar*. Quizá haya una *a* embebida en esta palabra, pero la omisión de la preposición con verbos de movimiento más infinitivo es frecuente en el castellano vicentino. Véase *Auto pastoril*, nota 285.

467 *Castos y Polas*. Cf. Mena, glosa a la copla 1: «Propiamente polo son dos estrellas que están en la cabeça del exe del zodíaco: las quales fingieron los poetas ser Castor & Polus, hijos de la reyna Leda, e que los dioses los convirtieron en aquellas dos estrellas.» Véase *Don Duardos*, ed. D. Alonso, nota 1857-1858.

y todo el círculo galaxo
y cristalino
170 y las Plíades lozidas
te adoran en este baxo
de contino.

  Planetas, fixas estrellas,
y la estrella Orión
475 y la canina,
la mayor y menor de ellas
con inmensa devoción
se te inclina.

  Y el tu cielo etereo,
480 círculos y zodiaco
y Arturo sino
reconocen tu asseo,
no según el cuerpo flaco,
mas devino.

485 El monte de Hiporborea,
f. 19 b. y montañas de Cramelo
y Gelboé

---

468 *el círculo galaxo.* Cf. Bartholomaeus Anglicus, VIII, cap. 8:
«Galaxo es el más hermoso & más blanco círculo que sea en el cielo...
Este círculo es llamado el círculo de leche por la blancura de su nobleza
& por su claridad, que es mayor que de los otros círculos del cielo.»

478 *se.* En 1562, *si*, sin duda errata.

479 *tu cielo etéreo.* Cf. Bartholomaeus Anglicus, VIII, cap. 5: «Este
cielo segund Ysidoro es la más alta parte del ayre, do es el esplendor
& la claridad del fuego perpetualmente sin jamás salir.»

485 *Hiporborea.* En 1562, *Ipolmoreo*, errata evidente. Cf. Bartholomaeus Anglicus, XIV, cap. 22: «Las montañas de Yporborea son assí
llamadas porque el viento de çierço que nos llamamos en latín Boreas
sale de entre ellas & viene por encima | segund dize ysidoro. Éstas son
en la tierra de Sichia, tierra muy rica en muchas partes suyas & no ha-
bitable en otros muchos lugares | segund dize el mesmo dotor | & el
oro & la plata & las otras muchas piedras preciosas no pueden ser rece-
bidas ni halladas de las gentes por causa de los grifos que las guardan.
En estas montañas son las buenas esm[er]aldas & los m[u]y fynos cris-
tales | & ende ay muy crueles bestias salvájes como leones, pardos,
trigos, & lobos cervales, & canes tan grandes que matan un toro & matan los leones.»

486 *Cramelo,* 'Carmelo',

y la montaña Erifea
alegres con mucho zelo
las hallé.   490
El monte de Selmerón
y montanas de Efraín
y de Gualad
y las selvas de Efirón
mandar adorar por mim   495
tu deidad.
  Y el noble río Gangés
con oro, piedras, metales
y arboledas,
alegre, claro y cortés   500
te ofrece con sus iguales
cosas ledas.
Éufrates, Tigre, Guijón
con cosas muy olorosas
se te ofrecen   505

488 *Erifea*. El nombre parece proceder de una falsa división de
las palabras 'los montes de rifea' que Gil Vicente habrá encontrado
en Bartholomaeus Anglicus. Cf. XIV, cap. 32: «Los montes de Riphea
son en la cabeça de Germania segund dize ysydoro | & son assí lla-
mados por los vientos & tempestades que ende continuo son sin cessar... Ende hay muchas aves & grand multitud de bestias salvajes
y ende mayormente hay aves cuyas alas reluzen de noche segund dize
Ysydoro.»

491 *Selmerón*. Es sin duda errata por *Semerón*, probablemente vicentina y provocada por la presencia de *Selmón* en la otra columna de la
misma página de Bartholomaeus Anglicus, XIV, cap. 41.

494 *Efirón*. En 1562, *de Frion*. Otro nombre que parece proceder de
una mala lectura de Bartholomaeus Anglicus, XIV, cap. 20, «De la
montaña de Ephiron». Claro que puede ser error del impresor y no del
poeta; por eso me permito corregirlo aquí.

495 *mim*, 'mí'. En 1562, *mĩ*. Puede ser error de imprenta; pero es
igualmente posible que sea lusismo voluntario, empleado por la rima
con *Efraín* (v. 492).

497 y sigs. Los ríos que se nombran en esta estrofa son los que según
la tradición salían del paraíso. En Génesis, 2, 11, el primero se llama
Phison; para la identificación tradicional con el Gangés, véase Bartholomaeus Anglicus, XIII, cap. 4. *Guijón* es el Nilo. Cf. XIII, cap. 5.

sin nenguna división:
en fin, que todas las cosas
te obedecen.

INVIERNO.   Señor, yo triste nací
510   y sin ventura nenguna:
pues me criaste en fortuna
qual me soy yo, veisme aquí,
con vientos muy fortunosos
y raviosos,
515   tempestades y tormientas
y con otras más afrentas
y tiempos muy peligrosos.

Con la noche me cobriste
y del día me quitaste;
520   en tenieblas me formaste:
esto es lo que me diste.
Con todo esto que lloro
te adoro
con mi mísero temblar,
.19 c.;525   y creo que has de juzgar
este mundo do me moro.

VERANO.   Yo, verano, tu vassallo,
pues me das mejor estrena,
quiérote dar cuenta buena
530   de las cosas que en mí hallo
y tu bondad las ordena:
hállome fresco y callente,
los humores mucho sanos,
de aves, yervas, gusanos
535   de esta manera siguiente:
Muchas grullas y cigüeñas,
golondrinas y abuvillas,
palomas y tortolillas,
picapuercos y garceñas,

---

511 *fortuna*, 'desgracia'; véase Gillet, III, 192, nota 552. *Fortunosos*,
en el v. 513, significa probablemente 'tempestuosos'; véase Gillet, III,
94, nota 40.
530   *en mí*. En 1562, *mĭ*, lusismo, quizá de imprenta.

zorzales y avedueñas, 540
codornizes y gridañas,
milanos y tantarañas,
muchos gayos y pardeñas.

Y también los gusanitos,
hormigas ruvias y prietas, 545
mariposas y veletas,
centopeas y buerzitos,
caracoles y garlitos,
moscas, ratos y ratones,
muchas pulgas a montones, 550
y piojos infinitos.

Agriones y rabaças,
apiopoleo, pampillo,
malmequieres amarillo,
almirones y magarças, 555
florecitas por las çarças,
madresilva y rosillas,
jasmines y maravillas,
rábanos, coles y alfaças,

Puerros, ajos y cebollas, 560
mastuerço, havas, hervejas,
gravaniças, granos, lentejas,
verdolagas y vampollas, f. 19 d.
mil yervas, fructas y follas,
untesgina y catassol, 565
y ansí, hombre de prol,
te doy gracias y grollas.

ESTÍO.   Señor, yo con mi dolencia,
mis fiebles y mi flaqueza,
me humillo a tu alteza 570
y adoro tu clemencia;

---

558 *jasmines*. En 1562, *zasmines*, tal vez errata.
564 *follas*, 'hojas'. Lusismo (port. *folhas*).
566 *de prol*, 'de pro'. Lusismo.
567 *grollas*, 'glorias'. Forma sayaguesa, empleada por Encina y
Lucas Fernández. Véase Teyssier, págs. 50-51.

de la triste vida mía
dolentía,
pues que te place con ella,
575   quiero callar mi querella,
sufriendo de día en día.

Entra DAVID *en figura de pastor y dice:*

DAVID.   Pues los ángeles sagrados
y los tiempos y elementos
tañen hoy caramillos,
580   dexen todos los ganados:
los pastores muy contentos
silbemos, demos gritillos.
Y tambien quiero tocar
y cantar
585   con mi saltero alegrías
en tono de profecías
mientras me vaga lugar
y luego os adorar.
        Levavi oculos meos
590   en los montes onde espero
aquella ayuda que quiero
con ahincados desseos,
y la ayuda que demando
repastando
595   en soma d'aquesta sierra
qui fecit celum et terra
de cuyo ganado ando
careando.
        Ecce non dormitabit
600   ni jamás el ojo pega

---

579 *tañen.* En 1562, 'también', errata evidente.
588 *adorar.* En 1562, *adorare*, errata.
589-598 Paráfrasis del Salmo 120, 1-2: «Levavi oculos meos in montes, unde veniet auxilium mihi. Auxilium meum a Domino, qui fecit caelum et terram.»
599-608 Del mismo Salmo, 4-6: «Ecce non dormitabit neque dormiet qui custodit Israel. Dominus custodit te, Dominus protectio tua super manum dexteram tuam. Per diem sol non uret te, neque luna per noctem.»

aquel que guarda y navega
Israel qui visitavit.
Dominus custodit te,
a la hé,
no temas cosa nenguna: 605
de noche, que haga luna,
ni de día el sol que dé
non huret te.
   Domine benedexisti
terram tuam y el ganado   610
y a Jacob descarriado
captivitatem advertisti
al pueblo lleno de males
desiguales
remisisti iniquitatem   615
que te adoren y te acaten
los consejos y xarales
y animales.
   Nuestra roña amara, triste,
de los pueblos apartaste;   620
iram tuam mitigasti
et furorem advertisti.
Per ventura te pergunto,
si barrunto
¿in eternum hirasceris?   625
No creo, según quien eres,
que hagas al pueblo junto
ser defuncto.
   Bendezid toda-las o[b]ras   f. 20 b.
del Señor al Señor Dios.   630
Bendezid, ángeles, vos;
bendezid, cielos, mil sobras.

609-625 Del Salmo 84, 1-4, 6: «Benedixisti, Domine, terram tuam; avertisti captivitatem Iacob. Remisisti iniquitatem plebis tuae, operuisti omnia peccata eorum. Mitigasti omnem iram tuam, avertisti ab ira indignationis tuae... Numquid in aeternum irasceris nobis?»
629-638 Paráfrasis de algunos versículos del canto de los tres mancebos en el Libro de Daniel, 3, 57-62: «Benedicite, omnia opera Domini, Domino... Benedicite, angeli Domini, Domino... Benedicite, caeli,

> *Benedicite aque omnes*
> *et dracones,*
635 > *benedicite* sol y luna
> tempestades y fortuna.
> Bendezid a Dios, barones,
> con canciones.

> *(Adora el pesebre.)*

> No te trayo otro presente;
640 > *quoniam si voluisses*
> *sacrificium* darlo hía
> pero no eres plaziente
> por ofertas que aquí viesses
> ni te causan alegría:
645 > *sacrificium Deo* es
> el spiritu atribulado
> y el coraçón contrito,
> el qual pido que me des,
> andando con mi ganado
650 > por el tu poder bendito.

> *Y todos así juntamente con* Te Deum lau-
> damus *se despedirán y darán fin a esta repre-*
> *sentación.*

> Laus Deo.

Domino... Benedicite, aquae omnes quae super caelos sunt, Domino...
Benedicite, sol et luna, Domino.» La fuente inmediata, sin embargo, es
probablemente un libro de horas en latín o en romance; véase Eugenio
Asensio, *RFE*, XXXIII (1949), 354-356. *Toda-las*, en el v. 629, es lusismo; véase E. B. Williams, *From Latin to Portuguese* (Filadelfia, 1938),
párrafo 137, 3.

640 Paráfrasis del Salmo 50, 18-19: «Quoniam si voluisses sacrificium, dedissem utique; holocaustis non delectaberis. Sacrificium Deo
spiritus contribulatus; cor contritum et humiliatum, Deus, non despi-
cies.» De este salmo hizo Gil Vicente una versión portuguesa incluida
entre las «obras menudas» en la *Copilaçam* de 1562.

642 *eres*. En 1562, *hieres*.

AUTO DE LA BARCA DE LA GLORIA

*Sigue la tercera escena que trata de la
Gloria. Figuran en ella altas dignidades, a
saber: un* PAPA, *un* CARDENAL, *un* ARZO-
BISPO, *un* OBISPO, *un* EMPERADOR, *un* REY,
un DUQUE *y un* CONDE. *Primero entran
cuatro* ÁNGELES *cantando; traen cinco remos
con las cinco llagas, y entran en su batel.
Viene el arráez del Infierno y habla a su
compañero. Fue representada ante el muy
noble rey don Manuel, el primero de este
nombre, en Almeirim, en 1519.*

DIABLO.	Patudo, ve muy saltando.
	Llámame la muerte acá;
	dile que ando navegando
	y que la estoy esperando,
	que luego se buelverá. 5

Viene la MUERTE.

MUERTE.	¿Qué me quieres?
DIABLO.	Que me digas por qué eres
	tanto de los pobrezicos,
	baxos hombres y mugeres:
	de estos matas quantos quieres,
	y tardan grandes y ricos. 10

En el viage primero
me embiaste oficiales.
No fue más de un cavallero
15   y lo ál pueblo grossero;
dexaste los principales.
Y vilanage
en el segundo viage,
siendo mi barco ensecado.
20   ¡Ah, pesar de mi linage!
Los grandes de alto estado,
¡cómo tardan en mi passage!

MUERTE.   Tienen más guaridas éssos
que lagartos d'arenal.
25 DIABLO.   De carne son y de huessos:
vengan, vengan, que son nuessos,
nuestro derecho real.

MUERTE.   Ya lo hiziera;
f. 55 b.   su deuda paga me fuera.
30   Mas el tiempo le da Dios,
y prezes le dan espera.
Pero deuda es verdadera:
yo los porné ante vos.

---

12   El Diablo alude al *Auto da barca do Inferno.*

14   El hidalgo don Anrique de la *Barca do Inferno.*

17-19   Alusión al segundo *Auto das barcas,* que suele llamarse *Auto da barca do Purgatório,* aunque en realidad el purgatorio está en la playa de donde salen las barcas que van al infierno y a la gloria. La barca del Diablo estaba varada porque era Nochebuena y, por lo tanto, Dios no permitía que nadie fuese condenado al infierno.

26   *nuessos,* 'nuestros'. Quizá sea lusismo (port. *nosso*) con diptongo por ultracorrección; pero puede igualmente haber sido influido por la forma castellana *vuesso,* la cual, según Keniston, 19, 16, se empleaba en el siglo XVI únicamente en la expresión *vuessa merced.* Cf. Juan de Valdés, págs. 91-92.

29   *paga,* 'pagada'. Las formas acortadas del participio pasado de algunos verbos se emplean con frecuencia en portugués: *pago (pagar), ganho (ganhar), gasto (gastar).* Sin duda, Gil Vicente se sirve aquí de la forma apocopada por razones métricas; otras veces emplea la forma castellana normal *pagado.*

               Voyme allá de soticapa
        a mi estrada seguida.   35
        Verás cómo no me escapa
        desde el conde hasta el papa.
        Hazed prestes la partida.
DIABLO.   En buen hora.
COMPAÑERO. Pues, el conde que vendrá ahora,   40
        ¿irá echado, o de qué suerte?
ÁNGELES.   Oh, Virgen, Nuestra Señora,
        sed Vos su socorredora
        en la hora de la muerte.

        Viene la MUERTE *y trae al* CONDE, *y dice
        ella:*

MUERTE.   Señor conde prosperado,   45
        sobre todos más ufano,
        ya passastes por mi vado.
CONDE.   ¡Oh, muerte, quán trabajado
        salgo, triste, de tu mano!
MUERTE.   No fue nada;   50
        la peligrosa passada
        de esta muy honda ribera
        es más fuerte y trabajada,
        más terrible en gran manera.
        Ved, señor, si traéis friete   f. 55 c.; 55
        para aquel barco del cielo.
CONDE.   ¡Allí iría yo por grumete!
MUERTE.   Primero os sudará el topete.
CONDE.   Tú no das nunca consuelo.

---

38 *Hazed prestes la partida,* «preparad la partida». Lusismo (port. fazer prestes). *Prestes* aquí es adverbio, pero se emplea también como
adjetivo invariable con el sentido de 'listo, apercibido'. Cf. v. 436: «la
pena prestes le está».

47 *passastes,* 'pasasteis'. La forma sin -*i*- es la normal en la lengua
clásica.

55 *friete,* 'flete'. Lusismo (port. *frete*) con falsa diptongación.

58 *topete,* 'copete'. Lusismo.

60		¡Oh, muerte escura,
		pues me diste sepultura,
		no me des nuevas de mí!
		Ya hundiste la figura
		de mi carne sin ventura:
65		tirana, déxame aquí.
	MUERTE.	Hablad con esse barquero,
		que yo voy hazer mi oficio.
	DIABLO.	Señor conde y cavallero,
70		días ha que os espero
		y estoy a vuesso servicio
		todavía.
		Entre vuessa señoría,
		que bien larga está la prancha,
		y partamos con de día.
75		Cantaremos a profía
		«los hijos de dona Sancha».
	CONDE.	¿Ha mucho que eres barquero?
	DIABLO.	Dos mil años ha, y más,
		y no passo por dinero.
80		¡Entrad, señor passagero!
	CONDE.	¡Nunca tú me passarás!
	DIABLO.	Y pues, ¿quién?
		Mirad, señor, por itén:
		os tengo acá en mi rol
85		y havéis de passar allén.
		¿Veis aquellos fuegos bien?
		Allí se coge la frol.
		¿Veis aquel gran fumo expesso
		que sale d'aquellas peñas?

---

76   *los hijos de dona Sancha*. Verso del romance de los infantes de Lara, *A Calatrava la vieja* (Durán, *Romancero general*, núm. 665).

87   *frol*, 'flor'. Las dos formas existían en portugués antiguo, como también en el portugués vicentino. La forma *frol* se encuentra en Lucas Fernández, D 4 b, y en Torres Naharro, *Comedia Trophea*, II, v. 305. Es de notar que Gil Vicente la emplea en textos no pastoriles (por ejemplo, *Don Duardos*, vv. 109, 207), no sabemos si por simple descuido o porque no se dio cuenta de su carácter rústico.

Allí perderéis el vuesso 90
y más, señor, os confiesso,
qu'havéis de mensar las greñas.

CONDE. ¡Grande es Dios!

DIABLO. ¡A esso os atené vos!
¡Guzando ufano la vida f. 55 d.; 95
con vicios de dos en dos,
sin haver miedo de Dios
ni temor de la partida!

CONDE. Tengo muy firme esperança
y tuve dende la cuna; 100
y fe sin tener mudança.

DIABLO. Sin obras la confiança
haze acá mucha fortuna.
¡Suso, andemos!
¡Entrad, señor! ¡No tardemos! 105

CONDE. Voyme a estotra embarcación.

DIABLO. Id, que nos esperaremos.

CONDE. Oh, muy preciosos remos,
socorred mi aflición.

LECCIÓN PRIMERA

¡Oh, *parce mihi*, Dios mío, 110
quia nihil son mis días!
¿Por qué enxalça tu poderío
al hombre, y das señorío,
y luego de él te desvías?

---

92 *mensar*, 'mesar'.
94 *atené*, 'atened'. La pérdida de la -*d* final de los imperativos,
frecuente en los verbos en -*ar*, es mucho más rara en los verbos de la
segunda conjugación. Véase Keniston, 30, 41. Juan de Valdés prefiere
conservarla aun en los verbos de la primera conjugación (págs. 72-73).
96 *de dos en dos*, 'en abundancia'. Véase Gillet, III, 699-700, nota 13.
110-117 Paráfrasis de un trozo de la Lección 1.ª del Oficio de los
Difuntos, que copia el Libro de Job, 7, 16-18: «Parce mihi Domine:
nihil enim sunt dies mei. Quid est homo, quia magnificas eum? Aut
quid apponis erga eum cor tuum? Visitas eum diluculo, et subito pro-
bas illum.»

115
        Con favor
        visitas eum al alvor,
        y súpito lo pruevas luego:
        ¿por qué consientes, Señor,
        que tu obra y tu hechor

120
        sea deshecha 'n el fuego?
          Ayudadme, remadores,
        de las altas hierarchías;
        favoreced mis temores,
        pues sabéis quántos dolores

125
        por mí sufrió el Messías.
        Sabed cierto
        cómo fue preso en el huerto
        y escopida su hermosura,
        y dende allí fue medio muerto

130
        llevado muy sin concierto
        al juizio sin ventura.
DIABLO   Ahora se os acordó:
        el asno muerto, cevada.

f. 56 a.   De vos bien seguro estó.
135
        ¿Pensaréis que no sé yo
        la huessa vida passada?
CONDE.   Yo te requero.
DIABLO.   Vos, señor conde agorero,
        fuistes a Dios perezoso;

---

133 *el asno muerto, cevada.* Dice Covarrubias, s. v. *asno:* «Al asno muerto la cevada al rabo, quando se vienen a remunerar los beneficios a tiempo que el hombre no puede gozar dellos, por estar cercano a la muerte.»

134 *seguro.* En 1562, *segura*, errata.

136 *huessa,* 'vuestra'. Las formas con *h-* inicial se encuentran únicamente en boca del Diablo, y, alguna vez, en la de la Muerte. Supongo que se trata de la absorción de la *v-* inicial por la *u* siguiente, provocada por el empleo frecuente de *vuestro* como proclítico. El *h-* no tendría en sí mismo valor fonético, sino que serviría sólo para indicar que la *u* tiene valor de vocal y no de consonante. Según José Pla Cárceles, *La evolución del tratamiento «vuestra-merced»*, en *RFE*, X (1923), 262-263, la desaparición de la *v* en la palabra *vucé*, nuestro *usted*, se documenta primero en 1643, fecha del *Entremés del muerto* atribuido a Quevedo,

	a lo vano, muy ligero;	140
	a las hembras, plazentero;	
	a los pobres, reguroso.	
	¡Biva huessa señoría	
	para siempre con querella!	
CONDE.	¡Oh, gloriosa María!	145
DIABLO.	Nunca un hora ni día	
	os vi dar passo por ella.	

Entra el CONDE *en la barca del* DIABLO.
Viene la MUERTE *y trae a un* DUQUE, *y dice:*

MUERTE.	Vos, señor,	
	duque de grande primor,	
	¿pensastes de me escapar?	150
DUQUE.	¡Oh, ánima pecador,	
	con fortíssimo dolor	
	sales de fraco lugar!	
	¿Cómo quedas, cuerpo triste?	
	Dame nuevas: ¿qué es de ti?	155
	Siempre en guerra me troxiste;	
	con dolor me despediste	
	sin haver dolor de mí,	
	tu hechura,	
	que llamavan hermosura	160
	y tú misma la adoravas,	
	con su color y blancura:	
	siempre vi tu sepultura	
	y nunca crédito me davas.	
DIABLO.	Oh, mi duque y mi castillo,	165
	mi alma desesperada,	
	siempre fuiste amarillo,	
	hecho oro de martillo:	
	ésta es huessa posada.	
DUQUE.	¡Cortesía!	170
DIABLO.	Entre huessa señoría,	
	señor duque, y remarás.	f 56 b.

---

167 *amarillo.* Covarrubias, s. v.: «Entre las colores se tiene por la
más infelice, por ser la de la muerte, y de la larga y peligrosa enferme-
dad y la color de los enamorados.»

	DUQUE.	Haze mucha maresía.
		Estotra barca es la mía,
175		y tú no me passarás.
	DIABLO.	¿Veis aquella puente ardiendo
		muy lexos allén del mar?
		¿Y unas ruedas bolviendo,
		de navajas y hiriendo?
180		Pues, allí havéis d'andar
		siempre jamás.
	DUQUE.	¡Retro vaya Satanás!
	DIABLO.	¡Lucifer que m'acreciente!
		Señor duque, allá irás
185		que la hiel se t'arrebiente.

LECCIÓN [SEGUNDA]

	DUQUE.	*Manus tue, Domine,*
		fecerunt me y me criaste
		et plasmaverunt me.
		Dízeme, Señor: ¿por qué
190		tan presto me derrocaste
		de cabeça?
		Ruégote que no escaeça
		quod sicut lutum me heziste.
		¡No permitas que perezca!
195		Y si quieres que padesca,
		¿para qué me redemiste?

---

173   *maresía*, 'agitación del mar'. Lusismo.

182   *retro*. Covarrubias, s. v. *redro:* «Vocablo rústico, vale detrás, *latine retro.*»

186-193   Paráfrasis de un trozo de la Lección 3.ª del Oficio de los Difuntos, procedente del Libro de Job, 10, 8-9: «Manus tuae fecerunt me, et plasmaverunt me totum in circuitu: et sic repente praecipitas me? Memento, quaeso, quod sicut lutum feceris me.»

192   *escaeça*, 'olvide'. El sentido exige *escaeças. Escaecer* está documentado en antiguo español y en el *Cancionero de Baena;* vive todavía en algunas zonas peninsulares, incluso en Salamanca. Véase Corominas, s. v. *caer.* Port. *esquecer.*

Pelle et carne me vestiste,
ossibus, nervis; et vita,
misericordia atribuiste
al hombre que tú heziste: 200
pues ahora me visita.

DIABLO.   Ralear,
que os tengo de llevar
a los tormentos que vistes.
Por demás os es rezar,   205
que lo mío me han de dar
y vos mismo a mí os distes.

DUQUE.   Oh, llaga d'aquel costado
do la passión dolorosa
de mi Dios crucificado   210
redemió al desterrado   f. 56 c.
de su patria gloriosa,
embarquemos;
porque vuestros son los remos,
nuestro es el capitán.   215

DIABLO.   Esso está en vello hemos.

DUQUE.   Oh, ángeles, ¿qué haremos?
que no nos dexa Satán.

ÁNGEL.   Son las leys divinales
tan fundadas en derecho,   220
tan primas y tan iguales
que Dios os quiera, mortales,
remediar vuesso hecho.

DIABLO.   Remadores,
embiadme essos señores,   225
que se tardan mucho allá.

DUQUE.   ¿En vano huvo dolores
Cristo por los pecadores?
¡Muy imposible será!

---

197   Vuelve a parafrasear la Lección 3.ª, que copia los vv. 11-12 del
capítulo 10 del Libro de Job: «Pelle et carnibus vestisti me: ossibus et
nervis compegisti me. Vitam et misericordiam tribuisti mihi, et visita-
tio tua custodivit spiritum meum.»

216   *vello hemos.* Es el modismo portugués «isso está em vê-lo-emos»,
es decir «lo veremos, lo sabremos más tarde».

230   Pues es cierto que por nos
                fue llevado ante Pilato
                y acusado siendo Dios,
                señores, no penséis vos
                que le custamos barato;
235   y açotado
                su cuerpo tan delicado,
                sólo de virgen nacido,
                sin padre humano engendrado,
                y depués fue coronado,
240   de su corona herido.

                [*Entra el* DUQUE *en la barca del* DIABLO.]
                Viene la MUERTE *y trae a un* REY, *y dice
                éste:*

REY.   ¡Quánto dolor se m'ajunta!
MUERTE.   Señor, ¿qué es de huessa alteza?
REY.   ¡Oh, regurosa pregunta!
                Pues me la tienes defunta,
245   no resuscites tristeza.
                Oh, ventura,
                fortuna perversa, escura.
                Pues vida desaparece
f. 56 d.   y la muerte es de tristura:
250   ¿adónde estás, gloria segura?
                ¿Quál dichoso te merece?
DIABLO.   Señor, quiero caminar;
                huessa alteza ha de partir.
REY.   ¿Y por mar he de passar?
255 DIABLO.   Sí, y aun tiene que sudar,
                ca no fue nadie el morir.

_____

    234 *custamos,* 'costamos'. Lusismo. Quizá sea error de imprenta,
puesto que encontramos *cuesta* (v. 534) y *costado* (v. 817).
    256 *nadie,* 'nada'. El empleo de *nadie,* o la forma híbrida *nadia,* con
el sentido de *nada,* es frecuente en todos los autores portugueses que
escribieron en castellano. Véase Teyssier, pág. 396.

Pasmaréis:
si miráis d'ahí, veréis
a do seréis morador
'n aquellos fuegos que veis,   260
y llorando cantaréis
«nunca fue pena mayor».

LECCIÓN [TERCERA]

REY.   *Tedet anima mea*
vite mee muy dolorida,
pues la gloria que dessea   265
me quita, que no la vea,
la muy pecadora vida
que passé.
Locar in amaritudine,
palabras muy dolorosas   270
de mi alma hablaré
a mi Dios, y le diré
con lágrimas piadosas:
   Noli me condenare;
indica mihi por qué   275
no me dexas quien me ampare
si al infierno baxare.
Tuyo so, ¿cúyo seré?

---

262 *«nunca fue pena mayor».* Se conserva en el *Cancionero musical*
con letra de D. García Álvarez de Toledo y música de Juan Urrede.
Cita la letra Paulo Quintela, addenda a la nota 262.

263-280 Paráfrasis un tanto libre de un fragmento de la Lección 2.ª
del Oficio de los Difuntos, que sigue el Libro de Job, 10, 1-2: «Taedet
animam vitae meae, dimittam adversum me eloquium meum, loquar in
amaritudine animae meae. Dicam Deo: Noli me condemnare: indica
mihi cur me ita judices.»

275 *indica mihi.* En 1562, *iudica.* Corrijo según el texto latino que
parafrasea Gil Vicente.

278 *¿cúyo seré?* El empleo de *cúyo* como pronombre interrogativo
era usual en la lengua clásica.

¡Ay de mí!
280   *¿Cur me judices* ansí?
Pues de nada me heziste,
mándame passar d'aquí;
ampárame, *fili Davi*,
que del cielo decendiste.

RESPONSO

285   Oh, mi Dios, *ne recorderis*
peccata mea, te ruego,
'n aquel tiempo *dum veneris*
f. 57 a.   quando el siglo destruyeres
con tu gran saña per fuego.
290   Dirige a mí
vias meas pera ti
que aparesca en tu presencia.
DIABLO.   Huessa alteza vendrá aquí,
porque nunca ca sentí
295   que aprovechasse adherencia.
Ni lisonjas, crer mentiras,
ni voluntario apetito,
ni puertos, ni aljeciras,
ni diamanes, ni çafiras,
300   sino sólo aquesse espirito
será assado:
porque fuistes adorado
sin pensar serdes de tierra,

285-292 Paráfrasis de una parte del responso a la Lección 6.ª del mismo Oficio: «Ne recorderis peccata mea, Domine, dum veneris judicare saeculum per ignem. Dirige, Domine Deus meus, in conspectu tuo viam meam.»

298 *aljeciras*. Paulo Quintela, siguiendo a Marques Braga, afirma que significa *isla*. Efectivamente, Covarrubias, s. v. *Algezira*, dice: «Viniendo a la etimología de Algezira, el padre Guadix dice estar el nombre corrompido de *chizira*, que vale *isla*; no lo es, pero está muy dentro de la mar, que parece aver querido apartarse de tierra firme.»

303 *serdes*. Es el infinitivo conjugado portugués: «sin pensar que seáis». Véase *Auto pastoril*, nota 369.

con los grandes alterado,
de los chicos descuidado,   305
fluminando injusta guerra.

Se va el REY *a la barca de los ángeles,*
y dice:

REY.   ¡Oh, remos de gran valor!
       ¡Oh, llagas por nos havidas!
ÁNGEL.   ¡Plega a nuestro Redemptor,
       nuestro Dios y criador,   310
       que os dé segundas vidas!
       Porque es tal
       la morada divinal,
       y de gloria tanto alta,
       que ell ánima humanal,   315
       si no viene oro tal,
       en ella nunca se esmalta.
REY.   Buen Jesú que apareciste
       todo en sangre bañado
       y a Pilato oíste,   320
       mostrándote al pueblo triste
       —«Eis el hombre castigado»—
       y reclamaron,
       y con la cruz te cargaron
       por todos los pecadores: 325
       pues por nos te flagellaron,   f. 57 b.
       y a la muerte te allegaron,
       esfuerça nuestros temores.

Viene la MUERTE *y trae a un* EMPERADOR,
y dice la MUERTE:

---

306 *fluminando,* 'fulminando'. Puede ser error de imprenta.
321 *pueblo triste,* 'los judíos'.
322 *Eis el hombre castigado.* Traducción libre de las palabras de Pilato en San Juan, 19, 5: «(Exivit ergo Jesus portans coronam spineam, et purpureum vestimentum.) Et dicit eis: Ecce homo.»

MUERTE.	Prosperado emperador,
330	huessa sacra magestad
	¿no era bien sabedor
	quán fortíssimo dolor
	es acabar la edad,
	y más vos,
335	quasi tenido por Dios?
EMPERADOR.	Oh, muerte, no más heridas.
MUERTE.	Pues otra más rezia tos
	es ésta.
EMPERADOR.	*Sed libera nos*
	de jornadas doloridas.
340	¿Adónde me traes, muerte?
	¿Qué te hize, triste, yo?
MUERTE.	Yo voy hazer otra suerte.
	Vos, señor, hazeos fuerte,
	que vanagloria os mató.
345 EMPERADOR.	¡Quán estraños
	males das, vida de engaños,
	corta, ciega, triste, amara!
	Contigo dexo los años;
	entregásteme mis daños
350	y bolvísteme la cara.
	Mi triunfo allá te queda;
	mis culpas trayo comigo.
	Deshecha tengo la rueda
	de las plumas de oro y seda
355	delante mi enemigo.
DIABLO.	Es verdad:
	huessa sacra magestad
	entrará 'n este navío
	de muy buena voluntad,
360	porque usastes crueldad
	y infinito desvarío.
EMPERADOR.	Oh, maldito querubín,
f. 57 c.	ansí como decendiste
	de ángel a beleguín,

364 *beleguín*, 'alguacil'.

querrías hazer a mí 365
lo que a ti mismo heziste.
DIABLO. Pues yo creo,
a según yo vi y veo,
que de lindo emperador
havéis de bolver muy feo. 370
EMPERADOR. No hará Dios tu desseo.
DIABLO. Ni el vuestro, mi señor.
¿Veis aquellos despeñados
que echan d'aquellas alturas?
Son los más altos estados, 375
que bivieron adorados
sus hechos y sus figuras;
y no dieron
en los días que bivieron
castigo a los ufanos 380
que los pequeños royeron;
y por su mal consintieron
quanto quisieron tiranos.

LECCIÓN [CUARTA]

EMPERADOR. *Quis mihi hoc tribuat*
ut in inferno protegas me? 385
Con mi flaca humanidad,
de tu ira y gravedad
¿adónde me esconderé?
Oh, Señor,
passe breve tu terror: 390
a mis culpas da passada.
Vocabis me pecador:
responderte he con dolor
de mi ánima turbada.

384-385 De la Lección 6.ª del mismo Oficio, que cita el Libro de
Job, 14, 13: «Quis mihi hoc tribuat, ut in inferno protegas me, et abs-
condas me, donec pertranseat furor tuus...?»
392-394 Adaptación libre de otro trozo de la misma Lección, que
iene de Job, 14, 15: «Vocabis me, et ego respondebo tibi.»

RESPONSO

395   *Oh, libera me, Domine,*
              de morte, eterna contenda.
              En ti siempre tuve fe;
              tú me pone *juxta te*
              in die illa tremenda.
400   *Quando celi*
              sunt movendi contra mi,
              y las sierras y montañas,
f. 57 d.   por la bondad que es en ti,
              que te acuerdes que nací
405   de pecadoras entrañas.

              Se va el EMPERADOR *a los ángeles, y dice*
              el DIABLO:

DIABLO.   Allá vais, acá vernéis,
              que acá os tengo escrito:
              por más que me receléis,
              vos y los otros iréis
410   para el infierno bendito.
EMPERADOR.   No he temor;
              piadoso es el Señor.
              ¡Dios os salve, remadores!
ÁNGEL.   ¡Bien vengáis, Emperador!
415 EMPERADOR. Angélico resplandor,
              consirad nuestros dolores.
              Adóroos, llagas preciosas,
              remos del mar más profundo.
              ¡Oh, insignias piadosas
420   de las manos gloriosas,
              las que pintaron el mundo!

395-401   Del responso a la Lección 9.ª: «Libera me, Domine, de mor-
te aeterna, in die illa tremenda quando caeli movendi sunt et terra.»
El verso 398 recuerda también Job, 17, 3: «Libera me, Domine, et pone
me juxta te», incorporado en la Lección 4.ª
416   *consirad,* 'considerad'. Véase *Vita Christi,* ed. A. Magne, página 444.

Y otras dos
de los pies, remos por nos
de la parte de la tierra:
essos remos vos dio Dios   425
para que nos livréis vos
y passéis de tanta guerra.

ÁNGEL.   No podemos más hazer
que dessear vuestro bien:
vuestro bien, nuestro plazer.   430
Nuestro plazer es querer
que no se pierda alguién.

DIABLO.   ¿Qué pide allá?
Tuvo el paraíso acullá;
no le falta sino pena: 435
la pena prestes le está.

EMPERADOR. La passión me librará
de tu infernal cadena.
Bivo es el esforçado,   f. 58 a.
gran capitán per natura,   440
que por nos fue tan cargado
con la cruz en el costado
por la calle de amargura,
y pregones
denunciando las passiones   445
de su muerte tan cercana,
y llevada con sayones
al monte de los ladrones
la magestad soberana.

Viene la MUERTE *y trae un* OBISPO *y dice*
éste:

---

432 *alguién.* El empleo de *alguien* en vez de *nadie* se halla en algún
texto castellano del siglo XVI; véase Keniston, 40, 65. La acentuación
aguda *alguién* se encuentra a menudo en el castellano vicentino. Según
Dámaso Alonso, *Don Duardos*, nota 785, es lusismo sugerido por el portugués *alguém.* Nótese, sin embargo, que la forma *alguién* está garantizada por la rima en textos castellanos clásicos. Véase Corominas,
s. v. *alguno.*

450 OBISPO.   Muy crueles bozes dan
                      los gusanos quantos son
                      adó mis carnes están,
                      sobre quáles comerán
                      primero mi coraçón.
455 MUERTE.   No curés,
                      señor Obispo, hecho
                      a todos hago essa guerra.
    OBISPO.   ¡Oh, mis manos y mis pies,
                      quán sin consuelo estarés,
460   y quán presto seréis tierra!
    DIABLO.   Pues que venís tan cansado,
                      vernéis aquí descansar,
                      porque iréis bien assentado.
    OBISPO.   Barquero tan desestrado
465   no ha obispos de passar.
    DIABLO.   Sin profía
                      entre vuessa señoría,
                      que este batel infernal
                      ganaste por fantasía,
470   halcones d'altenaría,
                      y cosas de este metal.
                      D'ahí donde estáis veréis
                      unas calderas de pez
                      adonde os cozeréis,
475   y la corona assaréis,
                      y frigiréis la vejez.
                      Obispo honrado,
f. 58 b.   porque fuistes desposado
                      siempre desde juventud,
480   de vuestros hijos amado,
                      sancto, bien aventurado:
                      tal sea vuestra salud.

464 *desestrado*, 'desastrado'. Se emplea la forma correcta en *Viudo*, v. 1.
469 *fantasía*, 'presunción'. Véase *Casandra*, nota 509.
476 *frigiréis*, 'freiréis'. Lusismo: port. *frigir*.

LECCIÓN [QUINTA]

OBISPO.

Responde mihi quántas son
mis maldades y pecados:
veremos si tu passión 485
bastará a mi redención,
aunque mil vezes dobrados.
Pues me heziste,
¿cur faciem tuam ascondiste
y niegas tu piedad 490
al ánima que redemiste?
Contra folium escreviste
amargura y crueldad.

RESPONSO

Memento mei, Deus señor,
quia ventus es vita mea; 495
memento mei, Redemptor,
embía esfuerço al temor
de mi alma dolorida.
¡Ay de mí!
De profundis clamavi: 500
exaudi mi oración.

DIABLO.

Obispo, paréceme a mí
que havéis de bolver aquí
a esta sancta embarcación.

483-493 Paráfrasis de un fragmento de la Lección 4.ᵃ del Oficio de
los Difuntos, que sigue Job, 13, 22-26: «Responde mihi: quantas habeo
iniquitates et peccata, scelera mea et delicta ostende mihi. Cur faciem
tuam abscondis, et arbitraris me inimicum tuum? Contra folium, quod
vento rapitur, ostendis potentiam tuam, et stipulam siccam perseque-
ris. Scribis enim contra me amaritudines, et consumere me vis peccatis
adolescentiae meae.»
494-501 Del responso a la misma Lección, que utiliza el Libro de
Job, 7, 7 y el salmo 129: 1-2: «Memento mei, Deus, quia ventus est vita
mea... De profundis clamavi ad te, Domine: Domine, exaudi vocem
meam.»

Va el OBISPO *a la barca de los ángeles y
dice:*

505	OBISPO.	¡Oh, remos maravillosos!
		¡Oh, barca nueva, segura,
		socorro de los llorosos!
		¡Oh, barqueros gloriosos,
		en vos está la ventura!
510		He dexado
		mi triste cuerpo cuitado,
		del vano mundo partido,
		de todas fuerças robado,
		dell alma desamparado,
515		con dolores despedido.
f. 58 c.		Bien basta fortuna tanta:
		passadme esta alma, por Dios,
		porque el infierno me espanta.
	ÁNGEL.	Si ella no viene sancta,
520		gran tormenta corréis vos.
	OBISPO.	Yo confío
		en Jesú, redemptor mío,
		que por mí se desnudó;
		puestas sus llagas al frío,
525		se clavó 'n aquel navío
		de la cruz donde espiró.

Viene la MUERTE *y trae a un* ARZOBISPO
y dice ella:

	MUERTE.	Señor arçobispo amigo,
		¿qué vos parece de mí?
530		¡Bien peleastes comigo!
	ARZOBISPO.	No puede nadie contigo,
		y yo nunca te temí.
		Oh, muerte amara,
		la vida nos cuesta cara,
535		el nascer no es provecho.

MUERTE.	Voy hazer otra seara.
ARZOBISPO.	¡Oh, faciones de mi cara!

¡Oh, mi cuerpo tierra hecho!
    ¿Qué aprovecha en el bivir
trabajar por descansar?   540
¿Qué se monta en presumir?
¿De qué sirve en el morir
candela para cegar?
¿Ni plazer
en el mundo por vencer   545
estado de alta suerte,
pues presto dexa de ser?
Nos morimos por lo haver,
y es todo de la muerte.

    [Canta el DIABLO.]

DIABLO.	«Lo que queda es lo seguro.»	550

    [Habla.]
Señor, venga acá esse esprito.

ARZOBISPO.	¡Oh, qué barco tan escuro!	
DIABLO.	En él iréis, os lo juro.	
ARZOBISPO.	¡Cómo me espantas, maldito	
	indiablado!	f. 58 d.; 555
DIABLO.	Vos, arçobispo alterado,	

tenéis acá que sudar;
moriste muy desatado,
y en la vida ahogado
con desseos de papar.   560
    Quien anduvo a poja larga
anda acá por la bolina;
lo más dulce acá se amarga.
Vos caístes con la carga
de la iglesia divina: 565

---

536 *seara*, 'cosecha'. Es vocablo portugués.

550 Primer verso de un villancico de Garci-Sánchez de Badajoz, incluido en el *Cancionero general* de 1511. Véase la nota a este verso en la edición de Paulo Quintela.

561 *poja*, 'cabo atado a la parte inferior de la vela y empleado para echarla a la derecha'. Véase Corominas, s. v. *empujar*.

los menguados
pobres y desamparados,
cuyos dineros vos lograstes,
desseosos, hambreados,
570   y los dineros cerrados
en abierto los dexastes.

ARZOBISPO.   Esso y más puedes dezir.
DIABLO.   ¡Ora pues, alto, embarcar!
ARZOBISPO.   No tengo contigo d'ir.
575 DIABLO.   Señor, havéis de venir
a poblar nuestro lugar.
Veislo está:
vuessa señoría irá
en cien mil pedaços hecho,
580   y para siempre estará
en agua que herverá,
y nunca seréis deshecho.

LECCIÓN [SEXTA]

ARZOBISPO.   *Spiritus meus,* tu hechura,
atenuabitur; mis días
585   *breviabuntur,* y tristura
me sobra, y la sepultura:
no sé por qué me hazías.
Non peccavi,
putredine mea dixi,
590   padre y madre mía eres,
vermibus soror et amici.
¿Quare fuisti me inimici,
Señor de todos poderes?

583-591 De la Lección 7.ª del Oficio de los Difuntos, basada en Job,
17, 1-2, 11: «Spiritus meus attenuabitur, dies mei breviabuntur, et solum
mihi superest sepulcrum. Non peccavi... Putredini dixi: Pater meus es,
mater mea, et soror mea, vermibus.»

RESPONSO

	Credo quod redemptor	f. 59 a.
	meus vivit, y lo veré.	595
DIABLO.	Veréis por vuestro dolor.	
ARZOBISPO.	Mas porque es mi salvador,	
	yo en él me salvaré.	
	Dios verdadero,	
	en el día postrimero	600
	de terra surrecturus sum	
	et in carne mea entero	
	videbo Deum cordero,	
	Christum salvatorem meum.	

Se dirige el ARZOBISPO *a los ángeles y les dice:*

ARZOBISPO.	Dadnos alguna esperança,	605
	barqueros del mar del cielo;	
	por la llaga de la lança,	
	que nos passéis con bonança	
	a la tierra de consuelo.	
ÁNGEL.	Es fuerte cosa	610
	entrar en barca gloriosa.	
ARZOBISPO.	Oh, Reina, que al cielo subiste,	
	sobre los coros lustrosa,	
	del que te crio esposa	
	y tú virgen lo pariste:	615
	Pues que súpito dolor	
	per San Juan recebiste	
	con nuevas del Redemptor,	
	y, mudada la color,	
	muerta en tierra descendiste,	620

594-604 Del responso a la Lección 1.ª del mismo Oficio: «Credo quod Redemptor meus vivit, et novissimo die de terra surrecturus sum: et in carne mea videbo Deum Salvatorem meum.» Dicho responso reproduce, con alguna modificación, los versos 25-26 del capítulo 19 del Libro de Job.

¡oh, despierta!
Pues eres del cielo puerta,
llevántate, cerrada huerta,
con tu hijo nos concierta.
625   Madre de consolación,
mira nuestra redempción
que Satán la desconcierta.

Viene la MUERTE *con un* CARDENAL *y
dice ella:*

MUERTE.   Vos, cardenal, perdonad,
f. 59 b.   que no pude más aína.
630 CARDENAL.   Oh, guía de escuridad,
robadora de la edad,
ligera ave de rapina,
¡qué mudança
hizo mi triste esperança!
635   Fortuna que m'ayudava
pesó en mortal balança
la firmeza y confiança
que el falso mundo me dava.
DIABLO.   *Domine cardenalis,*
640   entre vuessa perminencia:
iréis ver vuessos iguales
a las penas infernales
haziendo su penitencia.
Pues moristes
645   llorando porque no fuistes
siquiera dos días papa,
y a Dios no agradecistes,
viendo quán baxo os vistes
y en después os dio tal capa.
650   Y no quiero declarar
cosas más pera dezir:
determinad de embarcar
y luego sin dilatar,
que no tenéis que argüir:

---

640   *perminencia,* 'preeminencia'.

sois perdido.   655
¿Oís aquel gran ruído
'n el lago de los leones?
Despertad bien el oído:
vos seréis allí comido
de canes y de dragones.   660

LECCIÓN [SÉPTIMA]

CARDENAL.   Todo hombre que es nascido
de muger tien' breve vida;
que *quasi flos* es salido
y luego presto abatido
y su alma perseguida.   665
Y no pensamos,
quando la vida gozamos,
cómo de ella nos partimos,
y como sombra passamos,   f. 59 c.
y en dolores acabamos   670
porque en dolores nascimos.

RESPONSO

Peccantem me quotidie
et non me penitentem, triste,
Sancte Deus, adjuva me;
pues fue cristiana mi fe   675
sucurre dolores, Christe.

661-671 Adaptación libre de los versos 1-2 del capítulo 14 del Libro
de Job incluidos en la Lección 5.ª del Oficio de los Difuntos: «Homo,
natus de muliere, brevi vivens tempore, repletur multis miseriis. Qui
quasi flos egreditur et conteritur, et fugit velut umbra, et nunquam
in eodem statu permanet.»

672-682 Paráfrasis del responso a la Lección 7.ª del Oficio de los
Difuntos: «Peccantem me quotidie, et non me paenitentem, timor mor-
tis conturbat me: quia in inferno nulla est redemptio, miserere mei
Deus, et salva me.»

Oh, Dios eterno,
Señor, *quia in inferno*
nulla est redemptio,
680   oh, poderío sempiterno,
remedia mi mal moderno,
que no sé por dónde vo.

Se marcha el CARDENAL *a la barca de los*
ángeles y dice el DIABLO:

DIABLO.   ¿Vais vos, señor cardenal?

[*Canta el* DIABLO.]

«¡Buelta, buelta, a los franceses!»
685 CARDENAL. Déxame, plaga infernal.
DIABLO.   Vos vistes por vosso mal
los años, días y meses.
CARDENAL. Marineros,
remadores verdaderos,
690   llagas, remos, caravela,
embarcad los passageros:
que vos sois nuessos remeros,
y la piedad la vela.
ÁNGEL.   Socorreos, cardenal,
695   a la madre del Señor.
CARDENAL. Oh, Reina celestial,
abogada general
delante del Redemptor,
por el día,
700   Señora Virgen María,
en que lo viste llevar
tal que no se conocía
y vuessa vida moría,
nos queráis resossitar.

Viene la MUERTE *y trae a un* PAPA *y dice*
la MUERTE:

---

684   «*Buelta, buelta, a los franceses.*» Verso del romance *Domingo era*
de ramos: «¡Vuelta, vuelta, a los franceses, | con corazón, a la lid!» (Du-
rán, *Romancero general,* núm. 394.)

MUERTE.   Vos, padre sancto, ¿pensastes   f. 59 d.; 705
ser immortal? Tal os vistes,
nunca me considerastes,
tanto en vos os enlevastes
que nunca me conocistes.

PAPA.   Ya venciste;   710
mi poder me destruíste
con dolor descompassado.
Oh, Eva, ¿por qué pariste
esta muerte amara y triste
al pie del árbol vedado?   715

Ésta es biva, y has parido
a todos tus hijos muertos;
y mataste a tu marido,
poniendo a Dios en olvido
en el huerto de los huertos.   720
Véisme aquí
muy triste porque nascí,
del mundo y vida quexoso.
Mi alto estado perdí;
veo el diablo ante mí   725
y no cierto el mi reposo.

DIABLO.   Venga vuessa sanctidad
en buen ora, padre sancto,
beatíssima magestad
de tan alta dignidad   730
que moristes de quebranto.
Vos iréis
en este batel que veis
comigo a Lucifer,
y la mítara quitaréis   735
y los pies le besaréis
y esto luego ha de ser.

PAPA.   ¿Sabes tú que soy sagrado
vicario en el sancto templo?

DIABLO.   Quanto más de alto estado   740
tanto más es obligado
dar a todos buen exemplo;

y ser llano,
a todos manso y humano,
quanto más ser de corona,
antes muerto que tirano,
antes pobre que mundano,
como fue vuessa persona.

Luxuria os desconsagró,
sobervia os hizo daño,
y lo más que os condenó,
simonía con engaño.
Vení embarcar.
¿Veis aquellos açotar
con vergas de hierro ardiendo
y después atanazar?
Pues allí havéis d'andar
para siempre padeciendo.

LECCIÓN [OCTAVA]

PAPA.   ¿*Quare de vulva me eduxisti*
mi cuerpo y alma, Señor?
En tu silla me subiste,
en tu lugar me pusiste,
y me hiziste tu pastor.
Mejor fuera
que del vientre no saliera
y antes no hoviera sido,
ni ojo de hombre me viera,
y como el fuego a la cera
me ovieras consumido.

---

756 *atanazar*. Cf. Covarrubias, s. v. *atenazar:* «Sacar los pedaços de carne al condenado con tenazas encendidas en fuego. Este género de muerte se dan a los que han cometido delitos atrocíssimos.»

759-769 De la Lección 9.ª del Oficio de los Difuntos, que copia el Libro de Job, 10, 18: «Quare de vulva eduxisti me? qui utinam consumptus essem, ne oculus me videret!»

RESPONSO

Heu mihi, heu mihi, Señor,   770
quia peccavi nimis in vita:
¿*quid faciam, miser* pecador?
¿*Ubi fugiam*, malhechor?
Oh, piedad infinita,
¡para ti!   775
Amercéate de mí,
que para siempre no llore:
mándame passar d'aquí
que 'n el infierno no ha hí
quien te loe ni te adore.   f. 60 b.; 78

DIABLO.   ¿Qué me penan essos puntos
después que passa el bivir?
Mirad, señores defunctos:
todos quantos estáis juntos
para el infierno havéis d'ir.   785

ÁNGEL.   Oh, pastor,
porque fuiste guiador
de toda la cristiandad,
havemos de ti dolor.
¡Plega a Jesú Salvador   790
que te embíe piedad!

PAPA.   Oh, gloriosa María,
por las lágrimas sin cuento
que lloraste en aquel día
que tu hijo padecía,   795
que nos livres de tormento
sin tardar;
por aquel dolor sin par
quando en tus braços lo viste,
no le podiendo hablar,   800
y lo viste sepultar
y sin él de él te partiste.

770-775   Del responso a la Lección 5.ª del mismo Oficio: «Hei mihi!
Domine, quia peccavi nimis in vita mea: quiad faciam miser? Ubi fugiam, nisi ad te Deus meus? Miserere mei, dum veneris in novissimo die.»

ÁNGEL.   Vuessas prezes y clamores,
                      amigos, no son oídas.
805   Pésanos tales señores
                      iren a aquellos ardores,
                      ánimas tan escogidas.
                      ¡Desferir!
                      Ordenemos de partir:
810   ¡desferir! ¡Bota batel!
                      Vosotros no podéis ir,
                      que en los yerros del bivir
                      no os acordastes de él.

f. 60   *En este momento los ángeles despliegan la*
                      vela, descubriendo un crucifijo pintado. To-
                      dos se arrodillan, y cada uno dice su oración.
                      Habla primero el PAPA:

f. 60 c. PAPA.   Oh, pastor crucificado,
815   ¿cómo dexas tus ovejas
                      y tu tan caro ganado?
                      Pues que tanto te ha costado
                      inclina a él tus orejas.
         EMPERADOR.   Redemptor,
820   echa el áncora, Señor,
                      en el hondón de essa mar.
                      De divino Criador,
                      de humano Redemptor,
                      no te quieras alargar.
825 REY.   Oh, capitán general,
                      vencedor de nuestra guerra,
                      pues por nos fuiste mortal,
                      no consientas tanto mal:
                      ¡manda remar para tierra!
830 CARDENAL.   No quedemos.
                      Manda que metan los remos;
                      haze la barca más ancha.
                      ¡Oh, Señor, que perecemos!
                      ¡Oh, Señor, que nos tememos!
835   ¡Mándanos poner la prancha!

DUQUE.   Oh, cordero delicado,   f. 60 d.
       pues por nos estás herido,
       muerto y tan atormentado,
       ¿cómo te vas alongado
       de nuestro bien prometido?   840
ARZOBISPO. *Fili Davi*,
       ¿cómo te partes d'aquí?
       ¿Al infierno nos embías?
       La piedad que es en ti,
       ¿cómo la niegas ansí?   845
       ¿Por qué nos dexas, Messías?
CONDE.   Oh, cordero divinal,
       médico de nuestro daño,
       biva fuente perenal,
       nuessa carne natural: 850
       no permitas tanto daño.
OBISPO.   Oh, flor divina,
       in adjuvandum me festina,
       y no te vayas sin nos.
       Tu clemencia a nos inclina,   855
       sácanos de foz malina,
       benigno hijo de Dios.

   No les hacen caso los ángeles, y comien- f. 60 v.
zan a botar el batel. Las almas cantan una
música a modo de llanto con grandes excla-
maciones de dolor. Viene Cristo, resucitado,
reparte entre ellas los remos de las llagas, y
se lleva consigo todas las almas.

---

853 Salmo 69, 2: «Domine, ad adiuvandum me festina.»

COMEDIA DEL VIUDO

*La comedia siguiente trata de un comer-
ciante que vivía en Burgos y tenía una mujer
muy noble. Muerta ésta, le quedaron dos hijas,
PAULA y MELICIA; la comedia trata de cómo
se casaron. Fue representada en 1514.*

Entra primero el VIUDO, diciendo:

VIUDO.   Esta desastrada vida   f. 99 c.
       ¿qué perdiera yo en perdella
       quando al mundo fue venida?
       Pues amara y dolorida
       es toda mi parte de ella,   5
       que perdí muger tan bella
       como estrella.
       Y pues triste me dexó,
       muriera mezquino yo
       y no ella.   10
        ¡Pluguiera a Dios que cupiera
       la suerte suya por mía!

---

4 *amara,* 'amarga'. Según Corominas, s. v., la forma etimológica
amaro sólo se encuentra en textos poéticos de los siglos XV y XVI, donde puede ser latinismo.

11 *cupiera.* Quizá tenga aquí la acepción 'ser permitido'; pero cf. Covarrubias s. v. *caber:* «Caberle a uno la suerte, averle caydo la suerte.»

Pues quedé que no deviera,
robada mi compañera,
15 consumida mi alegría.
Vida sin tal compañía
noche y día
me da tan triste cuidado
que jamás seré, cuitado,
20 el que solía.
    Que acordarme su nobleza,
f. 99 d. su beldad, su perfeción,
sus mañas, su gentileza,
su tan medida flanqueza,
25 quebrántame el coraçón.
Oh, qué humilde condición,
a la razón
quán callada, quán sofrida,
toda plantada y enxerida
30 en descrición.
    Alegre con mi alegría,
con mi tristeza llorava;
prompta a quanto yo dezía,
querría lo que yo querría;
35 amava lo que yo amava.
Toda su casa mandava
y castigava
sin de nadie ser oída,
ni de persona nacida
40 porfaçava.
    Amiga de mis amigos,
amparo de mis parientes,
f. 100 a. muy humilde a mis castigos,
cruel a mis enimigos,

---

24 *flanqueza*, 'franqueza'. Ultracorrección basada en la alternancia
español *blanco*, port. *branco*, etc.

30 *descrición*, 'discreción'. Lusismo (port. *discrição*).

37 *castigava*, 'amonestaba, enmendaba'. Véase Corominas, s. v.

40 *porfaçava*, 'hablaba mal, murmuraba'. Véase Corominas, s. v.
haz, III.

plazentera a sus servientes,   45
tal que con fieras serpientes
impacientes
hiziera vida paciente:
no fue muger más prudente
en las prudentes.   50
  Enemiga de celosas,
de las castas compañera,
contraria a las maleciosas,
callada con prefiosas,
para virtud la primera,   55
muy honesta y plazentera,
de manera
que nunca se desmedía,
soblimada en cortesía
verdadera.   60
  Embidia ni parlería
jamás la sentí ni oí;
y si mal d'alguien oía
desculpava y respondía
como si fuera de sí.   65
Pues que tanto bien perdí
¿por qué nací?
Oh, muger, flor de las castas,
¿dónde estás, que tú te gastas
y a mí?   70
  En el punto que partiste
no deviera quedar yo,
porque la vida que es triste,
más muere quien la resiste
que el muerto que la dexó.   75
À aquel Dios que la llevó
pido yo
muerte luego por vitoria,
pues la vida de mi gloria
ya passó.   80

---

54 *prefiosas*, 'porfiosas'. Véase Teyssier, págs. 355-356.
62 *jamás*. En 1562, *ya mas*.

Viene un FRAILE *a consolar al viudo y dice:*

f. 100 b. FRAILE.   La gloria y consolación
                          d'aquel que es padre eternal
                          sea en vuestro coraçón
                          porque tenéis gran razón
85   de llorardes vuestro mal.
          VIUDO.   Oh, mi padre espiritual,
                          quán mortal
                          hallaréis a vuestro amigo:
                          por amparo y por abrigo
90   lloro tal.
                          Tal que nacer no deviera,
                          pues sabéis cómo perdí
                          muger tanto a mi manera.
          FRAILE.   Quien perdió tal compañera
95   que llore, digo que sí.
          VIUDO.   ¡Oh, quán amiga de mí!
          FRAILE.   Bien lo vi.
          VIUDO.   Oh, mi vida trabajada,
                          ¡ay de mi alma penada
100   y ay de ti!
          FRAILE.   Tomad un consejo, hermano,
                          de este amigo singular:
                          pensad cómo lo humano,
                          unos tarde, otros templano,
105   nacimos para acabar;
                          y todo nuestro tardar,
                          a buen juzgar,
                          por más trabajo se cuenta,
                          pues no se escusa tormenta
110   'n este mar.
                          Quitad el luto de vos
                          y essos paños negregosos,
                          que cierto sabemos nos
                          negar los hechos de Dios

---

85 *llorardes*. Infinitivo conjugado portugués. Véase *Auto pastoril,*
nota 369.

todos los que están lutosos: 115
que se muestran soberbiosos
de quexosos,
cargados de paños prietos,
repugnando los secretos
gloriosos.   f. 100 c.; 1
    Los que mueren por la ley
mueren con dulce vitoria:
por su ley y por su rey,
sólo con memento mei,
son sus ánimas en gloria.   125
Su muerte es tan notoria
de memoria
que el luto desbarata,
mas antes la escarlata
es meritoria.   130
    Tristeza, fuerça es tenella,
y lo ál son desvaríos;
y algunos bien sin ella
publican la su querella
en hábito de judíos.   135
Son unos usos vazíos
y muy fríos
y yerra quien lo consiente,
que quedó de la semiente
de gentíos.   140
    Y los que mueren honrados
como acá vuestra muger,

---

124 *memento mei*. Véase *Gloria*, nota 494.

129 *escarlata*. Se encuentra con frecuencia como símbolo de alegría
en textos del Siglo de Oro. Véase H. A. Kenyon, *Color Symbolism in
Early Spanish Ballads*, en *RR*, VI (1915), 334; W. L. Fichter, *Color Symbolism in Lope de Vega*, en *RR*, XVIII (1927), 221-222.

135 Los cantos fúnebres fueron prohibidos repetidas veces por la
Iglesia española desde el Concilio de Toledo hasta el siglo XVI. Véase
Manuel Álvar, *Endechas judeo-españolas* (Granada, 1953), págs. 32-33.
D. Alonso y J. M. Blecua, *Antología*, págs. XLV-XLVI.

140 *gentíos*, 'gentil, pagano'. Lusismo.

contritos y confessados,
¿qué haze luto menester?
145   Lo que, hermano, havéis de hazer
ha de ser
a aquel dador de las vidas
dalde gracias infinitas
con plazer.
150   Vuestras hijas consolad
con gracia muy amorosa.
Vos, hermanas, descansad:
a Dios os encomendad
y a la Virgen gloriosa.
155   Inclinaos a toda cosa
virtuosa:
ternéis vida descansada,
que sin esto es la passada
peligrosa.
00 d.; 160   Quedad con nuestro Señor.

VIUDO.   Padre, quedo consolado.
FRAILE.   El vero consolador,
Cristo, nuestro Redemptor,
esfuerce vuestro cuidado.

165 PAULA.   Oh, ¡qué padre tan honrado!
VIUDO.   Descansado
algún poquito me siento,
y parte del pensamiento
me ha quitado.
170   Ora, oídme, hijas mías:
la muerte, por mi ventura,
me llevó mis alegrías
porque no fuessen mis días
más de quanto es la tristura.
175   Lo que más desassegura
mi holgura,
temer daño que se os siga,
esto haze mi fatiga
más escura.
180   Porque esta vida engañosa
en la tierna mocedad
es tan peligrosa cosa

que harto bien temerosa
está mi seguridad.
Acuérdeseos la honestidad 185
y claridad
de vuestra madre defunta,
y en tanta bondad junta
contemplad.

Viene un COMPADRE *suyo a visitarle y
dice:*

COMPADRE.	¿Qué hazes, compadre amigo?	190
VIUDO.	Lo que quiere la tristura,	
	sin muger y sin abrigo.	
COMPADRE.	Bien trocara yo contigo	
	si supiera tu ventura	
	que tengo muger tan dura	195
	de natura	
	que se da la vida en ella	
	mejor que en Sierra de Estrella	
	la verdura.	
PAULA.	Mirad vos qué cosa aquella.	f. 101 a.; 2
COMPADRE.	Digo verdad por mi vida.	
MELICIA.	Pues muy noble dueña es ella.	
COMPADRE.	Ansí me gozo yo en vella	
	no con vida tan complida:	
	alma que no tiene salida	205
	allí metida	
	ha de estar hasta mi padre.	
	Gran embidia te he, compadre,	
	sin medida.	
	A la fe, dígote, amigo,	210
	que te vino buena estrena.	
	¡Esso haga Dios comigo!	
VIUDO.	Oh, calla, que yo soy testigo	
	que es gran mal perder la buena.	

203 *gozo... vella.* En 1562, *guozo... velha.*

215 COMPADRE. ¿Más cadena
              quieres tú que el hombre tenga
              que muger con vida luenga,
              aunque rebuena?
                  No estés, compadre, triste,
220   por salieres de prisión.
              Quando tu muger perdiste
              entonces remaneciste;
              mas fáltate el coraçón.

     VIUDO.   Según va sin conclusión
225   essa razón,
              tú estás fuera de ti,
              y aumentas más en mí
              la passión.

     PAULA.   ¡Oh, qué mala condición!
230 VIUDO.   Mas es buena y muy real
              porque yo tengo razón.

     PAULA.   Mas habla de ti Nerón
              y parécete muy mal.

     COMPADRE. ¡Si yo tengo un animal,
235   pese a tal,
              y una sierpe por muger
              y por más mi daño ser
              es immortal!

f. 101 b.   Tanto monta en ella
240   como dar 'n essa pared;
              quanto más riño con ella,
              tanto más se goza ella.
              Para Dios me hazer merced,
              no tiene hambre ni sed
245   más que una red,
              siempre harta y aborrida.
              Si esta vida tal es vida,
              me sabed.

---

220 *salieres*. Infinitivo conjugado, aunque la forma corresponde más
bien al futuro de subjuntivo español; nótese que infinitivo conjugado y
futuro de subjuntivo de este verbo son idénticos en portugués *(saíres)*.
Véase Teyssier, pág. 379.

Quando con ella casé
hallé, norabuena sea, 250
en ella lo que os diré:
quando bien, bien la miré,
vile un rostro de lamprea,
una habla a fuer de aldea,
y de Guinea 255
el aire de su meneo;
quanto más se pon' d'arreo
está más fea.

PAULA. Oh, calla, no digáis esso
que es mucho gentil muger. 260

COMPADRE. No le vistes el avieso.
Pone el blanco de esto en gruesso:
¿qué diablo havéis de ver?
Dexemos su parecer
escaecer, 265
y vengamos a lo ál:
no estará sin dezir mal
o lo hazer.

Ella por dadme essa paja
mete la calle en rebuelta; 270
seso, ni sola migaja;
dueña, que se bolvió graja
y anda en el aire suelta.
[H]állola muy desembuelta
en dar buelta 275
dende lo bueno a lo malo:
lleva infinito palo
'n ésta embuelta.

Si algo estoy de plazer, f. 101 c.
dize que yerva he pisado; 280
si triste, quiéreme comer.
Yo no me puedo valer,

---

280 *yerva he pisado.* Cf. Correas, pág. 630: «[Pisar buena hierba] dícese de la persona que está de buen humor, mejor que el que tiene.» Aquí, sin embargo, la expresión debe tener una significación algo diferente.

assí me trae assombrado.
Yo, se trayo a mi cuñado
285   combidado,
muéstrame un ceño tamaño
que me haze andar un año
reñegado.
    Miente que es cosa espantosa.
290   ¡Oh, quántas mentiras pega!
Muy porfiada y temosa,
soberbia, imbidiosa,
siempre urde, siempre trasfiega;
su lengua siempre navega
295   como pega,
para todo mal ardida:
si se halla comprendida,
luego niega.

PAULA.   ¿Por qué deshonráis ansí
300   vuestra muger?

COMPADRE.   Porque es plaga;
que desque la recibí,
bien pueden dezir por mí
el marido de la draga.
No hay quien me deshaga
305   tan gran llaga!
de toda paz enemiga.
¡Por Dios, que no sé qué diga
ni qué haga!
    Yo no la puedo trocar,
310   yo no la puedo vender,
yo no la puedo amansar,
yo no la puedo dexar,
yo no la puedo esconder:
yo no le puedo hazer
315   entender
sino que es ella una rosa,
y que está muy desdichosa
en mi poder.

---

293 *trasfiega*, 'trasiega, trastorna'. Lusismo. Véase Corominas, s. v.
trasegar.

Y con todas sus traviessas
está tan llena de vida
que con dos bombardas gruessas
ni con lançadas espessas
será en vano combatida.

VIUDO. ¡Oh, mi muger tan querida,
fallecida,
toda paz sin nunca guerra:
no devieras de la tierra
ser comida!

Yo me voy ora a rezar
sobre aquella tierra dura,
la qual no puedo olvidar
hasta mi muerte acabar
este dolor sin ventura.

COMPADRE. No quiso mi desventura
tan escura
que estotra fuera tras de ella,
que yo le hiziera una bella
sepultura.

Y le hiziera rezar
las horas de los dragones
y le hiziera cantar
las missas so el altar
alumbradas con tizones,
ofertadas con melones
badiehones,
todos llenos de cevada,
por encienço una ahumada
de bayones.

Dice MELICIA *a* PAULA, *quedando solas
las dos:*

MELICIA. Oh, Paula, hermana mía,
¿quién havía de pensar,

f. 101 d.
320

325

330

335

340

345

350

---

332 *acabar.* Futuro de subjuntivo sin desinencia, como en portugués.
345 *badiehones,* 'badeones'. Es aumentativo de *badea,* 'melón de
mala calidad'.
348 *bayones,* 'espadañas'. Véase Corominas, s. v. *bodón.*

quando mi madre bivía,
que la vida que tenía
estava para acabar?

PAULA.   No hay que confiar
355   ni descansar
el que por reposo puna:
pues no se escusa fortuna
al navegar.

f. 102 a.   Ahora que mi madre estava
360   más alegre y descansada,
quando mucho sana andava
y más rezia se hallava,
¡quán presto fue salteada!

MELICIA.   ¡Oh, triste desemparada!
365 PAULA. Y yo, cuitada,
a quien tanto bien querría
que su ánima partía,
yo nombrada.

MELICIA.   Gran secreto es el morir.
370 PAULA. Mas es mucho declarado:
mayor secreto es bivir
y ser cierto de partir
y no estar aparejado.
Cada uno está engañado
375   y confiado
que tiene luenga la vía.

MELICIA.   Ansí fue la madre mía,
mal pecado.

PAULA.   Ella muy devota era,
380   muy prudente y en sí regida:
yo no sé de qué manera
su muerte fue tan ligera
que en proviso dio la vida.
Á la muerte no hay guarida
385   conocida,
y quien mejor se guarece
no escusa, me parece,
la partida.

---

368   *yo.* En 1562, *y yo.*

A continuación se cuenta cómo Don Rosvel, *príncipe de Huxonia, se enamoró de
las hijas del* Viudo. *Como no tiene entrada
ni oportunidad de hablarles, se disfraza de
labrador ignorante y finge que le han arran-
cado los cabellos en la calle de modo que debe
buscar refugio en la casa del* Viudo. *Dice*
Paula:

Paula.	¿Qué buscas?	
Rosvel.	Véngome acá.	
Paula.	¿A qué?	f. 102 b.
Rosvel.	Vengo a qué quiera.	390
Melicia.	¿Dónde eres?	
Rosvel.	Soy d'acullá	
	del Villar de la Cabrera.	
	Llámome Juan de las Broças,	
	de en cabito del llugar	
	natural,	395
	hermano de las dos moças.	
	Sé hazer priscos y choças	
	y un corral.	
Paula.	Ora, pues, vete en buen hora.	
Rosvel.	¿Y si yo soy Juan de las Broças,	400
	gaitero?	
Paula.	¡Esso es menester ahora!	
	¡Cómo están ledas las moças!	
Melicia.	Ve, cabrero.	
Rosvel.	No tengo ahora adónde ir.	405
Melicia.	¿Tienes padre o madre tú?	
Rosvel.	Esso, ha,	
	plázeme, quiérooslo dezir:	
	ya mi padre se ha morú,	
	'n el limbo está.	410

---

409 *morú,* 'muerto'. Forma fantástica, no sayaguesa, es sin duda
creación del propio Gil Vicente para satisfacer a las necesidades de la
rima y para dar una nota de rusticidad al habla del príncipe disfrazado
de labrador. Incluso puede significar que éste no domina perfectamente
el lenguaje pastoril que afecta.

Paula.	¿Y tu madre?	
Rosvel,		Acá quedó;

con un flaire está a soldada
muy valliente:
lugo la vestió y le dio
415   una faxa colorada
de presente.
Quando retoçan la fiesta,
es mi madre tan aguda
y tan garrida,
420   siempre ella urde la fiesta
de sesuda.

Paula.   ¿Qué vida era la tuya?

Rosvel.   Rascava la bestia al fraile
acá y allá,
425   y dila al diablo por suya,
y aprendi hazer un baile,
y estoyme acá.
Yo quisiérame casar;
la ñovia, mi fe, no quiso;
f. 102 c.; 430   pues, ni yo:
antes quiero ca morar.

[*Vuelve el* Viudo.]

Viudo.   ¿Qué hazes acá? ¿Porquero?

Rosvel.   No soy, no.

Viudo.   Pues ¿quién eres?

Rosvel.   Juan de las Broças:
435   ya persoy medio guaitero;
hago ñotas y plazeres
a las moças.

Viudo.   ¿Dónde eres? Di, amigo.

Rosvel.   De mi tierra.

Viudo.   ¿Qué lugar
440   es el tuyo?

---

435   *persoy.* Véase *Reyes magos*, nota 12.

438   *dónde*, 'de dónde'. Puede ser lusismo; pero se encuentra también en castellano antiguo y no faltan ejemplos en textos del quinientos. Véase *Don Duardos*, ed. D. Alonso, nota 579.

ROSVEL.	No es mío, que es de un crigo	
	y no tengo de negar	
	que no es suyo.	
VIUDO.	Y ahora ¿qué querrías?	
ROSVEL.	Acogíme de un ravasco	445
	nigromante	
	que me hizo ñifrerías.	
	¡Quién le quebrara aquel casco	
	fuertemente!	
	Sacudióme un torniscón	450
	y sacóme un rifanazo	
	de la greña,	
	y corralóme en un rincón,	
	y diome con un palazo	
	de la leña.	455
VIUDO.	Algo le harías tú.	
ROSVEL.	Nada, nada, juri a san:	
	venía yo haziendo	
	tu ru ru ru rú:	
	viene el hideputa can,	
	que lo yo encomiendo.	460
VIUDO.	¿Quieres comigo bivir?	
ROSVEL.	Si me dais buena soldada;	
	trabajar,	
	yo bien tengo de servir	
	en ganado y en sembrada	465
	y cavar.	
	Ir por leña, y al molino,	
	traer mato para 'l horno,	
	y aun cozer,	f. 102 d.
	vindimiar y coger lino,	470
	hazer vino y poner torno	
	si es menester.	

---

441 *crigo*, 'clérigo'. La forma más usual en el castellano vicentino es *crego*, frecuente en textos de Encina y Lucas Fernández.

447 *ñifrerías*. El verso parece significar 'que se burló de mí'. Véase Teyssier, pág. 55.

No, quant' es de servicial,
no venga el diablo acá
475   que más haga:
yo os haré un corral,
que el ganado no havrá
miedo de plaga.
Hagamos luego avenencia.
480 VIUDO.   Está tu comigo un año.
    ROSVEL.   Bien será;
déxolo a vuestra conciencia:
cómo vierdes que yo me amaño,
assí pagá.
485 VIUDO.   Ve por leña.
    ROSVEL.   Que me plaze,
y veréis quán presto vengo
y quán corriendo.
    VIUDO.   Trae muy valiente hace;
lleva el atijo luengo.
490 ROSVEL.   Bien lo entiendo.
    VIUDO.   Havémoslo menester
como el pan que nos mantiene.
    PAULA.   Es bien mandado.
    MELICIA.   Servicial deve de ser.
495 VIUDO.   Veamos quán presto viene
y quán cargado:
çurrón luego aparejado,
y unas dos cabeças de ajos
y del pan,
500 ·   y luego vaya al ganado:
que quien paga los trabajos
dé el afán.
¡Oh, qué norabuena vengas!
    ROSVEL.   ¡Qué moço Juan de las Broças!
505   Ya yo vengo.

___

499 *del pan.* El empleo del *de* partitivo, que existió en el castellano
medieval, ya no era frecuente a principios del siglo XVI, aunque no
falta algún ejemplo en textos sayagueses; siguió muy vivo, sin embargo, en portugués. Véase Teyssier, págs. 332-333.

Viudo.	Antes que más te detengas, dalde luego el çurrón, moças. Ve corriendo: lleva los puercos contigo y mamenta las cabritas más rezientes, y, mira lo que te digo: las vacas y bezerritas, para mentes. Y a la noche, de camino, trae leña para el horno.	f. 103 a. 510 515
Rosvel.	Que me plaze.	
Viudo.	Muy buena dicha nos vino.	
Paula.	Viénenos como hecho al torno.	
Melicia.	Bien lo haze.	520
Viudo.	Sabed que el buen servidor, que lo pesen a oro fino es merecido.	
Paula.	A según fuere el señor, ansí abrirá el camino a ser servido. El poco precio al soldado, los servicios mal mirados del señor, por bueno que sea el criado, los braços lleva cansados al lavor.	525 530
Viudo.	El que es buen servidor siempre ha buen galardón se atura.	535
Paula.	Mas antes lo ha peor; pues no usa de razón la ventura.	

Viene Don Rosvel, *cantando:*

Rosvel.	Arrimárame a ti, rosa, no me diste solombra.	540

---

540   *solombra,* 'sombra'. La variante *solombra* es frecuente desde antiguo en dialectos leoneses y portugueses. Véase Corominas, s. v. *sombra.*

MELICIA.	¡Oh, cómo es tan plazentero!
ROSVEL.	Juan de las Broças, Juan,
	me so yo.
VIUDO.	¿Y el gana[do]?
545 ROSVEL.	Asperá, diré primero:
	anduve tras un gavilán
	y allá quedó.
f. 103 b.	Ora, nuestramo, hablá vos.
VIUDO.	¿Queda todo en el corral?
550 ROSVEL.	¿Quién, el ganado?
	Bueno está, bendito Dios:
	no se me perdió ni tal,
	Él sea loado.
VIUDO.	Dalde luego de cenar.
555 ROSVEL.	Que no tengo gana yo
	de comida:
	mi plazer es trabajar,
	y hazer doquer que estó
	es mi vida.
560 VIUDO.	¡Cena, cena! Dalde el pan
	y migas a gran hartura
	con del ajo,
	y comerás, hijo Juan,
	que el comer es la holgura
565	del trabajo.
	Voyme a cas del sancristán
	a pagalle las campanas
	que tañió.
	Quédate, hijo Juan.
570 ROSVEL.	¿Dambas a dos sois hermanas?
MELICIA.	Creyo yo.
ROSVEL.	Bien lo sé, por mi ventura,
	que si yo no lo supiera
	no penara.

---

545 *asperá*, 'esperad'.

570 *dambas a dos*, 'ambas'. La construcción antigua *ambas a dos* ya
se halla en el *Cantar de Mio Cid;* véase Corominas, s. v.

	Dambas vi por mi tristura:	575
	antes no nacido fuera	
	que os mirara.	
PAULA.	¡Jesú, Jesú, Jesú!	
	Más es esto que pastor.	
MELICIA.	Como hay Dios,	580
	¡y nos llamávamosle *tú!*	
	Dezidnos por Dios, señor:	
	¿quién sois vos?	
ROSVEL.	Soy quien arde en bivas llamas,	
	pastor muy bien empleado	585
	en tal poder,	
	por serdes, señoras damas,	
	hermanas en dar cuidado	f. 103 c.
	a mi querer.	
	Pido a vuestra gran beldad	590
	que no os turbéis, señoras,	
	por aquesto,	
	que en guardar vuessa beldad	
	yo seré a todas horas	
	mucho presto:	595
	no quiero sino miraros,	
	no quiero sino serviros	
	de esta suerte;	
	y, si os ofendo en amaros,	
	bien lo pagan los sospiros	600
	de mi muerte.	
	Don Rosvel soy, generoso,	
	hijo de duque y duquesa	
	muy preciado;	
	el amor es tan podroso	605
	que me truxo a la defesa	
	con cayado.	
	Mándame ser alquilado:	
	ansí lo tengo por gloria	
	y lo quiero	610
	sin ser de vos remediado,	
	ni querer nunca vitoria,	
	ni la espero.	

MELICIA.	Quant' a yo, no sé qué diga.
615 PAULA.	Nunca tal se acaeció:
	tal señor en tal fatiga.
ROSVEL.	Que no quiero ser yo, no;
	ya me troqué.
	Desde el día que os miré,
620	de tal suerte me prendistes
	en proviso
	que mi muerte ya la sé,
	y, pues que vos me la distes,
	es paraíso.
625	Soy vuesso trabajador,
	como son los alquilados;
f. 103 d.	más no soy.
	Dexadme morir pastor,
	llorando por los collados
630	dende hoy.
	No sepan parte de mí:
	don Rosvel no quiero ser
	ni por sueño,
	que otro soy desque os vi,
635	y por vos es mi plazer
	tener dueño.
PAULA.	La merced que nos haréis,
	que somos huérfanas, señor,
	y sin madre,
640	que os vais y nos dexéis;
	no matéis al pecador
	de mi padre.
	Abatéis en vuesso estado,
	siendo noble en señoría
645	per derecho,
	y queréis ser deshonrado
	por tan pequeña contía
	sin provecho.

---

640 *vais,* 'vayáis'. Véase Gillet, III, 192, nota 558.

647. *contía,* 'cuantía'. La forma *contía* es frecuente en portugués medieval; véase Corominas, s. v. *cuanto.*

ROSVEL. No me dexa ir amor,
ni las mis ansias tamañas   650
que departo,
que es tan bivo mi dolor
que me ablasa las entrañas
si me parto:
no pude de otra manera   655
para veros y serviros
sino ansí:
hize yo que no deviera
porque muchos más sospiros
tengo aquí.   660

PAULA. Ora, esso, ¿qué aprovecha
sino para daros pena
y a nos temor?

ROSVEL. No tengáis de mí sospecha
porque esso más pena ordena   665
a mi dolor.

MELICIA. Ora, íos con Dios, señor,   f. 104 a.
que es raíz de todo mal
conversación.

ROSVEL Pues me prendió vuesso amor, 670
¿dónde iré, pues está tal
mi dolor?

PAULA. ¿Cómo puede ser querer
sin que sea el conversar
gran peligro?   675

ROSVEL. Por vos amo el padecer;
no procuro descansar
'n este siglo.

MELICIA. No queremos tal criado,
ni queremos tal vaquero,   680
ni pastor.

ROSVEL. No quiero tan alto grado:
hazedme vuesso porquero,
que es menor.

---

653 *ablasa*, 'abrasa'.
658 *deviera*. En 1562, *duviera*, errata.

Viene el Viudo *y dice:*

685	Viudo.	¿Qué hazes, Juan? ¿Comiste?
	Rosvel.	Harto estoy repantigado
		de comer.
	Viudo.	Paréceme que estás triste.
	Rosvel.	Mas contento, Dios loado,
690		y de plazer.
		Nuestramo, mirá: yo estava
		acá a mis amas hablando
		el desseo y gana que me tomava
		de mi tierra, que mirando
695		no la veo.
		Suso, ¿qué tengo de hazer?
	Viudo.	Toma aquel açadón
		y la açada.
	Rosvel.	Todo esso es mi plazer,
700		que faltasse el galardón
		y soldada.
	Viudo.	Muy bien te será pagada.
		Ve, cava la viña luego
		sin reproche,
705		bien cavada y adobada,
		y trae cepas para el fuego
		a la noche.
		All' aldea quiero ir
		y veré nuestro montado
710		cómo está;
		tarde tengo de venir,
		vosotras tened cuidado
		en lo de acá:

f. 104 b.

---

686   *repantigado*, 'satisfecho'. Véase Gillet, III, 682, nota 154.

700   *que*, 'aunque'. El empleo de *que* con el valor de *aunque*, normal en el castellano medieval, ya era muy raro en el siglo XVI; véase Keniston, 29, 72; Gillet, III, 82, nota 20.

709   *montado*. Cf. port. *montado*, 'robledo'.

estas puertas bien cerradas,
y no estéis ociosas   715
en estrado,
que las moças ocupadas
escusan causas dañosas
al cuidado.

Vase el VIUDO, *y dice* PAULA:

PAULA.   ¿Qué consejo tomaremos?   720
              Nosotras, si nos callamos,
              consentimos;
              estamos en dos estremos,
              porque a él también erramos
              si dezimos.   725
              Son dos estremos sin medio.
MELICIA.   El medio es si nos dexasse.
PAULA.   ¿Tú no ves
              que esso no lleva remedio?
              ¡Si consigo lo acabasse   730
              cierto es!
MELICIA.   Pues nos, que los publiquemos
              a mi padre o a alguién,
              es niñería.
PAULA.   Ningún favor no le demos.   735
MELICIA.   Y quien por nos sirve tan bien,
              ¿qué dería?
PAULA.   Y pues, ¿quién le pagará
              la grande soldada suya
              norabuena?   740
MELICIA   Hermana, él se enhadará:
              culpa no es mía ni tuya
              de su pena.

---

736   *tan bien.* En 1562, *también.*
737   *dería,* 'diría'. Véase *Don Duardos,* nota 564-566.
741   *se enhadará,* 'se enfadará'. Gil Vicente nunca emplea la forma
castellana normal.

Viene Don Rosvel *cargado y cantando:*

f. 104 c. Rosvel.　　　Malherido me ha la niña;
745　　　　　　　　no me hazen justicia.

　　　　　　　　　　[*Habla.*]

　　　　　　　　　　¡Ha, nuestramo!
　　Paula.　　　　　　　　　　Fuera es ido.
　　Rosvel.　　Consuelo de mi alegría,
　　　　　　　　　¿cómo estáis?
　　　　　　　　　Mi gloria, mi bien complido,
750　　　　　　　que la muerte y vida mía
　　　　　　　　　vos la dais.
　　Paula.　　　Señor, ¿por qué os matáis
　　　　　　　　　y nos dais vida cuidosa
　　　　　　　　　sin porqué?
755　　　　　　　¿Por qué en vano trabajáis?
　　Rosvel.　　Oh, esmeralda preciosa,
　　　　　　　　　bien lo sé.
　　　　　　　　　Pero este mi sudor
　　　　　　　　　amata las bivas llamas
760　　　　　　　que amor quiso,
　　　　　　　　　y el afán de mi lavor
　　　　　　　　　por vos, muy hermosas damas,
　　　　　　　　　es paraíso;
　　　　　　　　　y el ganado que apaciento,
765　　　　　　　como a ángeles del cielo
　　　　　　　　　los adoro
　　　　　　　　　por vuestro merecimiento,
　　　　　　　　　a que no pido consuelo
　　　　　　　　　sino lloro.
770　　　　　　　Otra gloria no me siento
　　　　　　　　　sino desesperar de ella
　　　　　　　　　y desespero;
　　　　　　　　　de mis trabajos contento,
　　　　　　　　　de nadie tengo querella.
775　　　　　　　Y sé que muero,
　　　　　　　　　y sé muy cierto que no
　　　　　　　　　con servicios so enamore
　　　　　　　　　ya en mis días;

porque no soy dino yo,
ni sé cómo os adore,   780
ídolas mías.

PAULA.   ¿Por quál de nos lo havéis vos?
ROSVEL.   Dos amores se ajuntaron   f. 104 d.
contra mí;
los males de dos en dos   785
mi cuerpo y alma cercaron
quando os vi.
De dos en dos los dolores,
dos saetas en mí siento
y me hirieron.   790
¡Ay!, que juntos dos amores
en un solo pensamiento
no se vieron.
Sofrir doble padecer,
padecer doble passión   795
qual me veis,
no sé cómo puede ser,
que mi fuerça y coraçón
vos la tenéis:
la una de vos bastara   800
para que mi poder fuera
consomido;
la vida y alma gastara,
no que mi querer podiera
ser perdido.   805

Viene el VIUDO *y dice* ROSVEL:

ROSVEL.   Nuestramo, venís cansado.
VIUDO.   Mas antes mucho contento
del casal,
porque dexo concertado
para Paula un casamiento   810
muy real;

---

808 *casal,* 'matrimonio, marido y mujer'. Cf. port. *casal.*

y aun Melicia esta somana
le espero de dar marido
de hazaña.

815   ¿Lloras?

ROSVEL.   Lloro una hermana,
que poco ha se ha morido
supitaña.

Quiero llevar el ganado
a unos valles sombríos
820   y tristoños,
donde se harte el cuitado
de oír los gritos míos
f. 105 a. muy medoños.

VIUDO.   Limpia el establo primero,
825   y lleva el estércol luego
al linar.

ROSVEL.   Que me plaze. [*Aparte.*] **Esso quiero:**
acábame ya, triste muerte,
de matar.

830 VIUDO.   ¿Qué hablas?

ROSVEL.   ¿Qué he d'hablar?
Digo que voy soñoliento
y carcomido.

[*Se dirige el viudo a* PAULA *y dice:*]

VIUDO.   Yo me voy ora a rezar
que Dios haga a tu contento
835   aquel marido.

Vase [*el* VIUDO.]

PAULA.   ¡Oh, cómo va lastimado
el triste de don Rosvel!

MELICIA. Es de doler.

812 *somana*, 'semana'. Esta forma, frecuente en el portugués medieval, es la única empleada por Gil Vicente en sus obras portuguesas
816 *morido*, 'muerto'. Véase nota 409.
823 *medoños*, 'terribles, que dan miedo'. Cf. port. *medonho*.

PAULA.   De veras es namorado.
MELICIA. Luego pareció en él   840
         su querer.
PAULA.   Pues no es de los fengidos,
         dame tú la fe, hermana,
         yo doy la mía,
         que no tomemos maridos   845
         hasta que él de su gana
         haya alegría.
         No hagamos sinrazón
         a quien d'amores nos trata
         en tanta fe;   850
         perseguillo hasta la mata
         será mala condición
         y sin porqué.

                Viene DON ROSVEL *y dice:*

ROSVEL.   A todos das sepultura,
         muerte, dime qué es de ti,   855
         que te amo
         y por mi gran desventura
         tú te hazes sorda a mí,
         que te llamo.
         Pues mi ánima se enoja,   860
         con las tristes ansias mías
         tan penada,   f. 105 b.
         resgada sea la hoja
         ado están escritos mis días,
         y quemada.   865
             Oh, por Dios, lindas señoras,
         en este transe penado
         tan mortal
         no os mostréis consentidoras,
         ni veo yo, desdichado,   870
         tanto mal:
         que aunque por mi triste hado
         os caséis luego las dos,
         sabed, pues,

875 que no dexaré el ganado
aunque lo mandasse Dios,
pues vuestro es.
　Yo lo tomo por guarida;
en pastor quiero servir
880 y tener fe,
y ésta será mi vida,
muy agena de este nombre,
yo lo sé.

PAULA.　No os matéis sin porqué:
885 que muy fuera estamos de esso
y bien frías.

ROSVEL.　¡Oh, preciosa mercé!
¿Quándo serviré yo esso,
diesas mías?
890 　Pues tan firme es mi querer
que de más en más se enciende,
no por tema,
dexaros no puedo hazer,
y mirándoos más se enciende
895 el que me quema.
Con dambas no puede ser
casar yo, como sabéis:
echad suertes,
que quiero satisfazer
900 la merced que me hazéis
de mil muertes.

f. 105 c. MELICIA.　¿Burláis vos de nos, señor?
Paréceme sueño esto.

PAULA.　Ansí lo es.
905 ROSVEL.　No quiero más ser pastor:
echad vuestras suertes presto
y vello heis.

　DON ROSVEL *se quita la capa y queda ves-*
tido como quien es. Las mozas acuden al rey
don Juan III, que entonces era príncipe, y

907　*vello heis,* 'lo veréis'. Véase *Auto pastoril,* 238.

presenciaba la representación, y le piden que
escoja cuál de las dos ha de casarse con Don
Rosvel, *diciendo:*

Paula y Me-
  licia.			Príncipe, que Dios prospere
		en grandeza principal,
		juzgad vos.						910
		La una Dios casar quiere:
		dezidnos, señor real,
		quál de nos.

			Juzga el príncipe que la mayor se case pri-
			mero y dice Melicia:

Melicia.		En Paula cayó la suerte;
		Dios se acordará de mí.					915
Paula.		¿Has cobdicia?
Rosvel.		Heme aquí en otra muerte:
		que peno ansí como ansí
		por Melicia.

			Andando Don Gilberto, *hermano de*
			Don Rosvel, *corriendo mundo en busca de*
			su hermano, viene allí, a causa de ciertas no-
			ticias que ha tenido, y al verle le dice:

Gilberto.		¡El Señor sea loado					920
		y toda la corte del cielo,
		pues mi hermano y mi consuelo
		tengo hallado!
		Todo el mundo he buscado
		por hallarte muerte o bivo,				925
		o si eras libre o cativo,
		o desterrado.
Rosvel.		¿Mi padre y madre son bivos?
Gilberto.		Bivos, de lloros dolientes:				f. 105 d.
		diéronle mil accidentes					930
		tus motivos.

Están tristes, pensativos,
no sabiendo qué es de ti,
y salen fuera de sí
935 con gemidos.
     Dixéronle unas hechizeras:
«Puercos guarda don Rosvel,
y dos moças contra él
son guerreras.
940 Ámalas tanto de veras
que otra cosa no adora;
de noche y de día llora
por las eras.»

ROSVEL.   Contarte he de mi venida
945 en dos palabras no más,
porque luego sentirás
mi fatiga.
Estas diesas de la vida,
reinas de la fuerça humana,
950 me prendieron de mi gana
oferecida.
     No digo ser su vaquero,
mas merece su valor
ser un grande emperador
955 su porquero.
Hermano, yo te requiero
por la mucha virtud de ellas,
que nos casemos con ellas,
yo primero.
960   Amparemos y honremos
huérfanas tan preciosas,
que en las cosas virtuosas
los estremos.
Villas y tierras tenemos;
965 hagamos esta hazaña
que quede exemplo en España,
y no tardemos.

---

963 *los estremos*. En la edición Marques Braga, «son extremos». La
frase puede ser elíptica: tratándose de las cosas virtuosas [cabe tomar]
los extremos.

Toma ésta por muger
y a mí darás la vida
y ternás muger nacida 970
a tu plazer.
Quien casa por solo haver,
casamiento es temporal.

GILBERTO. Como a hermano special
lo quiero hazer. 975

DON ROSVEL *toma a* PAULA *por la mano,
y* DON GILBERTO *a* MELICIA. *En este momento vuelve el* VIUDO, *y pensando que ha pasado
otra cosa, se queja diciendo:*

VIUDO. Señores, ¿qué cosa es ésta?
¿Qué hazéis en mi posada,
dolorida y quebrantada,
descompuesta?
¡Qué cosa tan deshonesta 980
para señores reales!
Guardar las huérfanas tales,
¿qué os cuesta?
Las que devéis amparar,
las que devéis defender, 905
de vuestro oficio valer
y ayudar,
y, viéndolas maltratar,
socorrer a su flaqueza:
ésta es ley de nobleza 990
y de loar.
Pues ¿qué batallas vencistes?
¿Qué gentes desbaratastes?
Un triste viejo matastes
y hundistes; 995
flaca casa destruístes;
sacastes triste tesoro.

[*Se dirige a sus hijas.*]

Y (para vos, hijas, lloro)
consentistes.

1000 PAULA.	Oh, no riñáis, padre, no,
	mas devéis mucho holgar;
f. 106 b.	pues Dios nos quiso amparar
	y nos casó.
GILBERTO.	Señor, vuestro yerno so.
1005 ROSVEL.	Y yo vuestro yerno y hijo;
	Dios y la ventura quiso
	y también yo.

VIUDO.　　　Loado y glorificado
　　　　　　sea nuestro Dios poderoso
1010　　　　que me hizo tan dichoso
　　　　　　y descansado:
　　　　　　caso bien aventurado,
　　　　　　por mi consuelo acaescido,
　　　　　　sin tenello merecido
1015　　　　ni soñado.

　　　　　　Voy a hazello a saber
　　　　　　a mis amados amigos,
　　　　　　porque sean los testigos
　　　　　　del plazer;
1020　　　　y también es menester
　　　　　　que busque mil alegrías
　　　　　　y bailen las canas mías:
　　　　　　¡esto ha de ser!

Se marchan las mozas a vestirse de fiesta,
y vienen cuatro cantores, andando al compás
de la canción siguiente:

　　　　　　Estánse dos hermanas
1025　　　　doliéndose de sí:
　　　　　　hermosas son entrambas
　　　　　　lo más que yo nunca vi.
　　　　　　¡Hufá!, ¡hufá!
　　　　　　¡A la fiesta, a la fiesta,
1030　　　　que las bodas son aquí!
　　　　　　Namorado se havía dellas
　　　　　　don Rosvel Tenorí:
　　　　　　nunca tan lindos amores
　　　　　　yo jamás cantar oí.

¡Hufá!, ¡hufá!   1035
¡A la fiesta, a la fiesta,
que las bodas son aquí!

Vuelven las mozas, vestidas de gala, y entra   f. 106 c.
el CLÉRIGO, *acompañado del* VIUDO, *y dice el*
CLÉRIGO *desposándoles:*

CLÉRIGO.   Este sancto sacramiento,
magníficos desposados,
es precioso ayuntamiento.   1040
Dios mismo fue el instrumento
de los primeros casados:
por su boca son sagrados.
Serán dos en carne una,
benditos del sol y luna,   1045
en un amor conservados.   f. 106 d.
El Señor sea con vos:
las manos aquí pornéis
y dezid: «Nombre de Dios,
don Rosvel, recibo a vos»,   1050
etcétera, ya lo sabéis,
y aquel dicho de Noé:
le dixo Dios «multiplicad,
henchid la tierra», y holgad,
con salud que Dios os dé.   1055

Aquí se acabó. Laus Deo.

TRAGICOMEDIA DE DON DUARDOS

Entra primero la corte de Palmerín con
estos personajes: EMPERADOR, EMPERA-
TRIZ, FLÉRIDA, ARTADA, AMANDRIA, PRI-
MALEÓN, DON ROBUSTO. *Y después de sen-*
tados éstos, entra DON DUARDOS *a pedir*
campo al EMPERADOR *con* PRIMALEÓN *su*
hijo, sobre el agravio de GRIDONIA, *di-*
ciendo:

D. DUARDOS.   Famosíssimo señor,
vuessa sacra magestad
        sea enxalçada,
y biva su resplandor
tanto como su bondá   5
        es pregonada.
Y los dioses immortales
os den gloria 'n este mundo
        y en el cielo,
pues sobre los terrenales   10
sois el más alto y facundo
        de este suelo.
Vengo, señor, a pedir
lo que no devéis negar,
        que vuesso estado   15

---

5 *bondá*, 'bondad'. Véase *Visitación*, nota 36.

11

es por la verdad morir,
y la verdad conservar
con cuidado,
porque sois suma justicia,
20   que es hija de la verdad;
de tal son,
que por ira ni amicicia
no dexe vuessa magestad
la razón.
25   Porque, si con muestra de rey
vendiéredes después, señor,
falso paño,
vos os quedaréis sin ley,
y será emperador
30   el engaño.
Gridonia, señor, está
agraviada en estremo,
f. 123 d.   y de manera
que de pesar morirá,
35   y, pues, señor, esto temo…
¡Dios no quiera!
EMPERADOR.   Esforçado venturero,
muestra el razonamiento
que havéis hecho,
40   que sois más que cavallero.
D. DUARDOS.   No soy más que quanto siento
este despecho.
Primaleón le mató
a Periquín, que ella amava
45   como a Dios;
ansí que a ella herió,
y, aunque con uno lidiava,
mató dos.

---

46   *herió*, 'hirió'. La falta de inflexión de la vocal temática en la
tercera persona del pretérito de la tercera conjugación es frecuente en
el castellano vicentino y en el de otros escritores lusitanos; nótese que
tal inflexión no se produce en portugués. Véase la edición de D. Alonso, nota 46.

PRIMALEÓN.	¿Vos venís a demandallo?
D. DUARDOS.	¿Por ventura sois, señor, 50
	Primaleón?
PRIMALEÓN.	Yo soy.
D. DUARDOS.	Pues vengo a vengallo
	si el señor emperador
	no ha passión.
EMPERADOR.	Cavallero, mal hazéis, 55
	quienquiera que vos seáis.
D. DUARDOS.	¿Por qué, señor?
EMPERADOR.	Porque razón no tenéis,
	y vuessa muerte buscáis,
	y no loor. 60
D. DUARDOS.	Mucho sonada es la fama
	del vuesso Primaleón,
	mas no dexa
	de ser hermosa la dama
	Gridonia, que con razón
	de él se aquexa.
PRIMALEÓN.	Ahora lo veréis presto,
	si tiene razón, si no.
D. DUARDOS.	Ya se tarda:
	¡que las armas juzgan esto! 70
PRIMALEÓN.	Ora, pues, ¡ver quiero yo
	quién las aguarda!

*Ahora se combaten los dos, y temiendo
el* EMPERADOR *la muerte de dos tales caballeros, según tan fuertemente se combatían,
mandó a su hija* FLÉRIDA *que los fuese a
separar, y dice ella:*

FLÉRIDA.	¡A paz, a paz, cavalleros!,
	que no son para perder
	tales dos; 75
	y vuessos braços guerreros
	cessen, por me hazer plazer
	y por Dios.
	Y a vos, hidalgo estrangero,
	pido por amor de mí, 80
	sin engaño,

f. 124 a.

que vos seáis el primero
que no queráis ver la fin
de este daño.

85   D. DUARDOS.   Señora, luego sin falla,
no por temor, ni por Dios,
soy contento,
porque más fuerte batalla
contra mí traéis con vos:
90   yo lo siento.
¡Oh admirable ventura!:
que en medio de una cuestión,
en estremo
hallé otra más escura
95   guerra, de tanta passión
que la temo.

f. 124 b.   FLÉRIDA.   ¿Ansí, noble cavallero,
os vais, sin más descobrir?

D. DUARDOS.   Yo vendré.
100   Cobraré fama primero,
si amor me dexa bivir;
mas ¡no sé!...

FLÉRIDA.   Diviérale preguntar
su nombre, por lo saber,
105   y hize mal.

ARTADA.   Si no es el Donzel del Mar,
don Duardos deve ser,
que es otro tal.

Idos DON DUARDOS *y* PRIMALEÓN, *y
sentada* FLÉRIDA *con la* EMPERATRIZ, *entra*
CAMILOTE, *caballero salvaje, con* MAIMON-
DA *su dama, cogida de la mano; y siendo
ella la cumbre de toda fealdad,* CAMILOTE
la viene alabando de esta manera:

CAMILOTE.   ¡Oh Maimonda, estrela mía!
110   ¡Oh Maimonda, frol del mundo!
¡Oh rosa pura!

---

103   *diviérale,* 'debiérale'.
109   *estrela,* 'estrella'. Lusismo, tal vez de impresor.

	¡Vos sois claridad del día!	
	¡Vos sois Apolo segundo	
	en hermosura!	
	Por vos cantó Salamón	115
	el cantar de los cantares	
	namorados:	
	sus canciones vuessas son,	
	y vos le distes mil pares	
	de cuidados.	120

MAIMONDA. Todo loor es hastío
en la prefeción segura
    y manifiesta:
bien basta que en ser vos mío
se prueva mi hermosura   125
    bien compuesta.

CAMILOTE. ¡Bien dezís!
MAIMONDA.   Mas, ansí es.
CAMILOTE. Esperad, señora mía.
MAIMONDA.   ¿Qué, señor?
CAMILOTE. Diana hermosa es,   f. 124 c.; 13
pero quiere cadaldía
    su loor.
Y las diesas soberanas
muestran sañas y terrores
    a deshora,   135
quando las lenguas humanas
no publican sus loores
    cada hora.
Pues bien manifiesta y clara
es la hermosura de ellas   140
    y el valer,
¡pues a vos no se compara
ni ellas, ni las estrellas,
    a mi ver!
MAIMONDA. Ni el mundo, por mi vida.   145
CAMILOTE. Pues dexaos loar, señora.
MAIMONDA.   ¿Para qué?

---

122 *prefeción,* 'perfección'.

CAMILOTE.	Porque es cosa sabida
	que quien ama y no adora
150	no tien' fe.
	¡Si esto fuesse lisonjaros,
	como muchos que han mentido
	a sus esposas!
	Mas esso me da miraros
155	que ver un vergel florido
	con mil rosas.
MAIMONDA.	Ansí me dize el espejo,
	de essa propria manera
	de essos prados.
160 CAMILOTE.	Señora, es mi consejo
	de tomar la delantera
	a esforçados.
	A Costantinopla vamos,
	señora, al emperador
165	Palmeirín.
	Allá quiero ir: ¡veamos
	lo que vuestro resplandor
	obra en mí!
f. 124 d.	Yo porné esta grinalda
170	sobre vuessa hermosura,
	que es sobre ella;
	veremos, ¡oh mi esmeralda!,
	quién dirá que ama figura
	tanto bella.
175 MAIMONDA.	¡No es mucho que vençáis,
	teniendo tanta razón!
CAMILOTE.	A esso os vo,
	que cada vez que miráis
	matáis de pura afición
180	a aquel que os vio.

---

154 *esso*, 'lo mismo'. *Esso* conserva aquí el significado del latín clásico *ipsum;* véase Menéndez Pidal, 98, 2.
169 *grinalda,* 'guirnalda'. Lusismo.

MAIMONDA.　　　　Ya un ángel me dixo esso...
CAMILOTE.　　¿Estando solos?
MAIMONDA.　　　　　　Sí, señor.
CAMILOTE.　　　¿Apartados?
MAIMONDA.　　Era ángel, ¿y pésaos de esso?
CAMILOTE.　　Siempre me da vuesso amor　　　185
　　　　más cuidados.
　　　　Pídoos que no habléis
　　　　ni con ángeles, señora,
　　　　　de essa suerte.
　　　　Si no, ahorcarme haréis,　　　190
　　　　y vos seréis causadora
　　　　　de mi muerte.
MAIMONDA.　　　Vamos a donde queréis.
　　　　Celos no los escusáis,
　　　　　que el que ama　　　195
　　　　recela, como sabéis,
　　　　quanto más vos que amáis
　　　　　a tal dama.
　　　　Dezidme, señor, os pido,
　　　　¿es mayor dolor celar　　　200
　　　　　con razón,
　　　　o mayor no ser querido?
CAMILOTE.　　No ser querido y amar
　　　　　es gran passión.

　　　　Llegan delante del EMPERADOR *y dice*
CAMILOTE:

CAMILOTE.　　¡Claríssimo emperador!:　　　205
　　　　sepa vuestra magestad　　　f. 125 a.
　　　　　imperial,
　　　　que esta donzella es la frol
　　　　de la hermosa beldad
　　　　　natural.　　　210
EMPERADOR.　　¿Cúya hija es, si sabéis?
CAMILOTE.　　Hija del Sol es, por cierto.
EMPERADOR.　　　¡Bien parece!

189-192　En 1562 estos versos están atribuidos a Maimonda.

¿En qué intención la traéis?

215 CAMILOTE.   Por mostrar por quien soy muerto
                      qué merece.

    EMPERADOR.   ¡Cobrastes alta ventura!
                      ¿Qué años havrá ella?

    CAMILOTE.   Daré prueva
220   que, a poder de hermosura,
              el tiempo bive con ella
                  y la renueva.
              La primera vez que la vi,
              crea vuessa magestad
225   imperial,
              que dixe: «¡Oh triste de mí;
              atajada es mi edad
                  por mi mal!»
                Empero, señor, será
230   muchacha de quarenta años,
                mas no menos.

    EMPERADOR. ¿Y que es vuessa quánto haverá?
    CAMILOTE.   Señor, míos son los daños,
                  no agenos.
235   Pero ella no tien' cuya,
              y aunque vengo con ella
                como suyo,
              suyo soy, y ella suya,
              y en ver cosa tan bella
240   me destruyo.
              Y demás de su beldá,
              los hados la hizieron dina
                  de gran fiesta,
              de suerte que no está
245   'n el mundo muger divina
f. 125 b.   sino ésta.
             Pedíla a los aires tristes
             que la ayudaron a criar;
             respondieron

---

235 *no tien' cuya*, 'no tiene amante'. Como dice D. Alonso, se espe-
raría *cuyo* en vez de *cuya*.

con las tormentas que vistes   250
quando las islas del mar
   se hundieron.
   A la nieve la pedí,
que del sol y también de ella
   se formó;   255
díxome: «Vete d'ahí,
que quien pudo merecella
   no nació.»
No le hazéis, damas, a ésta
la devida cerimonia   260
   a vuessa guisa.

AMANDRIA. Señoras, ¡qué cosa es ésta!
ARTADA. Ésta deve ser Gridonia
   o Melisa.
FLÉRIDA.   ¡Parece a la reina Dido,   265
y Camilote a Eneas!
ARTADA.   ¡Sí, a osadas!
FLÉRIDA. ¡Espantado es mi sentido!
¿Quién hizo cosas tan feas,
   namoradas?   270
EMPERADOR. Son los milagros de amores
maravillas de Copido.
   ¡Oh gran Dios,
que a los rústicos pastores
das tu amor encendido,   275
   como a nos!
   Y a Camilote haze
adorar en essa muerte,
   por mostrar
que haze quanto le plaze   280
y que nadie no le es fuerte
   de acabar.
Tales fuerças no tuvieron
otros dioses poderosos,
   que haze ser   285

---

282 *de acabar.* En 1562, *de acacabar,* que debe ser errata.

f, 125 c.   a los que nunca se vieron
                              enamorados desseosos,
                                    sin se ver.
                              Estos son amores finos
290   y de más alto metal,
                                    porque son
                              los pensamientos divinos,
                              y también es divinal
                                    la passión.
295   Los amores generales,
                              si dan tristeza y enojos,
                                    como sé,
                              aunque sean speciales,
                              primero vieron los ojos
300   el porqué.
                              Mas el nunca ver de vista
                              y ser presente la ausencia,
                                    y conversar,
                              es tan perfecta conquista
305   que traspassa la excelencia
                                    del amar.

CAMILOTE.   Todo esso padeció
                              mi coraçón dolorido,
                                    que por fama
310   de esta dama se perdió,
                              y sin verla fuí ardido
                                    en biva llama.

MAIMONDA.   Dezidme, por vuessa vida,
                              quando me vistes, ¿qué vistes?

315 CAMILOTE.   Vi a Dios,
                              y la campana tañida
                              de la fama, que hezistes
                                    para vos.

AMANDRIA.   ¡No podía menos ser,
320   porque es una Policena!

ARTADA.   ¡Tal es ella!

---

303   *conversar*, 'enamorar'. Lusismo.

CAMILOTE.

Bien podéis escarnecer,
mas, ¡juro a Dios!, que ni Elena
fue tan bella.

ARTADA.

¡Algo será más hermosa
Flérida!

f. 125 d.; 325

CAMILOTE.

¿Quién? ¿Aquélla?
¡Assaz de mal!
¡Por Dios, vos estáis donosa!:
comparáis una estrella
a un pardal.

330

D. ROBUSTO.

¡Mucho os desmandáis vos!

CAMILOTE.

¿Queréislo vos demandar?

D. ROBUSTO.

¿Sois cavallero?
Si lo sois, juro a Dios
que os haga yo tornar
majadero.
¿Y en Flérida habláis vos?
Nadie es dino de vella
ni osamos,
porque nos defende Dios
que no pensemos en ella,
que pecamos.
Y manda, no sé por qué,
que, por do vaya o esté,
la tierra sea sagrada,
y sea luego adorada
la pisada de su pie.
¡Oh herege entre barones!
¿Puede ser mayor locura
que la excelsa hermosura
compararla con tisones,
contra Dios, contra natura?

335

340

345

350

CAMILOTE.

Ante que hayamos enojos,
cavallero, abrí los ojos,
que devéis tener lagaña
y véis por tela d'araña:
¡cúmpleos poner antojos!

355

---

331 *desmandáis*. En 1562, *demandáis;* corrijo según 1586.
351 *tisones*, 'tizones'. Quizá sea errata.

	D. Robusto.	¿A qué tengo de mirar?
	Camilote.	La belleza de Maimonda,
360		que en la tierra, a la redonda,
		no se halló nunca su par
		ni señora de su suerte.
	D. Robusto.	Más cercana os es la muerte
		que la verdad, cavallero.
f. 126 a.; 365	Camilote.	Yo he sido tan certero
		que os juro que os acierte.
	D. Robusto.	Decid antes que os conquiste,
		con los hinojos hincados,
		la oración de los ahorcados,
370		que es ell *anima Christe*,
		por vuessa ánima y pecados.
	Camilote.	¡Oh Maimonda, mi señora,
		vos me quitáis el recelo!
	D. Robusto.	Yo os juro a Dios del cielo
375		que presto la dexéis ora.
	Camilote.	¡Vos ya no sois don Duardos,
		ni menos Primaleón
		no seréis!
	D. Robusto.	Ni soy de los más bastardos
380		en esfuerço y coraçón,
		como veréis.
		Y devéis por honra vuessa,
		pues de morir tenéis cierto
		de esta trecha,
385		buscar luego, antes de muerto,
		el que os haga la huessa
		muy bien hecha.
	Camilote.	¿Ansí?
	D. Robusto.	¡Sí, don salvaje!
390	Camilote.	Muy alto, esclarecido
		emperador:
		yo nunca sofrí ultrage,
		sino sólo ser vencido
		del amor.

---

370 *ell «anima Christe».* Véase Gillet, III, **311-312**, nota **38**.

Cogí en bravas montañas
esta grinalda de rosas,   395
    por hazaña,
entre diez mil alimañas
muy fieras, muy peligrosas,
    ¡cosa estraña!
    Y pues a tan peligrosa   400
ventura, de buena gana
    me ofrecí,
la doy a la más hermosa
que nació en la vida humana   f. 126 b.
    hasta aquí.   405
    Y qualquiera cavallero
de esta corte, que dixiere
    que su dama
la merece por entero,
salga, y muera el que moriere,   410
    por la fama.
    Y aún qualquier que dixiere
que a Flérida conviene
    más que a ella,
yo le haré conocer   415
que miente con quanto tiene,
    delante ella.

D. Robusto. Yo os lo quiero combatir.

Camilote. ¿Vos, señor emperador,
    dais licencia?   420

Emperador. Sí doy, y allá quiero ir
ver el campo y el loor
    y la sentencia.

Vanse todos y entra la infanta Olimba
con Don Duardos.

---

399 *estraña*. En 1562, *estaña*, evidente errata.
412 *dixiere*. La rima exige *dixier*, como en portugués *(disser);* formas apocopadas del futuro de subjuntivo existen tanto en español medieval como en Lucas Fernández.

OLIMBA.	¿Quánto tiempo ha, señor
425	don Duardos, que partistes
	de Inglaterra?
D. DUARDOS.	No lo sé, porque el amor
	en la cuenta de los tristes
	siempre yerra.
430	Después que a Flérida vi,
	quando con Primaleón
	combatía,
	perdí la cuenta de mí,
	y cobré esta passión
435	que era mía.
	Alcançó paz a su hermano;
	trúxome guerra consigo
	sólo en vella,
	tal, que no es en mi mano
440	haver nunca paz comigo
f. 126 c.	ni con ella.
	Dezidme, señora ifanta:
	Flérida, ¿cómo la haveré?
OLIMBA.	Con fatiga,
445	porque es su gravedad tanta,
	mi señor, que yo no sé
	qué os diga.
	Mas es esso de hacer
	que vencerdes a Melcar
450	en Normandía,
	ni quando fuistes prender
	a Lerfira en la mar
	de Turquía;
	ni matardes al soldán
455	de Babilonia, que matastes
	y tan presto,
	por librardes de afán
	Belagriz, como librastes:
	¡más es esto!

449 *vencerdes.* Infinitivo conjugado; véase *Auto pastoril,* nota 369.

D. DUARDOS. Essa guerra es ya vencida. 460
     ¡En ésta quería esperança
     de vencer!
OLIMBA. No la tengáis por perdida,
     que lo mucho no se alcança
     a bel plazer. 465
     Muchos son enamorados
     y muy pocos escogidos,
     que amor,
     a los más altos estados,
     aunque los haga abatidos, 470
     es loor.
     Dígolo porque si a Flérida
     amáis, como havéis contado
     y referido,
     cúmpleos mudar la vida 475
     y el nombre y el estado
     y el vestido.
D. DUARDOS. ¡Y aún el ánima mía
     mudaré de mis entrañas
     al infierno! 480
OLIMBA. Si amáis por essa vía, f. 126 d.
     haréis las duras montañas
     plado tierno.
     Iros hes a su hortelano,
     vestido de paños viles, 485
     con paciencia,
     de príncipe hecho villano,
     porque las mañas sotiles
     son prudencia,

---

465 *a bel plazer.* Cf. port. *a bel prazer.* No faltan ejemplos de *bel* en poesía española del quinientos, en frases como *bel mirar.* Véase D. Alonso, nota 469 (errata por 465).

472 *Flerida.* Nótese la acentuación llana, exigida por la rima. Hay buenas razones, sin embargo, para creer que el nombre tuviera generalmente acentuación esdrújula. Véase D. Alonso, nota 472.

483 *plado,* 'prado'. Ultracorrección, basada en la correspondencia español *playa,* port. *praia;* esp. *plaza,* port. *praça,* etc.

484 *iros hes,* 'os iréis'. Véase *Auto pastoril,* nota 238.

490
y assentaros hes con él,
después que le prometiéredes
provecho,
y avisaros hes de él,
que no sinta en lo que hizierdes
495
vuesso hecho.
Llevad estas pieças de oro
y esta copa de las hadas
preciosas;
ternéis las noches de moro
500
y *ternéis* las madrugadas
muy llorosas.
Hazed que beva por ella
Flérida, porque el amor
que le tenéis
505
a ella, os terná ella,
y perdida de dolor
la cobraréis.

D. DUARDOS.　　A los dioses inmortales
suplico, señora mía,
510
os den gloria,
y aministren a mis males
camino, por esta vía,
de vitoria.

OLIMBA.　　¡Amén!, y ansí será,
515
porque en Venus confío,
mi señora,
que lo que suele hará,
y le embiaré el clamor mío
cada hora.

f. 127 a.　　*Vanse DON DUARDOS y OLIMBA. [La
escena es ahora en la huerta de FLÉRIDA] y
vienen los hortelanos de la huerta: JULIÁN,
COSTANZA ROIZ, su mujer, y FRANCISCO y
JUAN, sus hijos. Y dice JULIÁN:*

494　*sinta,* 'sienta'. Lusismo, quizá de imprenta.
500　Suplo *ternéis* según 1586.

JULIÁN.	¡Costança Roiz amada!	520
COSTANZA.	Mi Julián, ¿qué mandáis?	
JULIÁN.	Que miréis cómo regáis,	
	que estragáis la mesturada,	
	que esta huerta	
	me tiene la vida muerta.	525
COSTANZA.	¡Amargo estáis!	
JULIÁN.	¡Tapad presto!	

[*Se llama a la puerta.*]

COSTANZA.	Mi amor, ¿qué fue ahora esto?	
FRANCISCO.	No sé quién llama a la puerta.	
JULIÁN.	Mi fe, sea quien quisiere,	
	¡monda, acaba norabuena,	530
	ve, abaxa la melena!	
FRANCISCO.	¡Para 'l ruin que tal hiziere!	
	Vaya Juan.	
JUAN.	Primero vendrá del pan	
	y tocino una pieça,	535
	que yo baxe la cabeza.	
JULIÁN.	¡Ve, apaña el açafrán!	
JUAN.	¡Cuerpo de Dios con la vida!	
	Pues tengo el nabo regado	
	y el rosal apañado,	540
	¿no mereço la comida?	
JULIÁN.	Es plazer.	
	Mirad, señora muger.	
COSTANZA.	¿Qué miráis, mi corderito?	
JULIÁN.	¡Quán ufano y quán bonito	545
	está el pomar dende ayer!	
COSTANZA.	¡Oh, qué cosa es el verano!	
JULIÁN.	Mirad, mi alma, el rosal	
	cómo está tan cordeal	
	y el peral tan loçano.	550

---

523 *mesturada*. Dice D. Alonso que «parece indicar algún cultivo en que se mezclen varias especies vegetales (?)».
541 *mereço*, 'merezco'. Lusismo, empleado por Gil Vicente al lado de *meresco* y *merezco*. Véase Teyssier, págs. 372-373.
547 *verano*, 'primavera', como en el *Cuatro tiempos*.

COSTANZA.   ¡Quán alegre y quán florido
                     está, señor mi marido,
                     el jazmín y los granados,
f. 127 b.   los membrillos quán rosados,
555   y todo tan florecido!
                     Los naranjos y mançanos...
                     ¡alabado sea Dios!
JULIÁN.   Pues más florida estáis vos.

                     [*Se llama otra vez a la puerta.*]

FRANCISCO.   Padre, ¿no oís batir
560   a la puerta ha ya un mes?
JULIÁN.   Algo vienen a pedir.

                     [*Va JULIÁN a la puerta.*]

                     ¿Quién está hí?
D. DUARDOS.   ¡De paz es!
                     Julián, por Dios os ruego
                     que abráis.
JULIÁN.   Sí abrería,
565   mas Flérida vendrá luego.
D. DUARDOS.   Pues, Julián, yo os dería
                     cosas de vuesso sossiego
                     y descanso y alegría.

JULIÁN.   Esperad, y llamaré
570   la señora mi muger,
                     que, si es cosa de plazer,
                     solo no lo quiero ver,
                     porque no lo gustaré.
                     Costança Roiz, vení acá,
575   que sin vos soy todo nada.
                     Catad, señor, que esta entrada
                     nunca se dio ni dará,
                     que esta huerta es muy guardada.

559-560 *batir a la puerta,* 'llamar a la puerta'. Cf. port. *bater à porta.*
564-566 *abrería... dería,* 'abriría... diría'. Es frecuente en portugués la disimilación de *-i-* en *-e-* ante *-i-* acentuada; véase Joseph Dunn, *A Grammar of the Portuguese Language* (Londres, 1930), págs. 18-19.

Ábrele la puerta, y, viéndole en traje de trabajador, le dice:

JULIÁN.   Pero ¿dónde sois, hermano?

D. DUARDOS.   D'Inglaterra.

JULIÁN.   ¿Y qué mandáis?   580

D. DUARDOS.   Querría ser hortelano
si vos me lo enseñáis;
y quiero dezirlo llano:
    en esta huerta, señor,
está terrible tesoro   585
que infinitas peças d'oro,
y sólo yo soy sabidor:
    esto es cierto.
Hagamos un tal concierto
que me tengáis simulado,   590
y de vos perdé el cuidado
si tenéis esto encubierto.

JULIÁN.   A la infanta ¿qué diremos   f. 127 c.
se os viere aquí andar?

COSTANZA.   Por hijo puede passar;   595
Julián le llamaremos.
    Vendrá ora,
y yo le diré: «Señora...»
Y lo demás quiero callar.
Bien podéis aquí andar,   600
y vengáis mucho en buen hora.

Al entrar DON DUARDOS en la huerta dice:

D. DUARDOS.   ¡Huerta bienaventurada,
jardín de mi sepultura
    dolorida,
yo adoro la entrada,   605
aunque fuesse sin ventura
    la salida!

---

579   *dónde.* 'de dónde'. Véase *Viudo*, nota 438.
594   *se*, 'si'. Véase *Reyes magos*, nota 129.
605   *adoro*. En 1562, *adora*, evidente errata.

[*Vase* Don Duardos.] *Viene* Flérida
con sus damas, Amandria *y* Artada, *y
vienen platicando por la huerta sobre el
desafío de* Don Duardos *con* Primaleón.

FLÉRIDA.   ¡Oh quánto honran la tierra
                 los cavalleros andantes
610   esforçados!
AMANDRIA.   Mucho enamora su guerra,
                 y aborrecen los galanes
                      regalados.
FLÉRIDA.   ¡Oh, qué grande cavallero!
615 ARTADA.   ¿Quál, señora?
FLÉRIDA.   El que herió
                 a Primaleón.
ARTADA.   No vino tal venturero
                 a la corte, ni se vio
                      tal coraçón.
620 AMANDRIA.   ¿Supo, señora, quién era?
FLÉRIDA.   Nunca se me quiso dar
                 a conocer,
                 mas, a según su manera,
                 gran señor, a mi pensar,
. 127 d.; 625   devía ser.
ARTADA.   ¡Quán fuertemente lidiava!
AMANDRIA.   ¡Oh, cómo se combatía
                      apresurado!
FLÉRIDA.   ¡Qué ricas armas armava
630   y quán mañoso lo hazía
                 y quán osado!

[*Viene* Costanza Roiz *con unas rosas
para* Flérida.]

---

612 *aborrecen,* 'producen aborrecimiento'. Véase D. Alonso, nota 613.
620 *supo.* En 1562, *supe.* Es lusismo que lo mismo puede deberse al
autor que al impresor. En portugués la tercera persona del singular del
pretérito de *saber* es igual que la primera *(soube).*

Costanza.	Dios bendiga a vuessa alteza
	y os dé mucha salud,
	y logréis la juventud
	sin fatiga ni tristeza.
	Estas rosas
	son de las más olorosas.
Flérida.	Serán de casta d'Hungría.
	Mas, dezidme, ¿no es día
	hoy de hazer afán?
	¿Dónde es ido Julián
	y toda su compañía?
Costanza.	No es día de holgar,
	sino donde hay plazer:
	un hijo nos vino ayer,
	que nos quitó gran pesar.
Flérida.	¡Bendígaos Dios!
	¿Otro hijo tenéis vos?
Costanza.	Veinte años haze este mes.
Flérida.	Pues que vuesso hijo es,
	dezilde que venga a nos.
Costanza.	Viene roto; hasta mañana
	no osará parecer.
Flérida.	El hombre queremos ver,
	que los paños son de lana.
Costanza.	¡Julián, mi hijo, mi diamán!,
	llámaos la Princesa
	Flérida.

635

640

645

650

655

[*Sale* Don Duardos.]

D. Duardos.	¡Mas diesa
	que todos alabarán!
	¿Quál corazón osa ahora,
	en tan disforme visage
	y vil figura,
	ir delante una señora
	tan altísima en linage
	y hermosura?

660

f. 128 a.; 66

---

656 *diamán*, 'diamante'. En 1562, *Damián*, que parece errata; corrijo según 1586.

Y vos, mis ojos indignos,
¿quáles hados os mandaron,
siendo humanos,
ir a ver los más divinos
670 que los dioses matizaron
con sus manos?

FLÉRIDA.   ¿Ha mucho que eres venido?
¿En qué tierras andoviste,
Julián?
675 ¿No hablas?

ARTADA.   ¡Está corrido!
FLÉRIDA.   ¿Quánto havía que fuiste?
AMANDRIA.   ¿Quieres pan?
ARTADA.   ¡Bendiga Dios el niñito,
cómo es bonito y despierto!:
680 ¿no lo veis?

AMANDRIA.   Busquémosle un paxarito.
Éste ni vivo ni muerto,
¿para qué es?

ARTADA.   ¡El sí aprovechará
685 para bestia d'atahona!

AMANDRIA.   ¡Con retrancas!
ARTADA.   ¡Quán despacio molerá!
AMANDRIA.   ¡O espulgará la mona
por las ancas!

690 ARTADA.   Mas, ¡echémosle a nadar
en el tanque!

AMANDRIA.   ¡Bien será!
ARTADA.   ¡Suso, vamos!
FLÉRIDA.   ¿Por qué no quieres hablar?
ARTADA.   Señora, ¡él hablará
695 si lo echamos!

D. DUARDOS.   Señoras, quando el corazón
del esfuerço tiene mengua,
ya se piensa

---

666   *indignos.* Se pronunciaba sin duda *indinos;* nótese la rima. Véase también *Reyes magos,* nota 56.
677-685   En 1562 se atribuyen todos estos versos a Artada. Acepto
la enmienda propuesta por D. Alonso.

que, de fuerça y con razón,
será turbada la lengua   700
y suspensa.
Porque yo vide a Melisa
esposa de Recendós,
que Dios pintó;   f. 128 b.
vi Viceda y Valerisa,   705
por quien el rey Arnedós
se perdió.
Vi la hermosa Griola,
emperatriz d'Alemaña,
y sus donzellas;   710
vi Gridonia, una sola
imagen de gran hazaña
entre las bellas.
Y vi Silveda y Finea,
graciosíssima señora   715
mucho linda;
vi las hijas de Tedea
y vi la ifanta Campora
y Esmerinda.
Mas, con vuessa hermosura,   720
parecen moças d'aldea,
con ganado;
parecen viejas pinturas,
unas damas de Guinea,
con brocado.   725
Son unas sombras de vos
y figuras de unos paños
de Granada,

727-728 *paños de Granada.* Copio la nota de la edición de D. Alonso: «Sin duda, paños o tapices con figuras ¿humanas? Consultado por
mí, José Ferrándiz me comunica lo siguiente: 1.º) Durante los siglos XIV
y XV (pero no después de la conquista) se fabricaban en Granada telas
con pequeñas figuras humanas. 2.º) En Alcaraz, aproximadamente de
1450 a 1500, hubo una fabricación de alfombras con figuras femeninas,
caracterizadas por una falda muy ancha, campaniforme... Tal vez pudo
haber lo mismo en otras localidades. 3.º) Después de la conquista, hubo
varios bordadores granadinos de imaginería que trabajaron para los

		y tales os hizo Dios,

730 · · · · · · · · · · · que, aunque esté mudo mil años,
· · · · · · · · · · · · · · · · no es nada.

FLÉRIDA. · · · · ¿Viste a Primaleón
· · · · · · · · · · · · · en los reinos estrangeros,
· · · · · · · · · · · · · y sus famas?

735 D. DUARDOS. · No es de mi condición
· · · · · · · · · · · · · de mirar a cavalleros,
· · · · · · · · · · · · · sino a damas.

ARTADA. · · · · · ¿En ti se entiende mirar?

D. DUARDOS. · Conosco, señora mía,

740 · · · · · · · · · · · · · · que soy ciego,
· · · · · · · · · · · · · ni también puedo negar
· · · · · · · · · · · · · que, ciego, sin alegría
· · · · · · · · · · · · · ardo en fuego.

f. 128 c. · FLÉRIDA. · Deves hablar como vistes,

745 · · · · · · · · · · · o vestir como respondes.

D. DUARDOS. · · · · · Buen vestido
· · · · · · · · · · · · · no haze ledos los tristes.

FLÉRIDA. · · · · ¡Oxalá tuviessen condes
· · · · · · · · · · · · · · · tu sentido!

750 · · · · · · · · · · · · · Anda, vete agasajar
· · · · · · · · · · · · · con tus padres y hermanos,
· · · · · · · · · · · · · · · por los quales
· · · · · · · · · · · · · holgaré de te amparar.

D. DUARDOS. · Beso vuessas altas manos

755 · · · · · · · · · · · · · · divinales.

FLÉRIDA. · · · · Vete, con la bendición,
· · · · · · · · · · · · · a comer cebolla cruda,
· · · · · · · · · · · · · · · tu manjar.

Reyes Católicos. 4.º) De fines del siglo XV y principios del XVI hay
unas sargas pintadas por pintores de Granada. Son obras de mal arte,
y probablemente para uso local. ¿Es a alguno de estos tipos al que se
refiere GV?»

741 *ni también puedo negar.* El empleo de *también* en expresiones
negativas es frecuente en textos castellanos clásicos. En el portugués
moderno se usa mucho más *também não* que *tão pouco.*

756-758 La edición de 1586 adjudica estos versos a Amandria.

D. DUARDOS.   ¡Quien tiene tanta passión,   760
               todo comer se le muda
               en sospirar!

               [*Vase* DON DUARDOS.]

ARTADA.   El bovo muy bien assenta
               sus razones, y dirán
               sin letijo,
               si lo mira quien lo sienta,   765
               que no hizo Julián
               aquel hijo.
AMANDRIA.   Venida es la noche escura:
               váyase vuessa alteza.
FLÉRIDA.   Aquel tal   770
               que lamenta su ventura
               y exclama su tristeza...,
               ¿de qué mal?
AMANDRIA.   Es un modo de hablar
               general, que oís dezir   775
               a amadores,
               que a todos veréis quexar,
               y ninguno veréis morir
               por amores.
               Julián, sin saber qué es,   780
               quiere ordenar también
               de quexarse,
               y muchos tales verés;   f. 128 d.
               mas querría ver alguién   785
               que amase.
               Si alguno al dios Apolo
               hiziesse adoración
               por su dama,
               y esto estando solo
               y llorando su passión,   790
               éste ama.

---

764 *letijo*, 'litigio, contienda'. Aquí significa más bien 'sin contra-
dicción'. Véase *Casandra*, nota 188.

Mas delante son Mancías;
en ausencia son olvido:
y el querer
795   es amar noches y días,
y quanto menos querido,
más plazer.

Estas cosas las va diciendo AMANDRIA
al marcharse de la huerta FLÉRIDA *y sus
damas; e idas [las tres, viene* DON DUAR-
DOS *con* JULIÁN *y* COSTANZA, *y] dice* DON
DUARDOS *a* JULIÁN:

D. DUARDOS.   Toda esta noche, señor,
me conviene trabajar,
800   que el tesoro
de noche quiere el lavor;
yo me voy luego a cavar
como moro.

COSTANZA.   Ora, andad con Dios, hermano,
805   Yo quiero cerrar mi puerta
bien cerrada.
Las noches son de verano;
aunque durmáis en la huerta
no es nada.

810   ¡Oh, señores tres reys magos
que venistes de Oriente,
por vuessos santos milagros,
que ayudéis aquel bergante
a buscar muchos ducados!

815 JULIÁN.   Veníos acostar, señora.

[*Canta* JULIÁN.]

f. 129 a.   «Soledad tengo de ti,
¡oh, tierras donde nascí!»

---

792   *Mancías*, 'Macías'.
801   *el lavor.* Masculino en portugués, como lo es también con frecuencia en textos leoneses medievales. Véase Corominas, s. v.
811   *Oriante*, 'Oriente'.
816   «Soledad tengo de ti.» Canción incluida por Juan Vásquez en
su *Recopilación de sonetos y villancicos* (Sevilla, 1560); hay una edición

COSTANZA.   ¡Ay, mi amor, cantalda ahora!

              (Canta JULIÁN.)

JULIÁN.   «Soledad tengo de ti,
              ¡oh, tierras donde nascí!»   820

              (Hablado.)

              ¡Bien solía yo mosicar
              'n el tiempo que Dios querría!
COSTANZA.   Como os oyo cantar
              llórame ell ánima mía.
JULIÁN.   Vámonos ora acostar.   825

                    [*Vanse* JULIÁN *y* COSTANZA.]

                    [*Primer*] *Soliloquio de* DON DUARDOS.

D. DUARDOS.   ¡Oh, palacio consagrado!
              pues que tienes en tu mano
                    tal tesoro,
              devieras de ser labrado   830
              de otro metal más ufano
                    que no oro.
              Huvieron de ser robines,
              esmeraldas muy polidas
                    tus ventanas,
              pues que pueblan serafines   835
              tus entradas y salidas
                    soberanas.
                  Yo adoro, diosa mía,
              más que a los dioses sagrados,
                    tu alteza,   840
              que eres dios de mi alegría,
              criador de mis cuidados
                    y tristeza.

---

moderna de H. Anglés (Barcelona, 1946). D. Alonso cita la letra en su
nota al verso 817.
    832 *robines*, 'rubíes'.

A ti adoro, causadora
845 de este vil oficio triste
que escogí;
a ti adoro, señora,
que mi ánima quesiste
para ti.
850 No uses de poderosa
porque diziendo te alabes:
«yo vencí»;
ni sepas quánto hermosa
eres, que si lo sabes,
855 ¡ay de mí!
¡Oh, primor de las mugeres,
muestra de su excelencia,
f. 129 b la mayor!
¡Oh, señora, por quien eres,
860 no niegues la tu clemencia
a mi dolor!
¡Por los ojos piadosos
que te vi 'n este lugar,
tan sentidos,
865 claríficos y lumbrosos,
dos soles para cegar
los nacidos,
que alumbres mi coraçón,
oh, Flérida, diesa mía,
870 de tal suerte,
que mires la devoción
con que vengo en romería
por la muerte!
Tú duermes, yo me desvelo;
875 y también está dormida
mi esperança.
Yo solo, señora, velo,
sin Dios, sin alma, sin vida
y sin mudança.
880 Si el consuelo viene a mí,
como a mortal enemigo
le requiero:

«Consuelo, vete d'ahí,
no pierdas tiempo comigo,
  ni te quiero.» 885
Esto es ya claro día.
Darles he de este tesoro,
  porque el mío
es Flérida, señora mía,
de cuyo dios yo adoro 890
  su poderío.

[*Entran* JULIÁN *y* COSTANZA.]

JULIÁN.	Mala noche havéis llevado,
	harto escura, sin lunar.
D. DUARDOS.	Y sin plazer.
COSTANZA.	Vuesso almoço está guisado. 895
D. DUARDOS.	Trabajar y sospirar
	es mi comer.
	Veis aquí lo que saqué f. 129 c.
	aquesta noche primera.
JULIÁN.	¡Oh, qué cosa! 900
	¡Pardiez, aína diré
	que no es Flérida en su manera
	tan hermosa!
D. DUARDOS.	¡Ay, ay!
JULIÁN.	¿Venís cansado?
D. DUARDOS.	Mi coraçón lo diría 905
	si osasse.
COSTANZA.	¿Comeréis un huevo assado,
	mi hijo, mi alegría?
	¿O qué queréis que os asse?
D. DUARDOS.	No hablemos en comer: 910
	dexadme gastar la vida
	en mi tesoro.

---

886 *«esto es ya claro día»*. Lusismo sintáctico. Cf. «Isto quer amanhe-
cer» *(Auto da Índia,* fol. 197 a).
893 *lunar,* 'luz de la luna'. Lusismo (port. *luar).*
895 *almoço,* 'almuerzo'. Lusismo.

Esta copa ha d'haver
Flérida, que es descendida
915   de un rey moro;
ésta le viene de herencia
de sus agüelos pasados.
            Cumple a nos
dársela por conciencia;
920   y los trezientos ducados,
            para vos.

COSTANZA.   ¡Oh, mi hijo y mi hermano,
mi sancto descanso mío
            y de mi vida:
925   Dios os truxo a nuestra mano,
y fue por él, yo os fío,
            la venida!
Su alteza vendrá ora,
que ya acabó de jantar
930   ha buen rato.

JULIÁN.   ¡Oh, Dios! ¡Quién tuviera ahora
para os agasajar
            un buen pato!

COSTANZA.   Andad acá, hijos míos,
935   y pornemos en recaudo
            lo que hallamos.

f. 129 d. ¡Dios sabe ora quán vazíos
y sin blanca ni cornado
            nos hallamos!
940   Vamos, hijo, a la posada,
y descansaréis, siquiera,
            de la noche

---

929   *jantar*, 'yantar, comer'. Lusismo (port. *jantar*). Véase Teyssier,
página 372.

935   *recaudo*. En 1586, *recado*, que mejora la rima; nótese, sin embargo, que ésta es buena en portugués *(recado: cornado)*, y téngase en
cuenta lo dicho en la introducción.

942   *noche*. Según D. Alonso, la rima exige una pronunciación *nue-
che*, forma que existía en leonés antiguo. Teyssier, pág. 321, rechaza
tal explicación, insistiendo en que Gil Vicente «considérait que cette

mala que havéis llevada:
no faltará una estera
   en que os eche.

[Vanse todos y] vienen FLÉRIDA, ARTA-
DA *y* AMANDRIA *a la huerta, y dice* FLÉ-
RIDA:

FLÉRIDA.	¡Jesús!, ¿qué cosa es ésta?
	¡No hazen hoy labor
	ni ayer!
ARTADA.	Terná ochavas la fiesta
	de su hijo y su amor,
	con plazer.
FLÉRIDA.	Amandria, por vida vuestra,
	que lo busquéis, y llamaldo.
AMANDRIA.	Sí, señora.
FLÉRIDA.	Y si os hiziere muestra
	de poca gana, dexaldo
	por ahora.

[Vase AMANDRIA *y vuelve con* DON
DUARDOS.]

AMANDRIA.	Dize la señora infanta
	que holgara de te ver
	trabajar.
D. DUARDOS.	No será su gana tanta
	quanto será mi placer
	de la agradar.
AMANDRIA.	¿Sabes sembrar toda suerte?
D. DUARDOS.	Señora, soy singular
	hortelano;
	mas esta tierra es tan fuerte,
	que pienso que el trabajar
	será en vano.

'rime' était suffisante par une extension et une généralisation de l'équi-
valence *o-ue*. Lo cierto es que la rima es mala, tanto en castellano
como en portugués *(noite: deita)*.

970
         Cavaré de coraçón
         y regaré con mis ojos
            lo sembrado:
         no cansará mi passión,
         porque mis tristes enojos

975
            son de grado.

         [*Llegan adonde está* FLÉRIDA.]

f. 130 a. AMANDRIA.   Señora, por mi salud,
                    que yo no puedo entender
                       hombre tal.
        D. DUARDOS. ¡Oh, triste mi juventud,
980
                    tú veniste a mi poder
                       por mi mal!
        FLÉRIDA.   ¿De qué te quexas?
        D. DUARDOS.   De Dios,
                    porque no nos hizo iguales
                       los nacidos,
985
                    y, sin manzilla de nos,
                    nos dio ojos corporales
                       y sentidos.
                    Los ojos para mirar,
                    sentir para conocer
990
                       lo mejor,
                    alma para dessear,
                    coraçón para querer
                       su dolor.
        FLÉRIDA.   ¿Sabes ler y escrevir?
995 D. DUARDOS. Señora, no soy acordado
                    si lo sé.
        FLÉRIDA.   ¿Haste de tornar a ir?
        D. DUARDOS. Si me prendió mi cuidado,
                    ¿a dó me iré?

         [*Entra* COSTANZA *con fruta para* FLÉ-
         RIDA.]

---

    975 *son de grado.* Tomo este verso, necesario para completar la fra-
se, de la edición de 1586.

COSTANZA.	Señora, haze gran siesta.	1000
	Coma vuessa Alteza de esta fruta mía,	
	pues le plaze con mi fiesta.	
FLÉRIDA.	Amandria, hazedme presta agua fría.	1005

[COSTANZA ROIZ *se ofrece a traérsela y vuelve en seguida trayendo*] *agua para* FLÉRIDA *en la copa encantada. Y al verla, dice* AMANDRIA *primero:*

AMANDRIA.	¡Qué copa tan singular! ¿Vuessa es ésta?	
COSTANZA.	Sí, señora, rosa mía.	
AMANDRIA.	¡Dios os la dexe lograr!	
COSTANZA.	Mi hijo la truxo ahora de Turquía.	1010
FLÉRIDA.	¡Oh, qué copa tan hermosa! Tal joya, ¿cúya será?	f. 130 b.
D. DUARDOS.	Vuessa, señora. Y no es tan preciosa como es la voluntad que la dora.	1015
FLÉRIDA.	¿Dónde la huviste, Julián?	
D. DUARDOS.	En unas luchas reales la gané.	1020
FLÉRIDA.	Quiérola, y pagártela han.	
D. DUARDOS.	¡Si fuessen pagas iguales a mi fe!	

Después de beber FLÉRIDA, *dice ella:*

1000 *siesta,* 'calor, especialmente el de las primeras horas de la tarde'. Véase D. Alonso, nota 1001.

1004-1005 *hazedme presta | agua fría,* 'preparadme agua fría'. Gil Vicente castellaniza la expresión portuguesa *fazer prestes,* 'preparar'. Cf. *Gloria,* v. 38: «Hazed prestes la partida.» Nótese que en portugués la forma *prestes* se emplea a la vez como adverbio y como adjetivo invariable.

FLÉRIDA.   ¡Oh, qué agua tan sabrosa!
1025   toda se m'aposentó
                            'n el coraçón.
                  Y la copa, ¡muy graciosa!
                  ¡Oh, Dios libre a quien la dio
                            de passión!
1030 D. DUARDOS.   Voy, señora, a trabajar,
                  Dios sabe quán trabajado.
     FLÉRIDA.   Mucho mejor empleado
                  te devieras emplear.
                            Tu figura,
1035   en tal hábito y tonsura,
                  causa pesar en te viendo.
     D. DUARDOS. Pues aún quedo deviendo
                  loores a la ventura.
     FLÉRIDA.   ¿No fuera mejor que fueras
1040   a lo menos escudero?
     D. DUARDOS. Oh, señora, ansí me quiero:
                  hombre de baxas maneras;
                            que el estado
                  no es bienaventurado,
1045   que el precio está en la persona.
     ARTADA.   Señora, es hora de nona
                  y de os ir a vuesso estrado.
     FLÉRIDA.   Quédate adios, Julián.
     D. DUARDOS. Yo, señora, no me quedo:
1050   también vo.
Los cuidados quedarán;
                  pero yo quedar no puedo:
                            tal estó.
     FLÉRIDA.   ¿Adónde te quieres ir?
1055   No te vayas, por tu vida;
                            tien sossiego.
                  Y si te havías de partir,
                  ¿para qué era tu venida,
                            y irte luego?

1046   *es hora de nona*, 'son las tres de la tarde'.
1056   *tien*, 'ten'.

[*Aparte a* ARTADA:]

Si Julián se partiesse,   1060
por causa de nuestra vieja
pesarm'hía
como si mucho perdiesse.

ARTADA.   Si comigo se aconseja,
no se iría.   1065

[*Vanse* FLÉRIDA, ARTADA, AMANDRIA
y COSTANZA.] *Después de idas, dice* JU-
LIÁN *a* DON DUARDOS.

JULIÁN.   ¿Queréis ora que os diga?
Hermano, muy bien haréis
que esta noche no cavéis
ni os deis tanta fatiga.
Cenaremos,   1070
y, antes que nos echemos,
tomaremos colación.

D. DUARDOS. Ni yo ni mi coraçón
no cumple que reposemos.
Hora es que os acojáis;   1075
voy a cavar mi riqueza,
no que descubra tristeza
los secretos de mis ais.

[*Vase* JULIÁN.]

Soliloquio segundo de DON DUARDOS.

D. DUARDOS. ¡Oh, floresta de dolores,
árbores dulces, floridos,   1080
inmortales:
secárades vuessas flores
si tuviérades sentidos
humanales!

1078 *ais*, 'ayes'. Lusismo. Cf. *reys*, 'reyes', v. 810.
1080 *árbores*, 'árboles'. Lusismo, debido tal vez a la imprenta (portugués, *árvores*).

130 d.; 1085
                              Que partiéndose d'aquí
                              quien haze tan soberana
                                    mi tristura,
                              vos, de manzilla de mí,
                              estuviérades mañana
1090   sin verdura.
                              Pues acuérdesete, Amor,
                              que recuerdes mi señora
                                    que se acuerde
                              que no duerme mi dolor,
1095   ni soledad sola una hora
                                    se me pierde.
                              Amor, Amor, más te pido:
                              que cuando ya bien despierta
                                    la verás,
1100   que le digas al oído:
                              «Señora, la vuessa huerta...»,
                                    y no más...
                              Porque, Amor, yo quiero ver,
                              pues que dios eres llamado
1105   divinal,
                              si tu divinal poder
                              hará subir en borcado
                                    este sayal:
                              que, para seres loado,
1110   a milagros te esperamos,
                                    que lo igual
                              ya sin ti se está acabado.
                              Por lo impossible andamos:
                                    no por ál.
1115   Alborada, a ti adoro.
                              ¡Oh, mañana, a ti loamos
                                    de alegría!

1107 *borcado*, 'brocado'. Lusismo; se encuentran ambas formas en
las obras portuguesas vicentinas. Véase Teyssier, págs. 352-353.
   1112 *sin ti*. En 1562, *senti*, lusismo (port. *sem ti*) o tal vez simple
errata.

Quiero llevar más tesoro,
y contentar a mis amos,
   que es de día.   1120

Vase DON DUARDOS; *y viene* FLÉRIDA
descubriendo a ARTADA *el amor que tiene*
a DON DUARDOS, *sin saber quién era, y*
dice:

FLÉRIDA.   ¡Oh, Artada, mi amiga,   f. 131 a.
llave de mi coraçón!:
   tal me hallo,
que no sé cómo os diga
ni calle tanta passión   1125
   como callo.
Deziros quiero mi vida.
No que de tal desvarío
   digo nada;
mas es una alma perdida   1130
que habla en el cuerpo mío,
   ya finada.
Bien os podéis santiguar
de mí, que soy atentada
   del amor,   1135
y amor en tal lugar
que no oso dezir nada,
   de dolor.
Esconjuradme, y sabréis
de esta ánima que os digo   1140
   ya defunta,
quién era y de cúya es:
dirá que del enemigo
   toda yunta.

ARTADA.   No entiendo a vuessa alteza.   1145
FLÉRIDA.   Ni yo quisiera entender
               a Julián.

1144   *yunta,* 'junta'.

	ARTADA.	¡Jesús!, y vuessa grandeza,
		vuesso imperio y merecer,
1150		¿qué le dirán?
	FLÉRIDA.	Mas ¿qué haré?
	ARTADA.	¿Qué haréis?

Tenéis príncipe en Hungría
        y en Francia,
que vos muy bien merecéis,
1155   y príncipe en Normandía,
        que es ganancia.
Tenéis príncipe en romanos,
don Duardos en Inglaterra,
        gran señor,
131 b.; 1160   y todos en vuestras manos.

FLÉRIDA.   Julián me da la guerra
        por amor.
Esta noche lo asseché
y dixo que es cavallero,
1165   y no hortelano;
sabed de él, por vuestra fe,
qué hombre es, que crer no quiero
        que es villano.

Viene AMANDRIA *con las doncellas músicas, y dice:*

AMANDRIA.   La emperatriz, señora,
1170   vuessa madre, va a caçar.
Embíaos a preguntar
se iréis caçar ahora
o si holgáis más 'n el pomar.

FLÉRIDA.   No es razón,
1175   que está en muda mi halcón
y el açor desvelado,
y, más, ido el mi amado
hermano Primaleón.

1172 *se iréis,* 'si iréis'. Véase *Reyes magos,* nota 129.

Viene COSTANZA ROIZ, *y dice, llorando,
a* FLÉRIDA:

COSTANZA.	¿Ha hí açúcar rosado,	
	señora, en vuessa casa?	1180
FLÉRIDA.	¿Para qué?	
COSTANZA.	Mi hijo está maltratado,	
	que el coraçón se le abrasa.	
FLÉRIDA.	No lo sé.	
COSTANZA.	Dos vezes se ha amortecido.	1185
ARTADA.	¡Si lo apalpa la tierra!...	
AMANDRIA.	Quien guardó ganado en sierra,	
	en el poblado es perdido.	
COSTANZA.	Es mi hijo muy sesudo,	
	Nuesso Señor me lo guarde.	1190
	Sospira de tarde en tarde,	
	pero quéxase a menudo,	
	que el ánima se le arde.	
FLÉRIDA.	¿Qué será?	
COSTANZA.	Señora, no sé qué ha;	f. 131 c.; 11
	sus lágrimas son iguales	
	a perlas orientales:	
	tan gruessas salen d'allá.	
D. DUARDOS.	Madre, ¿dónde iré cavar?,	
	que no puedo estar parado	1200
	ni sossiego.	
	No se entienda descansar	
	en mí, porque, descansando,	
	muero luego.	
COSTANZA.	Mas dexad, hijo, la açada,	1205
	y mirad estas donzellas	
	que aquí veis.	
	Requebraos con Artada	
	y hablad con todas ellas,	
	y holgaréis.	1210

1186 *apalpa,* 'molesta, aflige'. Lusismo.

FLÉRIDA.   Vamos passar los calores
                     debaxo del naranjal.

D. DUARDOS.   Señora, ahí es natural:
                     caerá flor en las flores.

1215 FLÉRIDA.   ¿De manera
                     que siempre tienes ligera
                     la respuesta enamorada?

                [*Aparte a* ARTADA:]

                     ¿No os digo yo, Artada,
                     que va honda esta ribera?

1220 ARTADA.   Señora, yo estó espantada.

FLÉRIDA.   Tañed vuessos instrumentos,
                     que pensativa me siento,
                     y de un solo pensamiento
                     nacen muchos pensamientos,

1225   sin ningún contentamiento.
                     Yo sospecho
                     en el centro de mi pecho,
                     y mi coraçón sospecha
                     que esta cosa va derecha

1230   para yo perder derecho.

              Tocan las damas sus instrumentos, y
              dice ARTADA:

f. 131 d. ARTADA.   Señora, ¿qué cantaremos?

FLÉRIDA.   Julián lo dirá presto.

D. DUARDOS.   Señoras, cantad aquesto:
                     «¡Oh, mi passión dolorosa,

1235   aunque penes, no te quexes,
                     ni te acabes, ni me dexes.
                     Dos mil sospiros embío
                     y doblados pensamientos,
                     que me trayan más tromentos

1240   al triste coraçón mío.
                     Pues amor, que es señorío,
                     te manda que no me dexes,
                     no te acabes ni te quexes!»

FLÉRIDA.	Mas, cantad esta canción: «Quien pone su afición do ningún remedio espera, no se aquexe porque muera.»	1245
D. DUARDOS.	Mas, podéis muy bien cantar: «Aunque no espero gozar galardón de mi servir, no me entiendo arrepentir.»	1250

Cantan esta cantiga, y acabada, dice DON
DUARDOS:

D. DUARDOS.	No más, por amor de Dios, que yo me siento espirar. ¡Oh, señoras, quién fuesse esclavo de vos!	1255

[*Dice* ARTADA *a* FLÉRIDA:]

ARTADA.	Señora, para más holgar no son horas.	
AMANDRIA.	La música deve ser su madre de la tristura.	
FLÉRIDA.	¡Oh, cuitada, quién me tornasse a nascer, pues me tiene la ventura condenada! Holgara de oir cantar: «Si eres para librar mi coraçón de fatigas, ¡ay, por Dios, tú me lo digas!»	1360 1265 f. 132 a.

1245 «Quien pone su afición.» Se conserva la letra y la música (de
Badajoz) de esta canción en el *Cancionero musical,* núm. 167. La letra
está en D. Alonso, nota 1246-1248.

1249 «Aunque no espero gozar.» Otra canción conservada en Barbieri, ob. cit., núm. 216; la música es de Millán. D. Alonso —nota 1250-
1252—, cita el estribillo y la primera estrofa.

1265 «Si eres para librar.» Modificación del núm. 128 del *Cancione-
ro* de Barbieri: «Si no piensas remediar | mis males y mis fatigas | ¡ay,
por Dios, no me lo digas!»

D. Duardos.	Por deshecha cantarán:
	«El galgo y el gavilán
1270	no so matan por la prea,
	sino porque es su ralea.»
Flérida.	¡Adiós, adios, Julián!
	Esta huerta te encomiendo
	por tu fe.
1275 D. Duardos.	Mis ojos la mirarán,
	mas sospirando y gemiendo
	la veré.

Yéndose Flérida, *llorando, con sus damas, dice* Artada:

Artada.	¿Cómo vais ansí, señora?
Flérida.	No sé, llóranme los ojos
1280	de contino;
	y también mi alma llora,
	y son tantos mis enojos
	que me fino.

[*Vanse* Flérida *y sus damas y* Costanza.] *Viendo* Don Duardos *la pena de* Flérida, *dice:*

D. Duardos.	¡Oh, mi ansia peligrosa,
1285	dolor que *no* tiene medio,
	pues busqué
	medicina provechosa,
	y con el mismo remedio
	me maté!
1290	Que si Flérida es herida
	de tal dolor como yo,
	tan estraño,

1268   *deshecha.* Cf. Covarrubias, s. v. *desecha:* «Un cierto género de cancioncita con que se acaba el canto. Y desecha vale despedida cortés.»

1269-1271   Refrán citado, con alguna modificación, por Correas, página 221. *Prea,* 'presa', se encuentra todavía en algún texto poético del siglo XV. Véase D. Alonso, nota 1270-1272.

1285   Tomo *no,* necesario por el sentido, de la edición de 1586.

¡oh, cuitada de mi vida!
mi coraçón, ¿qué ganó
   en tal daño?   1295
¡Oh, Olimba! ¡qué heziste?:
que para remediarme,
   de mil suertes
heziste a Flérida triste;
y verla triste es matarme   1300
   de mil muertes.
La copa me echó en medio
de un plazer que me desplaze   f. 132 b.
   y descontenta;
pues, ahora, ¿qué remedio?,   1305
que lo que me satisface
   me atromenta.
Oh, preciosa diesa mía,
yo confiesso que pequé,
   señora, a ti,   1310
y por esso ell alegría
del remedio que busqué
   es contra mí:
conozco que fue traición.
¡Perdona, rosa del mundo,   1315
   al que pecó,
porque fue mi coraçón,
que con gran querer profundo
   te erró!

Viene JULIÁN *a visitar a* DON DUARDOS
y viene cantando:

JULIÁN.   «Éste es el calbi ora bi   1320
            el calbi sol fa mellorado.»

1320 *«Éste es el calbi ora bi.»* Fragmento de una canción árabe que
se identifica probablemente con la citada por Francisco Salinas en sus
De musica libri tres (Salamanca, 1577) y quizá también con el *cabel el
orabyn* del *Libro de buen amor* (estrofa 1229). *Calbi* parece ser *qalbī*,
'mi corazón'. Véase la edición de D. Alonso, nota 1321-1322.

D. Duardos.	¡Quién tuviesse el tu cuidado,
	y no del triste de mí!
Julián.	¿Cómo os va, bon amí?
1325 D. Duardos.	Cansado.
Julián.	Parece que havéis llorado.
D. Duardos.	Nunca tan triste me vi.

No me hallo en esta tierra,
y este tesoro me tiene;
1330 éste sólo me da guerra,
que, quando andaba en la sierra,
hazía vida solene.

Julián.   Pues deveisos d'avezar
a bivir entre la gente,
1335 y será bien de os casar
en este nuestro lugar
con una moça valliente.

     Quiéroos dar
moça que tiene un telar
1340 y arquibanco de pino,
afuera que ha de heredar
f. 132 c.   una burra y un pumar
y un mulato y un molino.

     No os burléis, hermano, vos:
1345 que la pide un calcetero
y un curtidor o dos,
y por aquí plazerá a Dios
que saldréis de ser vaquero.

Es moça baxa, doblada,
1350 es morena pretellona,

1324 *bon amí*, 'buen amigo'. Sobre el empleo de la lengua francesa en el teatro vicentino, véase doña Carolina Michaëlis, págs. 504-506; Teyssier, págs. 265-290.

1332 *solene*, 'solemne'. Puede ser lusismo (port. *solene*), pero téngase en cuenta que la grafía sin -*m*- es la más usual en textos castellanos de la época. Véase Corominas, s. v.

1350 *pretellona*. Castellanización del portugués *pretalhão*, 'negro alto y fuerte'. Parece significar 'muy morena, carinegra'. Para el uso de *preto* con esta significación en portugués, compárese la conocida poesía de Camões, *A uma escrava chamada Bárbara*, y, sobre todo, el verso 25:

> graciosa, tan salada
> que no la mira persona
> que no quede enamorada.
> Es muchacha que havrá
> treinta años que tiene muelas,   1355
> y, según holgada está,
> a la voluntad me da
> que escusadas son espuelas.
> Júroos, hermano mío,
> que os viene Dios a ver,   1360
> que, aunque el padre fue judío,
> y su padre y su nacío,
> tiene muy bien de comer.
> Sí, por Dios, que no os miento.

D. DUARDOS. Ios, Julián amigo: 1365
> no habléis cosa de viento,
> que el cansado pensamiento
> harto mal tiene consigo.

> [*Llama* JULIÁN *a* COSTANÇA.]

JULIÁN. ¡Costança Roiz, amor mío!
> ¡Ah, señora, vida mía!   1370

> [*Sale* COSTANZA.]

COSTANZA. ¿Qué me queréis, señor mío!
JULIÁN. Que sin vuessa compañía
> no tengo plazer ni brío.
> Estoyle diziendo yo
> que case con Grimanesa;   1375
> pues que tanto bien halló
> y para nos lo cavó,
> que le demos buena empresa.

«Pretidão de Amor!» Dice Silvio Pellegrini, en su edición de las *Liriche* (Módena, 1951): «Quanto a 'pretidão', non è detto che debba di necessità alludere a una negra, anziché, semplicemente, a una persona dalla pelle intensamente bruna; siffatto uso iperbolico è corrente anche in portoghese.»

1362 *nacío*, 'nacimiento, linaje'. Gil Vicente emplea también la forma *natío*. Véase *Auto pastoril*, nota 163.

COSTANZA.	Si la moça no rehusa,
1380	buen casamiento sería;
f. 132 d.	mas es una garatusa
	que de mil otros se escusa
	que la piden cadaldía.

[*Habla* DON DUARDOS *aparte.*]

D. DUARDOS.	Fortuna, duélete de mí
1385	y haze cuenta comigo:
	no cobres fama por mí
	de cruel, porque está aquí
	el mi cruel enemigo.
	¿Ahora vienes con esto,
1390	quando yo la muerte pido?
	¡Oh, mi dios, señor Copido,
	loado seas por esto,
	que a tal punto me has traído!
JULIÁN.	¿Qué dezís?
D. DUARDOS.	Yo me entiendo.
1395 JULIÁN.	¡Anda hombre por honraros
	y ampararos y obrigaros,
	y aún vos estáis gruñiendo!
	Por vida de esta mi amada,
	que es la moça (¡y qué tal
1400	moça!) machuela y doblada,
	pescoço cuerto, amassada,
	salada como la sal.
	¡Y vos aún rehusáis
	de casar con Grimanesa!
1405	¡Oh, qué moça allí dexáis!

1381 *garatusa*. No sé qué significado puede tener aquí. Según Dámaso Alonso tal vez signifique 'dengosa' o 'trapacera'. Me parece más probable la primera acepción.

1385 *haze*, 'haz'. En portugués la forma correcta y literaria del imperativo es *faze*; en la lengua hablada, sin embargo, se emplea hoy casi exclusivamente *faz*. Véase Dunn, ob. cit., párrafo 476.

1400 *machuela*, 'marimacho' [?].

1401 *pescoço cuerto, amassada*, 'pescuezo corto, achatada'. *Amassada* es lusismo.

D. DUARDOS. Ruégoos mucho que os vais:
iré proseguir mi empresa.

Vanse los hortelanos y queda solo DON
DUARDOS. *Y porque la princesa* FLÉRIDA,
*queriéndose apartar de esta conversación, y
temiendo el mal que se le podía seguir, determinó no volver a la huerta, dice* DON
DUARDOS *lo que sigue en este tercer soliloquio:*

[*Soliloquio tercero de* DON DUARDOS.]

D. DUARDOS. Tres días ha que no viene:
guisándome está la muerte
mi señora.   1410
Señora, ¿quién te detiene?
No sé cómo estoy sin verte   f. 133 a.
sola una hora.
Pues de darme eres servida
despiadosa batalla   1415
y triste guerra,
y mi paz está perdida,
¡muerte, llévame a buscalla
so la tierra!
Que, quando Amor me prendió,   1420
dixo: «Presto has de morir
por justicia.»
Luego me sentenció,
y aluéngame el bivir
con malicia.   1425
Dios de amor, ¿no te contentas
que te quiero dar la vida
'n este día,
la misma que tú atromentas?
¡Sácame la dolorida   1430
alma mía!

1406 *vais*, 'vayáis'.

¿Qué más quieres? ¡Oh, huerta,
desseo verte arrancada
donde estó!
1435   ¡Quema tu cierca y tu puerta,
pues estás tan olvidada
como yo!
Tu diosa, ¿por qué no viene
ver que este suyo se va
1440   al infierno,
onde por su amor pene,
y la gloria será,
que es eterno?

Apretando el amor a la princesa FLÉRI-
DA, *y no pudiendo ella cumplir el decreto
que a sí misma se impuso, manda primero
a* ARTADA; *y, viéndola venir* DON DUAR-
DOS, *dice entre sí:*

D. DUARDOS.   Aquí do viene Artada:
1445   del mal lo menos es bueno.
Ya siquiera
mi ánima atribulada
dirá el mal de que peno
y la manera.
f. 133 b.   Que no puede ser tan cruda
1450   la donzella bien criada
per nivel,
que no sea más sesuda,
más secreta y más callada
1455   que cruel.

1441   *onde por su amor pene. Onde* puede ser lusismo, pero téngase
en cuenta que abundan ejemplos en textos castellanos clásicos. Véase
Corominas, s. v. *donde.* En 1562, *por tu amor,* sin duda errata.

1451   *la donzella bien criada.* En 1562, *es bien criada;* el pasaje falta
en 1586. Acepto la enmienda de D. Alonso.

1452   *per nivel,* 'perfectamente, sin defecto'. Véase D. Alonso,
nota, 1453.

ARTADA.	Costança Roiz, ¿qué es de ella?
D. DUARDOS.	Señora, ¿qué la queréis?
ARTADA.	Quiero rosas.
D. DUARDOS.	Yo las cogeré sin ella.

¿De mí no las tomaréis? 1460

ARTADA.   ¡Quántas cosas!
¿Queréisme hazer entender
quién sois y lo que buscáis
por aquí?

D. DUARDOS. Y la que os manda esso saber, 1465
¿por qué no le preguntáis
qué es de mí?
¿Y por qué se ausentó
de dar vista al triste ciego
estrangero 1470
que su alteza cegó?
Y ciego caí en el fuego
en que muero.
¿No hay más piedad ni ley
que matarme en tierras estrañas, 1475
sin ventura?
¡Oh, Flérida, *memento mei*,
que se gastan mis entrañas
con tristura!

ARTADA.   ¿Cómo? ¿Señora tan alta 1480
cabe en vuesso coraçón?

D. DUARDOS.   'N ell alma está
toda sin ninguna falta;
y en ell alma, la passión
que me da. 1485
Porque el triste coraçón
está ocupado con fuego
y con fe,
con sospiros, con razón, f. 133 c.
con amores, con ser ciego: 1490
y esto sé.

1477 *memento mei*, 'acuérdate de mí'. Expresión latina empleada
varias veces en el teatro vicentino. Véase *Gloria*, nota 494-501.

Pues ¿dó cabrá mi alegría?
¡Oh, mis dolores profundos!,
        ¡ay de mí!
1495   ¿Qué haré, soledad mía?
¡Oh, señora de mil mundos!,
        ¿qué es de ti?

ARTADA.   Algo devéis descansar
en hablardes con Artada,
1500   su querida.

D. DUARDOS. ¿Por qué no viene a holgar
ha tres días?

ARTADA.   De anojada
y arrepentida.
Llorando le oí dezir
1505   que ha de mandar quemar
        luego la huerta;
y no ha aquí de venir,
a ver si puede olvidar
        esta puerta.

1510 D. DUARDOS. ¿No verná, por vuessa fe?
ARTADA.   No, hasta ser sabidora
        quién sois vos.

D. DUARDOS. Señora, esso, ¿para qué?
Soy suyo; ella es mi señora
1515   y mi dios.

ARTADA.   Ya Flérida es sabedor
que sois grande cavallero,
        y, más, barrunta
que seréis grande señor.

1520 D. DUARDOS. Quien tiene amor verdadero
        no pergunta
ni por alto ni por baxo
ni igual ni mediano.
        Sepa, pues,
1525   que el amor que aquí me traxo,
aunque yo fuesse villano,
        él no lo es.

1502 *anojada*, 'enojada'. Lusismo, tal vez de impresor. Véase Teyssier, pág. 388.

ARTADA.
¿Esso queréis vos que baste
para tan alta princesa
y de tal ley?
Antes que más ruegos gaste,
descobrid a aquella diesa
si soys rey.

D. DUARDOS.
¿Qué merced me haría ella
si yo fuesse su igual
sin más glosa?
Flanqueza se espera de ella,
como diesa imperial,
milagrosa.
¿Para hazer merced se vela,
para piedad se atalaya
tal señora?
¿Para qué busca cautela
con el triste que desmaya
cada hora?
¿Y por qué, señora, me deshaze
si piensa ser yo el señor
que dezís vos?
Si no, ¿por qué no me haze
de nadia, por su loor,
pues es Dios?
Que si me pone en olvido
por nascer baxo vassallo,
y no señor,
será «correr al corrido»
y «al moro muerto matallo»,
que es peor.

ARTADA.
El diablo os truxo acá,
que essas palabras no son
de villano.

f. 133 d.

1530

1535

1540

1545

1550

1555

1560

1536 *sin más glosa,* 'sin obstáculo alguno' o tal vez sólo 'sin más
ni más'. Véase D. Alonso, nota 1537.

1537 *flanqueza,* 'franqueza', es decir, 'generosidad'. En 1562, *se es
perdella;* adopto la enmienda propuesta por D. Alonso.

1550 *nadia,* 'nada'. Véase *Gloria,* nota 256.

¡No sé por qué os queda allá
quién sois 'n esse coraçón
    inhumano!
Voyme, y no sé qué diga.

1565 D. DUARDOS. Dezid que no sé quién so
    ni qué digo,
ni qué haga, ni qué siga;

f. 134 a. ni sé si soy hombre yo,
    ni estoy comigo.

1570 Dezilde que no tengo nombre,
que el suyo me lo ha quitado
    y consumido;
y dezid que no soy hombre,
y si hombre, desventurado
1575   y destroído.

Soy quien anda y no se muda,
soy quien calla y siempre grita
    sin sossiego;
soy quien bive en muerte cruda,
1580 soy quien arde y no se quita
    de su fuego.

Soy quien corre y está en cadena,
soy quien buela y no s'alexa
    del amor;
1585 soy quien plazer ha por pena,
soy quien pena y no se aquexa
    del dolor.

Y dezilde que, si soy rey,
sospiros son mis reinados
1590   triunfales,
y si soy de baxa ley,
basta seren mis cuidados
    muy reales.

[*Vase* DON DUARDOS.]

ARTADA. ¡El diablo que lo lleve!
1595 ¡Al diablo que lo doy,
    tan dulce hombre!

El que a tanto s'atreve,
alto es, si en mí estoy,
el su nombre.
Tengo de contar arreo   1600
a Flérida su passión de él
que encobría;
y lo que dize le creo:
ella no lo ha de crer
todavía.   1605

Llega adonde está FLÉRIDA, *y dice:*

ARTADA.   Señora, con este termo   f. 134 b.
que hizo en apartarse
de la huerta,
Julián, de amor enfermo,
determinó declararse,   1610
y vengo muerta.
Quanto habló se redunda
que por vos es hortelano
y no reposa.
FLÉRIDA.   Yo no sé en qué se funda.   1615
ARTADA.   Señora, no es villano,
mas gran cosa.
FLÉRIDA.   ¡Oh triste! Dixéraos ora
quién es, porque, esto sabido,
terná medio.   1620
ARTADA.   No dize más, mi señora,
sino que es hombre perdido
sin remedio.
Mas, señora, vaya allá
sola vuessa señoría   1625
y espere
si se le declarará
o con qué nueva osadía
la requiere.

1606 *termo*, 'término'. Lusismo (port. *têrmo.*)
1626 *espere*. En 1562, *e pere*, evidente errata.
1628 *nueva*. En 1562, *nuena*, errata.

1630 FLÉRIDA. Si yo hallo que de hecho
    me habla claros amores,
     yo me fundo
    que es ansí como sospecho
    ser príncipe de los mayores
1635   que hay en el mundo.

    Entrando FLÉRIDA, *sola, por el pomar
de la huerta, va diciendo:*

  FLÉRIDA. ¡Quán alegres y contentos
    estos árboles están!
     En esto veo
    que no son graves tromentos
1640   los que sufre Julián
     con desseo:
    que en la cámara a do estó
    veo llorar las figuras
f. 134 c.   de los paños
1645   del dolor que siento yo,
    y aquí crecen las verduras
     con los daños.
    Y mis jardines, texidos
    con seda de oro tirado,
1650   se amustiaron,
    porque mis tristes gemidos,
    teñidos de mi cuidado,
     los tocaron:
    y yo veo aquí las flores
1655   y las aguas perenales
     y lo ál,
    tan agenas de dolores
    como yo llena de males
     por mi mal.
1660 D. DUARDOS. No sé qué viene hablando
    la mayor diesa del cielo
     entre sí:
    si mal me viene rogando,
    ya los males son consuelo
1665   para mí.

Si ruega a Dios que me dé muerte,
nadie tiene en mi poder,
 sino ella;
y dichosa fue mi suerte,
pues muerte no puedo haver,   1670
 sino de ella.

FLÉRIDA. Julián, ve tú ahora
y cógeme una mançana.

D. DUARDOS. Lo que yo digo:
discordia queréis, señora.   1675
¡Oh, mi guerrera troyana!:
 ¡paz comigo!
La mançana que queréis,
aunque vos la merecistes,
 vida mía,   1680
es discordia que traéis,
con que ya me despedistes
 d'alegría.

FLÉRIDA. ¿Qué hablas? ¿Estás dormiendo? f. 134 d.
¿Sueñas en la Troya ahora? 1685

D. DUARDOS. Mas despierto
el sueño de vuesso olvido,
con que estos días, señora,
 me havéis muerto.

FLÉRIDA. Se supiesse bien de cierto 1690
que esso me dizes velando,
 matarm'hía.

D. DUARDOS. Yo no hago desconcierto
en andaros contemplando
 noche y día.   1695
Diesa mía, no pequé
en adoraros, señora,
 la hermosura.

1669 *fue*, 'fuera'. Véase *Reyes magos*, nota 218.

1675 y sigs. Alusiones un tanto vagas al juicio de Paris.

1684 *dormiendo*. Para la falta de flexión de la vocal pretónica, véase D. Alonso, nota 46. La rima exige *dormido*, pero debe tenerse en cuenta que en el teatro vicentino abundan las rimas falsas.

1690 *se*, 'si'.

¿Cómo contra ley ni fe
1700 va aquel que os adora,
  por ventura?
¿Adónde estuvo escondida
vuessa alteza, pues que sabe
  mi passión?:
1705 que piedad merecida
en tales señoras cabe,
  de razón.

FLÉRIDA.   Piedad tengo de ti,
que tu mal para sanar
1710   no hay cura.

D. DUARDOS. ¿Por qué, señora?

FLÉRIDA.   Porque oí
que no se puede curar
  la locura.

D. DUARDOS. Pues ¿qué haré, perdido el seso,
1715 sin tener en tierra agena
  cura en mí?
Pues pesad en justo peso
que por vos, reina serena,
  lo perdí.
1720   Y perdí ell ánima mía,
si de perder yo ventura
  sois servida;

f. 135 a. perdí de ser quien solía
por la mayor hermosura
1725   de esta vida.

FLÉRIDA. ¿Quién solías tú de ser?

D. DUARDOS. De moço guardé ganado
  y arava:
esto sé yo bien hacer.
1730 Después dexé el arado
  y trasquilava.
Después estuve a soldada
y acarreava harina
  de un molino.

[*Sale* ARTADA, *y* FLÉRIDA *le dice:*]

FLÉRIDA.	Paréceme a mí, Artada,	1735
	que este caso no camina	
	buen camino.	
D. DUARDOS.	Ya lo veo, alma mía:	
	que es camino de dolor	
	y de pesar.	1740
FLÉRIDA.	¿Adónde hallaste osadía?	
D. DUARDOS.	En el templo del Amor,	
	sobre el altar.	
FLÉRIDA.	Luego bien sospecho yo	
	que no llega ahí villano.	1745
D. DUARDOS.	¡Oh, mi Dios,	
	no queráis saber quién so!:	
	sed vos Roma, yo Trajano	
	para vos.	
	Sed para mí Costantino;	1750
	aquel noble emperador	
	me sed, señora:	
	y yo, la moça del molino,	
	la que él hizo por amor	
	emperadora.	1755
	¡Oh, milagrosa señora,	
	oh, milagrosa princesa	
	divinal,	
	no matéis quien os adora,	
	que ninguna sancta diesa	1760
	haze mal!	
FLÉRIDA.	Vámonos d'aquí, Artada,	
	de esta huerta sin consuelo	
	para nos,	f. 135 b.
	¡de fuego seas quemada,	1765
	y sea rayo del cielo,	
	plega a Dios!	
	¡Oh, hombre! ¿No me dirás,	
	pues que me quieres servir,	
	quién tú eres?	1770
	Dímelo a mí no más;	
	ya sola te lo quiero oir,	
	si quisieres.	

D. DUARDOS.	Plázeme, con tal cautela,

D. DUARDOS.   Plázeme, con tal cautela,
1775   por hazer hechos discretos,
      que estemos
    sin sol, luna ni candela
    que descubran los secretos
      que hazemos.
1780   Será a horas y en lugar
    que estén solas las estrellas
      de presente,
    los árboles sin lunar
    y Artada allí con ellas
1785   sin más gente.
    Allí os descobriré
    quién soy, y seréis servida
      pues queréis
    no crer quién yo soy, por fe,
1790   que por vos tomé esta vida
      que me veis.
    Y si tenéis desconsuelo,
    pensando que pera enojaros
      esto quiero,
1795   juro a los dioses del cielo
    que solamente en miraros
      temblo y muero.

[*Habla* ARTADA *aparte a* DON DUARDOS.]

ARTADA.   Señor, mudad el pelejo,
    id a vestir vuessos paños
1800   naturales:
    ella haverá su consejo
    que estes passos traen daños
      immortales.

1793 *pera*, 'para'. Lusismo.
1798 *pelejo*, 'pellejo'. *Mudar el pellejo* es frase empleada repetidas veces por Encina. Es probable que Gil Vicente no se diera cuenta de su carácter rústico.
1802 *estes*, 'estos'. Lusismo, tal vez de impresor.

Vase Don Duardos, *y vanse* Artada *y*
Flérida *hablando, y dice* Artada:

ARTADA.   Señora, ¿qué será aquí
                 si este hombre es cavallero   f. 135 c.; 1805
                 y no ál?
                 ¿Para qué es, triste de mí,
                 dar por la vaca el vaquero
                 principal?
                 D'otra parte, ¿qué ha d'hazer,   1810
                 salvo si es príncipe él
                 de Normandía?
FLÉRIDA.   ¿Y quién se havía de atrever
                 a mí, si no fuesse aquél
                 o su valía?   1815
ARTADA.   Paréceme mal, señora,
                 quereros hablar a escuras.
FLÉRIDA.   Y a mí.
ARTADA.   Yo duermo luego en la hora
                 que anochece, y sus dulçuras   1820
                 bien las vi.
FLÉRIDA.   ¿Qué remedio?, que yo me fino
                 por saber quién es este hombre.
                 Soy perdida.
                 Ardo en fuego de contino   1825
                 con ansias que no han nombre
                 ni medida.

*En cuanto pasaban todas estas cosas,
mató* Camilote *a* Don Robusto *y a otros
caballeros, por el reto de* Maimonda *contra*
Flérida. *Y al saber esto* Don Duardos,
se armó, se fue al campo y mató a Camilote. [*La escena es ahora en la huerta de*
Flérida, *donde está la princesa con* Artada *y las doncellas músicas*] *y entra* Amandria *diciendo:*

220 GIL VICENTE

AMANDRIA.	Camilote es muerto ya.
FLÉRIDA.	¿De verdad?
AMANDRIA.	Sí, por cierto.
1830 FLÉRIDA.	¿Quién lo mató?
AMANDRIA.	Ninguno lo sabe allá.

AMANDRIA. Maimonda, que lo vio muerto,
luego ahuyó:
va tras de ella el cavallero.

1835 FLÉRIDA. ¿No es él de nuessa corte?
AMANDRIA. ¡Para mayo!:
f. 135 d. es un príncipe estrangero.
Tan presto le dio la muerte
como un rayo.

1840 FLÉRIDA. ¿De qué estatura será?
AMANDRIA. Del cuerpo de Julián,
y ansí hermoso.
Algunos dizen allá
que es el Cavallero del Can,
1845 el famoso.

FLÉRIDA. Assentaos y holguemos.
Cantad algo, mis donzellas,
todas vos,
que cedo al son de los remos
1850 fenecerán las querellas
de los dos.

Cantan y tañen, y al acabar, dice ARTA-
DA [*aparte a* FLÉRIDA:]

ARTADA. Acuérdeseos, s[e]ñora, que el Sol es par-
[tido
de nuestro horizonte y es noche cerrada:
la Luna ahora es toda menguada,

1836 *¡Para mayo!*, 'de ninguna manera'. Véase D. Alonso, nota 1837.
1844 *el Cavallero del Can*, 'Don Duardos'.
1849 *cedo*, 'pronto, en seguida'. De uso frecuente en el español medieval, se encuentra más tarde sólo en textos de sabor popular o rústico; sigue vivo en portugués. Véase Corominas, s. v.

	y solas estrellas quedó 'n el partido.	1855
	Heis que parece la estrella Polas	
	con la Bozina, su Carro guiando.	
FLÉRIDA.	En esso estaba, Artada, pensando.	

[*Se dirige a las damas.*]

FLÉRIDA.   Dexadnos vosotras rezar aquí solas.

[*Vanse las doncellas y* AMANDRIA, *dejando solas a* FLÉRIDA *y a* ARTADA.]

ARTADA.	¿Qué caso sería y buena fortuna	1860
	matar Julián aquel fiero hombre?	
FLÉRIDA.	Que no es Julián, Artada, su nombre,	
	y él lo mató sin duda ninguna.	
	Y éste m'afirmo ser mor cavallero	
	de toda la Grecia y de todo el mundo.	1865
	Y cada vez más este caso es profundo,	
	que ahora le quiero más que de primero.	

Viene DON DUARDOS, *vestido de príncipe, con la guirnalda de* MAIMONDA, *y dice:*

D. DUARDOS.	¡Oh, quán poquito servicio	f. 136 a.
	es poner por vos la vida!	
	¡Quán pequeño!	1870
	Que no es gran beneficio	
	pagar la deuda devida	
	a su dueño.	
	Por vos se deve morir,	
	a vos se deve el osar,	1875
	alta infanta,	

1855 *quedó,* 'dejó'. El sujeto es *la luna.* Véase Corominas, s. v.
1857 *su Carro guiando.* En 1562, *si carrogiando,* errata. D. Alonso lo interpreta así: «He aquí que aparecen la estrella Pólux y también la constelación de la Bocina (Osa Menor) guiando su propio Carro (o, tal vez, mejor), guiando la constelación del Carro Mayor (Osa Mayor).»
1864 *mor,* 'mayor'. Lusismo.

que sois diesa del bivir
y señora del matar,
   siondo sancta.

1880   A vos, señora, son devidas
flores de más altas rosas
   y peligro,
aunque éstas fueron cogidas
en las sierras más hermosas
1885   de este siglo.
Y aquel que las cogió
se puso en harta ventura
   con serpientes;
él por Maimonda murió,
1890   y yo por la hermosura
   de las gentes.

[*Habla* FLÉRIDA *aparte a* ARTADA.]

FLÉRIDA.   Artada, ¿qué le diré?
ARTADA.   Que viene muy gentil hombre.
FLÉRIDA.   ¡Oh, quién supiesse su nombre!
1895   ¡Oh Dios! ¿Por qué no lo sé?
D. DUARDOS. Pero quiso vuessa alteza
que deva besar la mano,
   de mi seda,
y no de vuessa grandeza,
1900   pues, si yo me soy villano.
   ahí se queda.
Yo a vos amo, y no más.
Por princesa, por ventura,
   no, ¡cuitado!;
1905   que mucho queda detrás
de vuessa gran hermosura
   vuesso estado.
f. 136 b.   ¡Por mí, por mí (que yo por vos,
y no por serdes tan alta,
1910   soy cativo),
dadme la vida, mi Dios!:
que el hombre adó no hay falta,
   bueno es bivo.

FLÉRIDA.   Sea de qué suerte sea,
allegada es vuessa tema   1915
      al engaño.
Queréis vencer mi pelea,
y no queréis que me tema
      de mi daño.
Queréis que pierda ell amor   1920
a mi padre y a mi señora
      y al sossiego,
y a mi fama y a mi loor
y a mi bondad, que se desdora
      en este fuego.   1925

D. DUARDOS.   No devéis considerar;
que el lugar y las estrellas
      y el modo,
el amor y el callar,
mis dolores, mis querellas   1930
      vencen todo.

FLÉRIDA.   En todo quanto desseo,
en todo os hallo duro
      hasta aquí.
Todo siento, todo veo,   1935
y todo se haze escuro
      para mí.

D. DUARDOS.   Si al menor rincón llegáis
de mi ardente coraçón,
      encenderéis   1940
candela con que veáis
que os pido galardón
      que me devéis.

FLÉRIDA.   ¿Qué será de mí, Artada,
pues que amar y resistir   1945
      es mi passión?

ARTADA.   Señora, estoy espantada;
y cantando quiero dezir   f. 136 c.
      la conclusión:

1940 *encenderéis*. En 1562, *encendei eis*, errata.

[*Canta* Artada.] *Cantiga.*

1950   «Al Amor y a la Fortuna
               no hay defensión ninguna.»
Flérida.   Aunque nunca se halló
               al Amor y a la Fortuna
                         defensión,
1955   deviera haver, triste yo,
               para mí siquiera alguna,
                         de razón.
               ¡Oh ventura, diesa mía,
               refugio de los humanos
1960   soberano!:
               tú sola tomo por guía,
               y entrégome en tus manos
                         por mi mano.

               [*Viene un* Patrón *de galeras.*]

Patrón.   Señor, es ya plenamar
1965   y son horas naturales
                         de partir,
               porque puedan bien nadar
               las diez galeras reales
                         y salir.
1970   Y las otras medianas
               y las fustas y galeras
                         y las naves
               están y vienen loçanas,
               espalmadas y ligeras
1975   como aves.
               Parta vuessa señoría,
               pues la noche haze escura
                         y es hora.

   1950-1951 Correas, pág. 46, cita el refrán «Amor y fortuna no tiene
defensa alguna»; Cejador, *La verdadera poesía castellana*, núm. 247, lo
cita en una forma más semejante a estos versos vicentinos: «Al amor y
a la fortuna | no hay defensa ninguna.»
   1964 *plenamar,* 'pleamar'.

D. DUARDOS.	¿Qué dezís, señora mía?	
FLÉRIDA.	Ya me di a la ventura,	1980
	mi señora.	
	Y pues sabe este pumar	
	y la huerta mi dolor	
	tan profundo,	
	quiero que sepa la mar	1985
	que el amor es el señor	
	de este mundo.	
ARTADA.	Por memoria de tal trance	f. 136 d.
	y tan terrible partida	
	venturosa,	1990
	cantemos nuevo romance	
	a la nueva despedida	
	peligrosa.	

Romance para final del Auto

[ARTADA.]	En el mes era de abril,	
	de mayo antes un día,	1995
	cuando lirios y rosas	
	muestran más su alegría,	
	en la noche más serena	
	que el cielo hazer podía,	
	quando la hermosa infanta	2000
	Flérida ya se partía,	
	en la huerta de su padre	
	a los árboles dezía:	
[FLÉRIDA.]	Quedaos adiós, mis flores,	
	mi gloria que ser solía:	2005
	voyme a tierras estrangeras,	
	pues ventura allá me guía.	
	Si mi padre me buscare,	
	que grande bien me querría,	
	digan que amor me lleva,	2010

1994 y sigs. De este romance existen varias versiones, de modo que es posible establecer una edición crítica. Véase Révah, *BHTP*, III (1952), 107-139. Yo sigo, sin embargo, la *Copilaçam* de 1562, a pesar de sus manifiestas deficiencias.

que no fue la culpa mía:
tal tema tomó comigo
que me venció su profía.
¡Triste, no se adó vo,
2015 ni nadie me lo dezía!

ARTADA. Allí habla don Duardos:
D. DUARDOS. No lloréis, mi alegría,
que en los reinos d'Inglaterra
más claras aguas havía
2020 y más hermosos jardines,
y vuessos, señora mía.
Ternéis trezientas donzellas
de alta genelosía;
de plata son los palacios
2025 para vuessa señoría,
de esmeraldas y jacintos,
d'oro fino de Turquía,

f. 137ªa. con letreros esmaltados
que cuentan la vida mía,
2030 cuentan los bivos dolores
que me distes aquel día,
quando con Primaleón
fuertemente combatía.
¡Señora, vos me matastes,
2035 que yo a él no lo temía!

ARTADA. Sus lágrimas consolava
Flérida, que esto oía.
Fuéronse a las galeras
que don Duardos tenía:
2040 cincuenta eran por cuenta;
todas van en compañía.
Al son de sus dulces remos
la princesa se adormía
en braços de don Duardos
137 b.; 2045 que bien le pertenecía.
Sepan quantos son nacidos

2023 *genelosía*, 'genealogía'. Emplea la misma forma el Marqués de Santillana en el *Diálogo de Bías contra Fortuna*. Véase Gillet, III, 651-652, nota 58.

aquesta sentencia mía:
que contra la muerte y amor
nadie no tiene valía.

PATRÓN.   Lo mismo iremos cantando   2050
por essa mar adelante,
a las serenas rogando
y vuestra alteza mandando
que en la mar siempre se cante.

Este romance se dice representado & después tornado
a cantar por despedida.

FINIS

AUTO DE LAS GITANAS

Auto de unas gitanas, representado ante el muy alto y poderoso rey don Juan, el tercero de este nombre, en su ciudad de Évora. Era del Redemptor de 1521. Al fin del sarao entraron cuatro gitanas, cuyos nombres son MARTINA, CASANDRA, LUCRECIA y GIRALDA, y dice MARTINA [al auditorio]:

MARTINA.	¡Mantenga, fidalguz, ceñurez hermusuz!	f. 226 v.
CASANDRA.	Dadnuz limuzna pur l'amur de Diuz.	
	Cristianuz çumuz, veiz aquí la cruz.	
LUCRECIA.	¡La Virgen María uz haga dichuzuz!	
	Dadnuz limuzna, ceñurez pudruzuz.	5
	Tantico de pan, haré la mezura.	
MARTINA.	Oh, preciuza rozica, ceñura,	
	el cielo vuz cumpla luz decéuz vuestruz.	
CASANDRA.	Dadme una camisa, açucar colado,	
	nieve de cira, firmal preciuzo.	10
LUCRECIA.	Dadme una çaya, ceñur graciuzo,	
	lirio de Grecia, mi cielo estrellado.	

---

1 El lenguaje de los gitanos de esta pequeña pieza se caracteriza por dos cambios fonéticos: 1.º) el ceceo, y 2.º) la transformación de toda *o* en *u*. Algunos cambios esporádicos se comentan en las notas. Véase Teyssier, págs. 254-264. Nótese que acentúo las palabras que terminan en -z (= -s) como si se escribieran con -s.

3 *veiz aquí la cruz.* Es probable que al decir este verso, Casandra se bese los dedos cruzados. Véase Gillet, III, 656, nota 219.

GIRALDA.	Ceñura, ceñura, dadme uno tocado,
	antucha del cielo, sin cera y pavilo.
15	¡Oh, ruza nacida ribera del Nilo,
	la Virgen te traya buen cino y buen hado!
LUCRECIA.	Andad acá, hermanaz, y vamoz
	a eztaz siñuraz de gran hermozura.
	Diremos el ciño, la buna ventura;
20	darán çuz mercedes para que comamuz.
CASANDRA.	Llamemuz a Claudio antes que nuz vamuz,
	Carmelio, Auricio, y haremuz fiezta
	como hizimos ayer por la ciezta.
GIRALDA.	Ve a llamarloz y nuz esperamuz.

Vienen cuatro gitanos cuyos nombres son
LIBERTO, CLAUDIO, CARMELIO y AURICIO, *y*
dice CLAUDIO:

<table>
<tr><td>f. 226 c.; 25</td><td>CLAUDIO.</td><td>¿Quál de vuzotroz, siñurez,</td></tr>
<tr><td></td><td></td><td>trocará un rocín mío,</td></tr>
<tr><td></td><td></td><td>rocín que huve d'un judío</td></tr>
<tr><td></td><td></td><td>ahora en pascua de flores?</td></tr>
<tr><td></td><td></td><td>Y tiengo dos especialez</td></tr>
<tr><td>30</td><td></td><td>cavallos buenos. ¿Qué talez?</td></tr>
<tr><td></td><td>AURICIO.</td><td>Ceñurez, yo trocaré un potro</td></tr>
<tr><td></td><td></td><td>que tiengo por qualquer otro</td></tr>
<tr><td></td><td></td><td>si me bolvéis mil realez.</td></tr>
<tr><td></td><td>CARMELIO.</td><td>Que doz borricoz compré,</td></tr>
<tr><td>35</td><td></td><td>murizcos, prietoz, garridoz;</td></tr>
<tr><td></td><td></td><td>ya loz huviera vendidoz,</td></tr>
<tr><td></td><td></td><td>mas antez loz trocaré.</td></tr>
<tr><td></td><td>CLAUDIO.</td><td>Oh, ceñurez cavalleros,</td></tr>
<tr><td></td><td></td><td>mi rocín tuerto os alabo,</td></tr>
<tr><td>40</td><td></td><td>porque es calçado 'n el rabo,</td></tr>
<tr><td></td><td></td><td>zambro de los piez trazeros.</td></tr>
<tr><td></td><td></td><td>Tiene el pecho muy hidalgo</td></tr>
<tr><td></td><td></td><td>y cocea al cavalgar.</td></tr>
</table>

19 *ciño*, 'sino, destino'.
41 *zambro*, 'zambo'. Lusismo.

AURICIO.	Ciñurez, ¿queréis trocar mi burra vieja a un galgo?	45
MARTINA.	No nos curemos deçaz faranduraz.	
CLAUDIO.	Pues, ¿qué queréis, Martina, que hagamoz?	
MARTINA.	Cantemoz la fiesta antez que noz vamoz a buzcar luz ciñuz a essaz ciñuraz.	

Cantiga.

En la cozina eztava el aznu   f. 227 a.; 50
bailando,
y dixéronme, «don azno,
¿qué vos traen cazamiento
y oz davan en axuar?»
«Una manta y un paramiento   f. 227 b.; 55
hilando.»

Cantando y bailando al son de esta cantiga, se van a las damas y dice MARTINA:

MARTINA.	¡Mantenga, ciñuraz y rozas y ricaz! f. 227 De Grecia çumuz, hidalgaz por Diuz. Nuztra ventura, que fue cuntra nuz, por tierras estrañas nuz tienen perdidaz. 60 Dadnuz ezmula, ezmeraldaz polidaz, que Diuz vuz defienda del amur de engaño que muztra una mueztra y vende otro paño y pone en peligro laz almaz y vidaz.	
LUCRECIA.	Ciñuraz, ¿queréiz aprender a hezicho 65 que cepáis hazer para muchaz cozaz?	
GIRALDA.	Ezcuchad aquello, ciñuras hermuzaz, por la vida mía, que ez vuestro cerviço.	
LUCRECIA.	Si vuz, ruza mía, holgardes co iço, hechizos sabréis para que cepáiz 70	

---

48 *vamoz*, 'vayamos'. Nótese que las dos formas son idénticas en portugués.

61 *ezmula*, 'limosna'. Lusismo (port. *esmola*).

68 *cerviço*, 'servicio'. Lusismo (port. *serviço*).

69 *holgardes co iço*. A principios del siglo XVI, la segunda persona del plural del futuro de subjuntivo castellano era igual que en portu-

los pençamientos de quantoz miráiz,
qué dizen, qué encubren, para vueztro avizo.

MARTINA.   Otro hezicho, que poçáiz mudar
la voluntad de hombre qualquiera,
75   por firme que esté, con fe verdadera
y vuz lo mudéiz a vueztro mandar.

GIRALDA.   Otro hechizo os puedo yo dar
con que podáiz, ceñuraz, çaber
quál es el marido que havéiz de tener
80   y el día y la hora que havéis de cazar.

f. 227 a. CASANDRA.   Mustra la mano, ceñura,
no hayaz ningún recelo.
¡Bendígate Diuz del cielo!
Tú tienez buena ventura,
85   muy buena ventura tienez,
muchuz bienez, muchuz bienez:
un hombre te quiere mucho,
otros te hablan d'amurez
f. 227 b.   tú, señura, no te curez
90   de dar a muchoz ezcuto.

MARTINA.   Dadnuz algo, preciuza.

CASANDRA.   Dadnuz algo, preciuza,
puez que te dixo tu cino:
alguna poquita cuza.

95 LUCRECIA.   Mustra la mano, roziña,
lirio de hermozura,
dirte he la buena ventura;
muztra cá, ceñura mía,
ora, muztra, aziña, aziña.

100   ¡Qué mano, qué cino, qué flores,
qué dama, qué ruza, qué perla!

---

gués; *holgardes,* en vez de *holgáredes,* no es, pues, lusismo. Sí lo es *co*
iço, 'con eso' (port. *com isso);* nótese que no se pronuncia la *-m* final
de *com,* aun cuando va delante de vocal.

73 *poçáiz,* '[para que] podáis'. Lusismo (port. *possais).*
90 *ezcuto.* Lusismo (port. *escuta,* 'acción de escuchar').
97 *dirte he,* 'te diré'. Véase *Auto pastoril,* nota 238.
99 *aziña,* 'aína, presto'. Lusismo (port. *asinha).*

Por mi vida, que por verla
olvidé loz miz amurez.
Veamuz qué dize el cino: **f.227 c.**
el recado que te vino   105
no lo creas, alma mía,
que otra más alegría
te viene ya por camino.
    Durmiendo tú, fresca rusa,
te viene el bien por la mar;   110
luego tienez el mirar
de donzella muy dichusa.

GIRALDA.   ¡Diuz te guarde, hermozura!
Muztra la mano, ceñura;
porné ciento contra trinta   115
que de los piez a la cinta
tienez la buena ventura.
    Tú haz de cer dezpozada
en Alcáçar-do-Çal
con hombre bien principal;   120
te veráz bien empleada.

MARTINA.   Pintura de Policena,
dame acá, dulce serena,
essa mano cristalina.
    Buena dicha, perla fina,   125
tienez la ventura buena:
tú haz de cer alcaideça
cierto tiempo en Montemor;
tu marido y tu amor
cerá bien celoza pieça.   130

CASANDRA   Nueva ruza, nueva estrella,
oh, blancaz manoz de Izeu,

---

115 *trinta*, 'treinta'. Lusismo.
119 *Alcáçar-do-Çal:* Alcácer do Sal, villa de la diócesis de Évora.
123 *serena*, 'sirena'. La forma vicentina se encuentra con frecuencia
en textos españoles clásicos. Véase Corominas, s. v. *sirena.*
128 *Montemor:* Montemór o Novo, villa de la diócesis de Évora.
132 *Izeu:* Iseo, amante de Tristán en la leyenda medieval.

tú cazaráz en Viseu
y ternáz hornoz de tella.
135   Allí has de edificar
un muy rico palomar
y doz parez de molinoz,
porque todoz loz caminoz
a la puente van a dar.
140 LUCRECIA.   ¡Dios te guarde, linda flor!
¡Bendito sea el ceñor
que tal hermozura cría!
Muztra la mano, alma mía,
por vida del cervidor.
145   Flosanda cazarás
aqueste ano que vem
f. 227 d.   en Santiago de Cacém
mucho rica y mucho bem.
Buena ventura hallaráz,
150   buena dicha, buena estrena,
buena çuerte, mucho buena,
muchaz carretaz, ciñura,
y mucha buena ventura,
plaziendo a la Madanela,
155   ¡que guarde tu hermosura!
GIRALDA.   Muztra la mano, mi vida,
águila en tierraz deziertaz:
doz perçonaz traez muertaz
porque erez dezgradecida.
160   Tú cazarás en Alvito,
ciñura, marido rico;
muchuz filhuz, muchoz bienes,
mucho luenga vida tienez,
buen cino, bueno, bendito.

---

134 *tella,* 'teja'. Lusismo.
145 *Flosanda.* No sé quién es.
146 *ano que vem,* 'ano que viene'. Frase portuguesa, empleada para
rimar con *bem* (v. 148).
154 *Madanela,* 'Magdalena'. Forma corriente, al lado de *Badanela,*
en el portugués popular.
162 *filhuz,* 'hijos'. Lusismo (port. *filhos).*

MARTINA. Mis ojoz de açor mudado,   165
          múztrame la mano, hermana.
          ¡Oh, mi ceñura cantaña,
          qué cino, qué çuerte, qué hado,
          qué ventura tan dichusa!
          Tú, ceñura graciusa,   170
          ternás tierraz y ganado,
          quatro hijoz mucho honradoz,
          mucho oro y mucha coza.
CASANDRA.   Oh, mi ave fénix linda,
          mi sebila, mi ceñura,   175
          dame acá la mano ahura,
          hermosura de Esmerinda.
          Tú tienez muchos cuidadoz
          y algunos dezviadoz
          de tu provecho, alma mía;   180
          tienez alta fantazía,
          y los mundos çon mudados.
            Un travecero que tienez
          de dentro de él hallaráz
          un espejo en que veráz   185
          muy claroz todoz tuz bienez.
LUCRECIA.   Dad acá, garça real,
          Gridonia natural,
          diré la buena ventura.
          ¡Biva tu gran hermozura,   f. 228 a.; 19
          que ezta mano ez divinal!
            Unaz personaz t'ayudan
          a una coza que quierez;
          éstaz çon dambas mugerez
          y otraz doz te dezayudan.   195
          Date un poquito a vagar,
          que aun está por començar

---

167 *cantaña.* Quizá sea errata por *çantaña,* es decir, Santa Ana,
como sugiere Marques Braga.
177 *Esmerinda:* Personaje de la novela de caballerías *Palmerín de
Oliva.* Véase *Don Duardos,* ed. D. Alonso, nota 720.
188 *Gridonia:* Cf. *Don Duardos,* vv 31-48.

lo bueno de tu ventura;
confía en tu hermozura,
200   que ella t'ha de dezcançar.

GIRALDA.   Dad acá, mayo florido,
eça mano, Melibea:
por bien, ceñura, te cea
buen marido, buen marido.
205   Na Landera cazaráz,
nunca te arrepentiráz;
iráz morar a Pombal
y dentro en tu naranjal
un gran tezoro acharáz.
'. 228 b.; 210   El que ha de ser tu marido
anda ahora trazquilado,
mucho honrado, mucho honrado,
en muy buen cino nacido:
naciste en buena ventura.
215 MARTINA.   Huerta de la hermozura,
Circe de la mar salada,
Dioz te tenga bien guardada
y muy cegura.

CASANDRA.   Ceñuras, con bendición
220   oz quedad, pues no dais nada.
LUCRECIA.   No vi gente tan honrada
dar tan poco galardón.

*Se vuelven a ordenar en su baile y bailando
se van.*

---

202   *Melibea:* Protagonista de la *Tragicomedia de Calisto y Melibea,*
de Fernando de Rojas.

205   *na Landera. Na* es lusismo por 'en la'. La Landeira es región
del Ribatejo.

209   *acharáz,* 'hallarás'. Lusismo.

216   *Circe.* En 1562, *cirne.* La edición de 1586 tiene *carne.* Hago algo
dudosa la enmienda. La comparación con los vv. 122, 132, 177, 188
y 202 parece indicar que se trata de un nombre propio.

TRAGICOMEDIA DE AMADÍS DE GAULA

Al comenzar esta tragicomedia, entra la   f. 137
*corte del rey Lisuarte con los personajes
siguientes:* LISUARTE, *la reina* BRISENA,
ORIANA, MABILIA, CORISANDA, DINAMAR-
CA, URGANDA, DON DURÍN, AMADÍS, GA-
LAOR, FLORESTÁN, GANDALÍN. *Se representó ante el muy excelente príncipe y cris-
tianísimo rey don Juan, tercero de este
nombre, en su ciudad de Évora, en 1533.*

Determinado AMADÍS *de ir a buscar
aventuras, y deseando alcanzar gloriosa
fama, comienza diciendo a sus hermanos:*

AMADÍS.   Vos sabréis, don Galaor   f. 137 c.
             y don Florestán, hermanos,
             que el verdadero loor
             es aquel que sin temor
             se alcança por las manos;   5
             y el general morir
             es covardía esperallo,
             y lindeza aventurallo,
             porque hallo
             que en la fama está el bivir.   10
             Y pues vemos de qué suerte
             la honra tanto se ama,

		sigamos tan claro nuerte,
		no estimando la muerte,
15		por ganar vida a la fama.
	GALAOR.	Amadís, de essa color
		es el paño en que me fundo,
		porque un pequeño honor
		de fama, y su resplandor,
20		es mejor
		que todo el oro del mundo.

Y más, ya está ordenado
el compás al carpintero,
al labrador el arado
25   y al pastor el cayado,
las armas al cavallero,
al fuerte ser venturoso,
mucha honra al esforçado,
y al guerrero mañoso
30   ser dichoso,
y al covarde, desdichado.

    FLORESTÁN.   Habla bien y muy profundo.
Yo, hermano Amadís, digo

f. 137 d.   que con ánimo facundo
35   quiero ir a ver el mundo,
qué guerreros tien' consigo:
digo, de los cavalleros.
Y no estoy más esperando,
porque los que son guerreros
40   verdaderos
no descansan descansando.

    Y aun nos obligan a esto,
que somos, sin división,
hijos del rey Perión

---

13 *nuerte*, 'norte'. Puede ser ultracorrección, pero es más probable que sea deformación voluntaria, sugerida por la rima.

28 *mucha*. En 1562, *mucho*, sin duda errata.

34 *facundo*. El sentido no está claro. Según Waldron, Gil Vicente emplea *facundo* sencillamente como término de aprobación, sin significación precisa.

45

de Gaula, que es padre nuestro
de alta generación:
por que somos obligados
a cometer cosas duras
y casos desesperados,
que de los altos estados
se esperan altas venturas.

50

GANDALÍN.   Yo también allá iré
a seguir lo que dezís;
no quedaré. Y el porqué:
por ver lo que hará Amadís
y saber lo que haré.

55

Quiero deprender la guerra,
que, como estáis platicando,
el nuestro cuerpo se encierra
so la tierra,
y la fama anda bolando.

60

AMADÍS.   No me combida la gana
de la fama, aunque es harto,
sino que sirvo a Oriana,
hermosura soberana,
en cuyo nombre m'aparto...

65

en dos partes y no en una:
la del alma doy a ella,
la del cuerpo a la fortuna
y a la luna,
porque la hizo tan bella.

70

Si el peligro me combida
que de las guerras rehúya,
diré: «¡Oh esclarecida,
quán segura está la vida
que se defiende por tuya!»
Voyme a la Gran Bretaña,
al muy sobervio Dardán,

f. 128 a.

75

---

47 *por que*, 'por lo cual'. Véase Keniston, 15, 231.

57 *deprender*, 'aprender'. De uso general hasta la primera mitad del siglo XVI, pervive en el habla popular de muchas zonas hispánicas. Véase Corominas, s. v. *prender*.

que ni Francia ni Alemaña
80   ni cavalleros de España,
ningunos vida le han.
        Él me tiene amenazado
sólo de locura vana,
mas el triste está engañado:
85   que, acordarme de Oriana,
tengo mi juego ganado.
Vayamos, más no se espere,
cada uno por su vía.

GALAOR.   Yo me voy a la Turquía.
90   FLORESTÁN.   Yo, adónde Dios quisiere
y fuere la dicha mía.

        *Vanse estas figuras; viene la corte del
        rey* LISUARTE *y dice el rey:*

LISUARTE.   Don Durín, tengo embiado
mis correos a saber
d'aquí a quánto ha de ser
95   la guerra que en mi reinado
siete reyes me han de hazer.
[DURÍN.]   Señor, nada se os pene.
LISUARTE.   El correo Arbindieta
no sé en qué se detiene.
100 [DURÍN.]   Ya me parece que viene,
que yo siento la corneta.

        Entra el CORREO *tocando la corneta, y
        dice el rey* LISUARTE:

LISUARTE.   En buen hora seas llegado,
mas tardaste todavía.
CORREO.   Pues, señor, yo no dormía:
138 b.; 105   barruntaron que era espía
y estuve medio ahorcado.
LISUARTE.   Dime si vienen, o quándo,
sin temor ni intervalo;
cuenta lo bueno y lo malo;
110   no me mientas lisonjando,
que, aunque es dulce, es muy remalo.

La verdad, sí, todavía,
aunque amargue y dé pesar,
que mentir por agradar
de contino da lugar   115
a cosas que yo no querría.

CORREO.   Siete reys muy principales,
cada uno de su tierra,
con trompetas y atabales
y estandartes reales,   120
contra vos pregonan guerra.
        Más bravos que bravos toros,
más sobervios que leones,
más ferozes que dragones;
y traen sólo de moros   125
ciento y treinta mil peones.
Ansí, señor, que yo dígoos
que son muchos y guerreros,
y havéis menester dineros
y bombardas y amigos   130
y armas y cavalleros
(pues que queréis la verdad).

LISUARTE.   ¿Has oído en essas tierras
nuevas del Donzel del Mar?

CORREO.   Es cosa para espantar   135
sus desafíos y guerras,
si las supiesse contar.

LISUARTE.   Cuéntalas sin más tardar,
las mayores a lo menos.

CORREO   Yo no querría enhadar...   140

LISUARTE.   ¡Oh, quán dulce es escuchar
buenas nuevas de los buenos!

CORREO.   Después que mató a Dardán,
muy mal trató Arcaláus   f. 138 c.

---

144   *trató Arcaláus.* La omisión de la preposición *a* delante de un
complemento de persona es bastante frecuente en el castellano vicentino. Véase Teyssier, págs. 386-387. En este verso, sin embargo, es posible que la omisión sea sólo ortográfica, a causa de la *a-* inicial de
Arcaláus.

145   y Angriote de Estraváus,
      que lo temía el Soldán.
      En la Ínsula llamada
      la Firme mató dozientos;
      quebró los encantamientos
150   con la furia de su espada,
      que fuerça los elementos.
      Y mató los guardadores
      del arco fuerte encantado
      de los firmes amadores,
155   adonde fue laureado
      sobre todos los mayores.
      Si vuestra alteza tuviesse
      el Donzel del Mar consigo,
      que todo el mundo viniesse
160   y lidiando se hundiesse,
      no temiérades peligro.

      Levántanse ORIANA *y* MABILIA, *y dice*
      ORIANA:

ORIANA.   En quanto se platicar
      en cosas que no entiendo,
      ¿qué tengo d'estar haziendo?
165   Voyme al tanque del pomar
      por ver quántos pexes tengo.
LISUARTE.   ¿No holgáis de oir nombrar
      aquel tan buen cavallero,
      vuestro criado primero?
170 ORIANA. Más estimo ver nadar
      los pexes de mi bivero.

      Vase ORIANA *con* MABILIA *al estanque,*
      y, apartándose las dos, dice ORIANA:

---

159   *que,* 'aunque'. Véase *Viudo,* nota 700.
162   *se platicar,* 'se platicare'. Futuro de subjuntivo sin desinencia,
a la portuguesa. Véase *Casandra,* nota 146.
166   *pexes,* 'peces'. Es lusismo (port. *peixes).*

ORIANA.   Hazed de señas, os ruego,
                 al correo (que él es discreto)
                 que se venga al pomar luego,
                 señas por modo encubierto: 175
                 pero adonde arde el fuego,
                 no sé cómo esté secreto.   f. 138 d.

                 Llama MABILIA *con señas al* CORREO; *y
                 dice el rey* LISUARTE:

LISUARTE.   ¿D'aquí a quánto se dezía
                 que essos reyes han de venir?
CORREO.   Tanta gente se hazía   180
                 que aún no se sabe el día
                 ni el mes que han de venir.
LISUARTE.   No está en la mucha gente
                 la victoria de razón,
                 sino en la devoción   185
                 y rezar continuamente
                 las horas de la passión.
CORREO.   Señor, no os atengáis a esso:
                 sabed que, en fin de razones,
                 para el perro que es traviesso   190
                 buen palo, valiente y gruesso,
                 y no curéis de oraciones.
LISUARTE.   A todo se dará medio;
                 que, aunque es rezio el intervalo,
                 no puede ser mal tan malo   195
                 que no tenga algún remedio.

                 Dice ORIANA *al* CORREO:

ORIANA.   ¿Viste el Donzel del Mar?
CORREO.   Sí, señora.
ORIANA.   ¿Qué hazía?
CORREO.   Hazía quanto quería.
ORIANA.   Dexemos su pelear: 200
                 cuéntame lo que dezía.

CORREO. Porque es del mundo solo uno,
señora, hazía y callava;
porque aquel que mucho habla
205 no tiene hecho ninguno.

    Quando la lid començava,
muy encendido en amor,
no sé por qué sospirava,
que no era de temor
210 el mal de que se quexava.

Y, acabada la victoria,
en lugar de dar loores
f. 139 a. a Dios, que le dio tal gloria,
dezía: «¡Amores, amores,
215 memoria de mi memoria!»

    Y por cimera traía
una O, y el mundo en ella,
(¡oh quán bien que parecía!)
y su letrero dezía:
220 «Todo es poco para ella.»

ORIANA. ¿Por quién tomó essa O?
Será alguna cosa vana.

CORREO. La O creo que la tomó
por el nombre de Oriana;
225 el mundo, no entiendo yo.

MABILIA. Pues sufre por vos dolor,
¿qué haréis a sus dolores?
Que os piden embaxadores
para el su emperador,
230 de los romanos señor.

Y su sacra magestad
os ama cosa sin cuento,
y es tan alta dignidad
que es justa conformidad
235 a vuestro merecimiento.

ORIANA. El Donzel del Mar, hermana,
contino bivió comigo.

229-230 En 1562 estos versos aparecen en el orden inverso. Acepto
la enmienda de Waldron.

Si amores trae consigo,
en su seso está Oriana,
que yo quiérole... como amigo   240
y no más. Mas cierto es
que muchas vezes me hallo
tocada de no sé qué es;
pero es dolor que callo.

    Quando ahora se partió   245
a buscar sus aventuras,
quedé como quien quedó
en un desierto a escuras,
a do nunca amaneció...
Esto no será d'amor,   250
sino de buena amistad.

MABILIA.   Amistad que da dolor   f. 139 b.
es amor tan de verdad
que no puede ser mayor.

    ¡Amadís ama y es amado!   255

ORIANA.   ¡Ay, por Dios, que no lo sienta!

MABILIA.   Si el querer es concertado,
¿cómo puede ser negado
que el concierto no consienta?

ORIANA.   Mabilia, tales conciertos   260
¡Dios no los quiera, por cierto!:
pues saben bivos y muertos
que entre concierto y concierto
nacen muchos desconciertos.

    Empero, mucho querría   265
que lo embíes a llamar;
y no de la parte mía:
que no tome fantasía
que muero por le hablar.

MABILIA.   Correo, cumple que vais   270
por las puestas muy ligero,
y dad a aquel cavallero

---

268 *fantasía,* 'presunción'. Véase *Casandra,* nota 509.
270 *vais,* 'vayáis'.

esta carta que lleváis,
y sednos buen mensagero.

275 Y luego sé quo vondrá
de noche secretamente,
y hallarnos ha enfruente,
en la feniestra que está
'n el pumar cabe la fuente.

Ido el CORREO, *dice* ORIANA:

280 ORIANA. La Ínsola Firme, a do está,
¿es muy lexos de aquí?
MABILIA. Trezientas leguas havrá.
ORIANA. ¡Que son tres mil para mí!

Dice DON DURÍN *al rey* LISUARTE:

DURÍN. Señor, ya bien poderán
285 cenar vuessas magestades.
LISUARTE. No sé las quántas serán.
DURÍN. Nunca ciertas horas dan
f. 139 c. reloges de las ciudades,
y es perdido en su poder
290 las ruedas y la campana;
peró, a mi parecer,
buen relox es del comer
quando lo templa la gana.

Levántase el rey LISUARTE *y toda su
corte, y vanse con música; y viene* AMADÍS,
y, entrando en el pomar donde la carta de
MABILIA *le dijo que viniera, dice:*

AMADÍS. Si Orfeo por Proserpina
295 tan dulce gloria sentió

277 *hallarnos ha,* 'nos hallará'.
279 *pumar,* 'pomar'.
291 *peró.* Escrito *peroo* en 1562. Cf. port. antiguo *perol,* cat. *però.*
294 *Proserpina.* Gil Vicente la confunde con Eurídice.

quando 'n el infierno entró,
en esta huerta divina
¡quánta más sentiré yo!
Mas él fue a buscar la vida,
yo la muerte sin plazer;   300
él, cantando en la venida,
yo, llorando la partida,
porque sé quál ha de ser.

　　Que Oriana, por mi ventura,
ordenó en su consistorio   305
que fuesse su hermosura
casa de mi purgatorio,
paraíso de mi tristura,
do passo vida estrecha,
donde doy gritos al cielo,   310
donde nadia m'aprovecha,
donde me crece sospecha
y nunca falta recelo.

　　No sé qué horas serán;
la carta dize a la una.   315
Si no lo estorva fortuna,
Mabilia y ella vendrán
antes que salga la luna.
Si me dixiere bravezas,
esquivanças, disfavores   320
son unas ciertas certezas,
porque el principio de amores   f. 139 d.
es comienço de tristezas.

　　　Viene MABILIA *a hablar a* AMADÍS, *y dice:*

MABILIA.　　　Señor, antes de le hablar,
le pido dos mil perdones,   325
porque os embié a llamar
sin dexarme d'acordar
de vuessas ocupaciones.

---

311 *nadia,* 'nada'. Véase *Gloria,* nota 256.

AMADÍS.

330
No hay perdón que pedir,
que la carta que fue allá,
por vos misma la escrevir,
en dicha huvieran venir
los montes d'Armenia acá.

335
Y el papel que ella tenía
me acordó la hermosura
que a menudo ver solía,
y la tinta la tristura
que tiene ell ánima mía.

MABILIA.
340 AMADÍS.
Yo, señor, no sé latín.
Ni yo oso a hablar romance;
ni mi mal fío de mí,
sino que me quedo ansí
y mis esperanças vanse.

345
Mis males no sé dezillos,
mis bienes veo defuntos,
son mis tromientos sofrillos,
como quando diez martillos
'n una fragua fieren juntos.

350
En un solo piensamiento
tengo yo dos mil heridas.
Mi coraçón, no lo siento.
Cada vez que me lamento,
yo, solo, lloro dos vidas.

MABILIA.
355
Si esso son quexas d'amor,
como me han parecido,
nunca fue tal amador,
ni vencedor tan vencido,

f. 140 a.

AMADÍS.
360
si es verdad vuestro clamor.
Essas dudas son peores;
esse no crer es peor.
¡Oh mis angustias mayores!:
que entre dolor y dolor
me nacen otros dolores.

---

332 *huvieran.* En 1562, *vuieron,* es decir, *huvieron.* Nótese que en portugués son iguales la tercera persona del plural del pretérito y la del pluscuamperfecto, que corresponde al imperfecto de subjuntivo castellano en *-ra* (port. *houveram*).

Pues mi vida está en perdella,
por demás son mis gemidos,   365
por demás es mi querella;
que la salud de los perdidos
es no esperar por ella.
¡Oh Mabilia! Ardo en fuego,
y si no creis mi penar,   370
como triste herege ciego
de todo plazer reniego
y por Dios tomo el pesar.
¡Oh! ¿Quién me dará razón?:
pues fuego d'amor atizo   375
como me crece afeción;
si do bive mi servicio,
allí muere el galardón.

MABILIA.   Responda quien os entendiere,
que esso no sé qué será.   380
Empero, no desespere.

AMADÍS.   El que no tiene qué espere,
¿de qué desesperará?
Que es tan alto el merecer
del lugar donde me di,   385
que, visto lo que ha de ser,
no pienso en mi padecer
sino en qué será de mí.
Mi dolencia es ya tamaña
que el desseo no dessea;   390
y aunque esperança me daña,
la vida es la que me engaña.
¡Que fenecida se vea!

MABILIA.   Dezidme quién ella es,
diros he lo que será.   395

AMADÍS.   Señora, no preguntéis,
porque en mi vida veréis   f. 140 b.
la muerte y quien me la da.

MABILIA.   Pues, a modo de hablar,
aunque éssa fuesse Oriana,   400

---

377   Nótese que la rima es buena en portugués *(atiço: serviço).*

que es soberana sin par,
a lo que ventura gana
os devéis d'aventurar.

AMADÍS.　　　No sé el desventurado
405　　　de qué sirve aventurarse,
ni a sí mismo amarse
el que bive desamado
y no puede remediarse.
Mis males, dulce señora,
410　　　que en mi ánima están,
ternía por bien profundo,
si pensasse estar un hora
donde mis sospiros van
cada momento del mundo.

415 ORIANA.　　　Mabilia, ¿con quién habláis?
MABILIA.　　Con el Donzel de la Mar.
Yo le embié a llamar,
y vino porque sepáis
que anda a vuestro mandar.
420 ORIANA.　　¿Y ahora qué le pedís?
MABILIA.　　No, sino que le pidáis...
ORIANA.　　No entiendo qué dezís.
MABILIA.　　Señora, ¿vos no sentís?
Las batallas que esperáis...
425　　　¿No oístes al correo?
ORIANA.　　　¡Ya, ya! No se m'acordava.
MABILIA.　　Pues en peligro nos veo.
ORIANA.　　El diablo no es tan feo
como Apeles lo pintava.
430 MABILIA.　　Seis cientos mil de cavallo
y trezientos mil peones,
siete reys como leones...
Catad, señora, que hallo
que son menester barones.

435　　　　Y porque el Donzel del Mar
f. 140 c.　　nunca Dios crió tal hombre...
AMADÍS.　　Señora, ya mudé el nombre:
llámome Mar en amar
y Amadís por sobrenombre.

ORIANA.	¿Dende quándo se mudó vuesso nombre que solía?	440
[AMADÍS.]	Quando vi que ansí crecía el amor que començó en la muy tierna edad mía.	
MABILIA.	Pues amor tal pena os da, apartaos de él y de ella.	445
AMADÍS.	¡Oh señora! ¿Quién podrá?: que amor que 'n ell alma está no sale sin salir ella.	
MABILIA.	Ora, pues, amaos a vos por flor de los esforçados, pues que tal os hizo Dios que no hay de vos dos, ni lo vieron los passados.	450
AMADÍS.	Mayor triumfo en profía se deve, y muy más facundo, a la que tiene osadía para vencer cadaldía las hermosuras del mundo.	455
ORIANA.	¿Quién es ella, ansí gozéis? Pídoos que me lo digáis.	460
AMADÍS.	Señora, es la que miráis quando al espejo os veis, tal que a todos despreciáis.	
	Ella está adonde estáis, yo en esta noche escura. A do estó, está tristura muy leda, porque la dais al triste que no tien' cura.	465
	El sentimiento de mí, entre tormiento y tormiento, para siempre lo perdí, aunque bien sé que lo di a vuesso merecimiento.	470
	Y pues con lloros m'atizo el mal que mi mal me haze,	475 f. 140 d.

---

458 *cadaldía.* Véase *Casandra,* nota 394.

socorredme, si os plaze,
porque esperança me hizo
y ella misma me deshaze.

480 ORIANA.　　Esso passa de ardideza;
　　　　　　　　Amadís, ¡más cortesía!

AMADÍS.　　No me culpe vuessa alteza,
porque en su gentileza
está la desculpa mía,
485 　　　　y está mi libertad
y está el fuego en que estó;
esperança me mató,
porque vuessa piedad
murió primero que yo.

490 ORIANA.　　Vuessos leales sentidos
eran limpios, muy suaves;
y pues estos son perdidos,
voy a cerrar mis oídos
debaxo de siete llaves.

495 AMADÍS.　　¡Oh dulce amor verdadero!,
no os vais de essa manera,
porque el querer que os quiero
no es porque yo espero
lo que de vos no se espera.

500 ORIANA.　　Mabilia, muy bien sería
que nos vamos d'aquí luego.

MABILIA.　　Váyase su señoría
y repose en su sossiego,
sin pesar ni fantasía.

505 AMADÍS.　　Pues ansí os vais de nos
tan cruel y tan sañosa,
pídoos, señora, por Dios,
que roguéis por mí a vos
quando os viéredes piadosa...

[*Vase* ORIANA.]

510 　　　　Ansí que todo empeora.
MABILIA.　　No os congoxéis, señor.
AMADÍS.　　Ni tengo razón, señora,
porque quien su mal adora
devoto es de su dolor.

Conviene que se contente 515
mi vida con su pesar, f. 141 a.
pues mi señora consiente
que se acabe de matar
lo que amor dexó doliente.
Pensando ganar, me viene 520
la pérdida conocida,
porque yo juego la vida
que tengo, con quien me tiene
la ganancia consumida.

MABILIA. Yo os diré lo que supiere, 525
con tal que guardéis en vos
esto que ahora os dixiere.
Señor, Oriana os quiere,
¡que ansí me quisiesse Dios!
Y aunque el amor la fatiga, 530
su prudencia, su bondad,
su fama, su honestidad
no consiente que os lo diga;
mas yo sé su voluntad.
Ella os embió a llamar 535
por hablaros y oíros,
y ahora fuése a llorar
porque os no osa mostrar
sus amores y sospiros.

AMADÍS. Pues ¿por qué su disfavor 540
da comigo en el abismo?

MABILIA. Porque es muy cuerda, señor.

AMADÍS. Harto poco es ell amor
que puede consigo mismo.

MABILIA. ¡Oh señor, dexá el dudar! 545
Cred lo que os digo yo:
que no es poco su amar,
que amor de alto lugar
nunca pequeño se vio.
Y, como digo, aunque pene, 550
dissimula sus enojos
como a su estado conviene;

___

545 *dexá*, 'dejad', Véase *Gloria*, nota 94.

pero dende niña os tiene
en las niñas de sus ojos.

555   Ansí gozéis vuessa fama,
señor, que os acordéis
f. 141 b.   de ella, y otra no améis,
pues ella tanto os ama:
catad que la perderéis.

560 AMADÍS.   Voyme con esta passión,
encoméndoos mis dolores;
y, quanto a essa razón,
no pueden en un coraçón
estar diversos amores.

Ido AMADÍS, *vuelve* ORIANA *a* MABILIA,
diciendo:

565 ORIANA.   ¿Luego Amadís se fue?
MABILIA.   Señora, partido es ya.
ORIANA.   ¿Sabéis quándo bolverá?
MABILIA.   No lo siento ni lo sé,
pero muy sentido va.
570   Vuessa alteza comprende
esta culpa en que ella jaze,
y bien sé que se arrepiente.
ORIANA.   Cred que, donde amor entiende,
ninguno sabe qué haze.
575   Pero si yo le ofendí,
contra mí misma pequé.
Si lo reprendí, no erré.
Si me fui, bien lo sentí
y con lágrimas pagué.
580   Mas él habló amores tales
y palabras tan odiosas
que passavan de coriosas,
y los oídos reales
no han de oir todas cosas.

---

571   *jaze,* 'yace'. Lusismo (port. *jaz*). Véase *Don Duardos,* edición
D. Alonso, nota 930.

572   La rima es buena en portugués *(arrepende: entende).*

MABILIA.

      Señora, yo le descobrí   585
vuesso amor y mi secreto;
y lo más que le pedí:
que su amor fuesse secreto,
y dixo que será ansí,
sin querer otra ninguna   590
sino a vuessa magestad;
y porque sois sola una,
no hay viento ni fortuna
que mude su voluntad.

Viene el ENANO *de* AMADÍS, *y dice:*

ENANO.

      Todo ell hombre gentil, dispuesto   f. 141 c.; 595
como yo (Dios sea loado),
ha de ser tan confiado
que amores ni nada de esto
no lo tenga en un cornado;
ni princesa ni infanta;   600
porque la gran prefeción
que está en mi disposición,
que sea una dama sancta,
me terná sancta afición.
      Si alguien me perguntare   605
a qué vengo, o de qué parte,
cierto es que vengo a buscar
la corte del rey Lisuarte,
adonde espero medrar;
porque andando con mi señor   610
Amadís por essas tierras
(tan poco con Galaor)
cada vez medro peor
con sus peligrosas guerras.
      Y acá espero servir   615
a Mabilia de amores,
porque yo (a Dios loores)
bien pueden dezir por mí
que nascí para favores.

620 ORIANA.   ¿El enano es aquel
                     que Amadís llevó d'aquí?

    MABILIA.   Aquél me parece a mí.

    ORIANA.   Cumple que sepamos de él
                     cómo lo dexó ansí.

625   ¿Amadís a dó quedó?

    ENANO.   Con la hermosa infanta niña
                     que hizo reina en Sobradisa,
                     de la qual se enamoró,
                     y aun trae su devisa.

630   Ella le dio un cavallo
                     y una espada, y el porqué
                     es porque le dio la fe
                     de su cavallero y vassallo,
                     y a la Ínsula se fue.

*. 141 d.; 635   Ella quedó muy llorosa,
                     y a él sospirar le vi.

    ORIANA.   ¿Cómo se llama ella? Di.

    ENANO.   Briolanja la hermosa,
                     niña hecha de un robí.

640 ORIANA.   Anda, vete al aposiento,
                     después bolverás acá.
                     ¡Oh triste mi pensamiento!

    MABILIA.   Todo aquello será viento;
                     vuessa alteza lo verá.

645 ORIANA.   Tal consuelo es mal doblado.
                     Ios, dexadme a do estó,
                     que sola yo y mi cuidado
                     ternemos si mal guardado,
                     pues para mí se guardó.

650   Y sola comigo ansí,
                     pues mi suerte está perdida,
                     contaré a mí de mí
                     quántas muertes descobrí,
                     pensando hallar la vida.

                     Quedando sola ORIANA, *dice entre sí:*

655 ORIANA.   ¡Oh! ¿Cómo se sabería
                     si esta nueva es verdadera?

Quiçá no, porque él daría
la fe ansí por cortesía,
y no será valedera.
Será; que los hombres son   660
namorados de ligero.
Quiça no, que es cavallero,
hijo del rey Perión,
y deve ser verdadero.
Mas temo que assí será,   665
porque no hay verdad segura,
y lo que rige ventura
de ventura firme está,
porque ha hí desaventura.
Quiçá no será verdad,   670
porque el amor verdadero,
el más firme es el primero,
y dende su mocedad
siempre fue mi cavallero.
D'otra parte bien mirado,   f. 142 a.; 67
dize verdad el enano,
porque el coraçón humano
¡quán improviso es mudado!
¡quán pocas vezes sano!
Y quiçá no,   680
porque la conversación
de luengo tiempo usitada
no es tan desacordada
que olvide sin razón
toda la vida passada.   685
Mas ¡ay de mí!,
que creo que será ansí.
El enano dize verdá,
porque nunca ausencia vi
que el amor turasse allá.   690
Exemplo es verdadero
que ausencia aparta amor.

690 *turasse*, 'durase'. Véase Corominas, s. v. *durar*.

¡Oh traidor cavallero!
¡Cavallero traidor!
095 ¡Quién supiera esto primero!
    Y ansí le escriviré
que hizo como villano,
y nunca más lo veré;
y sepultaré su fe
700 dentro del mar Oceano.
Y el amor que le tenía,
verdadero y muy sereno,
y toda el afición mía
sepultaré 'n este día
705 en el mar Medioterreno.
    Don Durín, por gentileza,
que vais a la Ínsola Firme,
a do está aquel sin firmeza,
y dalde esta carta crime
710 sellada de mi crimeza.
No le hagáis acatamiento,
aunque es infante en que cabe,
porque príncipe mudable
es torre sin firmamiento,
715 que no puede ser loable.

Represéntase cómo Don Durín *dio la carta a* Amadís. *Entra éste leyéndola y dice:*

f. 142 b. Amadís.   ¿La princesa preciosa
                    os dio esta carta, Durín?
        Durín.   Ella misma.
        Amadís.   ¿Para mí?
        Durín.   Sí, señor, y tan sañosa
720   que nunca tal la sentí.

---

709 *crime* es lusismo. Cf. Moraes, s. v.: «*olhos crimes:* irados, como os de quem crimina, acusa, e se da por offendido, ou de quem pune delicto».
710 *crimeza.* Lusismo. Cf. Moraes, s. v.: «a severidade do gesto, e palavras de quem reprehende, crimina, accusa, aggrava-se, ou castiga».
714 *firmamiento,* 'firmeza'.

AMADÍS.   ¡Oh Amadís destruido!
¿Desamado, qué haré?,
pues que serviendo gané
con que perdí lo servido
sin perder nunca la fe.   725
    Y pues la muerte a quien sigo
está muerta para mí,
voy, señora, sin abrigo
hazer vida, no contigo,
ni comigo, ni sin ti.   730
El mundo quiero dexallo,
pues me dexó su señora;
el bivir quiero mudallo,
mis armas y mi cavallo
despido luego en la hora.   735
    ¡Tú, mi espada guarnecida
de tan hermosas hazañas,
en fuego seas hundida,
como arden mis entrañas
consumiéndome la vida!   740
¡Y tú, puñal esmaltado,
fuerte y favorecido
de aventuras peligrosas,
de rayo seas quebrado,
en mil pedaços partido,   745
como ahora están mis cosas!
    ¡Y tú, mi yelmo lustrante,
con tu cimera hermosa
que por Oriana emprendí,
plega a Dios que te quebrante   750
alguna peña raviosa
que del cielo caya en ti!
¡Y tú, arnés y piastrón,   f. 142 o.
nel mar Índico cayáis   755
en lo más hondo de allí,
donde sin causa y razón
tales fortunas hayáis
como acá dexáis a mí!

753 *piastrón*, 'peto'.

¡Quixotes, manoplas, grevas,
760   mis armas nunca vencidas,
que os hagan siendas cuevas,
y de vos vayan las nuevas
que de mí tengo sabidas!

DURÍN.   Si yo, señor, tal supiera,
765   no viniera por mi vía
nueva tan triste y tan fiera;
mas hize lo que no deviera
por hazer lo que devía.

[*Entra un* ERMITAÑO.]

ERMITAÑO.   ¡Loado sea Jesu Christo!
770 AMADÍS.   ¡Para siempre, padre honrado!
ERMITAÑO.   ¡Dios os dé el paraíso,
que, a según que tengo visto,
harto estáis apassionado!

AMADÍS.   ¡Oh padre, quán abrigado
775   en la Peña Pobre y mansa
estáis, horro y descansado
de tormenta que no cansa
y de este mundo cansado!

Y pues mi mal entendéis,
780   pídoos que me acojáis
en este yermo a do estáis,
en el qual no oís ni veis,
ni tenéis, ni descansáis.

ERMITAÑO.   ¿Y queréis ser ermitaño?
785 AMADÍS.   Padre, en esse bien me fundo,
porque el mundo en que me daño
nunca fue para mí mundo,
sino una mar de engaño.

ERMITAÑO.   Señor, no os vais engañar;
790   que la vida solitaria.
hay tanto que penar,
tantos mundos de passar,
f. 142 d.   que os es poco necessaria,

AMADÍS.	¿Por qué? ¿Qué razón me dais
	para esso que dezís? 795
	Pues que nunca os namoráis,
	¿de qué passión os quexáis
	en el yermo a do bevís?
ERMITAÑO.	Porque aquí la voluntad
	está presa y está cativa 800
	de la pobre soledad,
	a do vuessa mocedad
	es impossible que biva.
	Ni nuestra vida ociosa
	no tiene ociosos tiempos, 805
	mas contino es trabajosa,
	perseguida y muy penosa
	de infinitos pensamientos.
	Unos vienen, otros van,
	otros llegan, otros parten; 810
	los tristes contino están,
	los alegres no estarán
	un momento, aunque los maten.
	Los enemigos dell alma
	son contra la penitencia, 815
	manzillan la conciencia
	y dan tromentos sin calma
	a la hermosa inocencia.
	No tenéis a quién dezillo,
	y si lo dezís a vos, 820
	vos mismo ahuís de oíllo.
	Esto, para vos sofrillo,
	no se puede hazer sin Dios.
AMADÍS.	Esso no m'ha de penar,
	porque os doy, padre, la fe 825
	que busco tiempo y lugar
	en que bien pueda pensar
	'n este mal que no pensé.

---

821   *ahuís*, 'huís'. Lo emplea también Encina.

Este mundo no lo quiero,
el pobre hábito querría;
será el vestido postrero,
pues que no vino primero
la postrera muerte mía.

830

f. 143 a.

ERMITAÑO.

835

Ora, pues ansí queréis,
quiçá Dios será con vos.
De estos mis hábitos dos,
éste, señor, vestiréis
con la bendición de Dios.

Después de ponerse el hábito, AMADÍS *se mira a sí mismo y dice:*

AMADÍS.

840

Ya no me escrivirás, Oriana;
que a Mabilia conquisto,
mas dexo por Jesu Cristo
a ti, más linda cristiana
que los cristianos han visto.
Y dexo, pues me dexaste,

845

mi padre y madre, hermanos,
y el mundo en que me criaste
y mataste con tus manos
quando tal carta embiaste.

DURÍN.

850

Escrívale vuessa mercé
y responda a su escretura.

AMADÍS.

¿Yo qué le responderé?
Escrívale su poca fe
y mi mucha desventura;
que ya veis que soy passado

855

a la vida de los muertos:
muertos no han de escrevir,
ni el que es tan desterrado,
tan desierto en los desiertos,
no tiene más que dezir.

860 DURÍN.

Muy espantado me vo
de estas cosas cómo van,
y ansí las contaré yo,
y bien sé que amargarán
a quien la carta escrevió.

AMADÍS.   A dó quedo encobrid vos,   865
que dezillo es cosa mala;
no lo sepa sino Dios,
pues ya soy Beltenebrós
y no Amadís de Gaula.

DURÍN.   Muy ageno de plazeres,   f. 143 b.; 87
yo me pasmo de mil suertes.
¡Quán fuertes son los poderes
que Dios dio a las mugeres
sobre los hombres más fuertes!
¡Oh Amadís! ¿Qué os hezistes?   875
¡Esfuerço de los esfuerços,
quántas glorias merecistes!:
y el amor a quien servistes
os paga con los desiertos.

Que a do vuessos pies llegavan,   880
si ciudades combatían,
cavalleros desmayavan,
las fortalezas temblavan
y los muros se abatían.

Y sola una muger hermosa   885
os hizo encerrar a vos
y vuessa fuerça espantosa
en una ermita tenebrosa,
llamado Beltenebrós.

        Partido DON DURÍN, *dice el* ERMITAÑO
        a AMADÍS:

ERMITAÑO.   Padre nuevo, en las afrentas   890
de los penosos tormentos,
reza porque no los sientas,
que los muchos pensamientos
piden infinitas cuentas.
De ellas pide Satanás,   895

---

868 *Beltenebrós*. Sobre la acentuación, véase *Don Duardos*, edición D. Alonso, nota 472.

de ellas los vanos sentidos;
con las unas llorarás,
y con las otras darás
dos mil sospiros perdidos.

900　　　　　　　Las otras cuentas escuras
de las membranças passadas,
que de passar son muy duras,
serán blandas y seguras
con estas cuentas rezadas.

905 AMADÍS.　　Escusado fuera tomar
estas cuentas que no cuento,
que tantas tengo que dar
que me quedan por contar,

f. 143 c.　　porque sin cuenta las cuento.
910　　　　　　　Y las que dará Oriana
a Dios, que sabe lo cierto,
serán cuentas sin concierto,
porque yo no sé qué gana
quien su siervo dexa muerto.

915 ERMITAÑO.　Éste es otro atabío
que pertenece al bivir:
perdoná, hermano mío,
porque havéis d'ir a pedir
por la calma y por el frío.

920 AMADÍS.　　Aunque más pena me fuesse,
haré quanto fuere en mí;
pero yo nunca pedí
cosa en que dicha tuviesse,
ni dicha nunca la vi.

925 ERMITAÑO.　Pues ve a pedir, amigo,
que el bivir todo es fatiga.

AMADÍS.　　¿Iréis vos, padre, comigo,
y me diréis cómo diga?

ERMITAÑO.　Que me plaze d'ir contigo.

Represéntase cómo DON DURÍN *llegó a*
ORIANA *con la respuesta de* AMADÍS.

____

901　*membranças,* 'recuerdos'.

ORIANA. ¿Vos distes mi carta allá 930
 al infiel cavallero?

DURÍN. Antes es más verdadero
 que otro nunca será,
 mas creístes de ligero.
 Y porque hay lenguas roínes, 935
 a los príncipes aviso
 que en todo miren los fines,
 y no escuchen los malsines
 para los crer de emproviso.

ORIANA. ¿Esso por qué lo dezís? 940

DURÍN. Porque el enano mentió,
 y vos, señora, dormís,
 y vuesso siervo Amadís
 hazed cuenta que morió. f. 143 d.

MABILIA. Señora, ¿yo no dezía 945
 que no havía de ser nada,
 y, hasta ser certificada,
 no tomasse fantasía
 para bien aconsejada?

ORIANA. No hay consejo en bien querer. 950

MABILIA. ¿Para qué es tomar a pecho
 lo que no se deve crer?

ORIANA. Todo mal que puede ser
 no es mucho, dalo por hecho:
 no hay cosa tan celosa 955
 como el verdadero amor,
 que el celo de ninguna cosa
 haze un mundo de dolor.
 En sospechas se recrea,
 antojar es su benesse, 960
 siempre jamás devanea;
 lo que no es, cre que lo sea,
 y lo que es, que nunca fuesse.

---

954 Quizá debamos entender *darlo por hecho*. Nótese que en portugués *darlo* se dice *dá-lo*.

960 *benesse*. Lusismo. Cf. Moraes, s. v.: «emolumento que os curas e vigários **tem** de pé de altar, além dos dízimos ou côngruas que recebem. ...Doação gratuita, presente». Waldron traduce 'privilegio'.

MABILIA.   De que la carta leyó,
965   ¿qué os dixo en la verdad?
DURÍN.   Lo que hizo preguntad;
                que luego se desarmó
                con plantos sin piedad.
                  Y dexó el mundo luego,
970   y fuése hazer ermitaño
                con lágrimas sin sossiego,
                diziendo: ¡Oh mundo de engaño,
                ardido seas en fuego!
                En hábito de burel
975   pide por essos casales;
                no parece más aquél
                que yo al ángel Gabriel:
                tales fueron sus pesares.
                  No os poderé contar
980   quán tristes passos tocó,
                porque, tocándolos yo,
                vos veríades llorar
                hombre que nunca lloró.
f. 144 a.   Si Amadís viérades vos
985   de lloros tan amarillo,
                llamado Beltenebrós,
                pedir por amor de Dios,
                no podiérades sofrillo.
ORIANA.   Agradéçoos, Durín,
990   esto que por mí hezistes,
                aunque las nuevas son tristes;
                pero por amor de mí
                que no digáis a dó fuistes.
                Mabilia, mi coraçón
995   es fuera de su lugar,
                y estoy en condición
                de me llevar a la mar
                y echarme en un hondón.
MABILIA.   No llore, señora, y crea
1000   que esto terná algún medio;

989 *agradéçoos,* 'agradézcoos'. Véase Teyssier, págs. 372-373.

y es gran razón que vea
que el mal, por fuerte que sea,
llorallo no es remedio.

ORIANA.   Lloro su mal y mi mal,
mas el suyo, que más siento,   1005
éste mata el sofrimiento
y da vida natural
a la muerte que lamento.

Que la mía, sola mía,
yo misma me la passara,   1010
mas la suya me es tan cara
que esse seso, hermana mía,
¡pluguiera a Dios que lo hallara!

MABILIA.   ¡Remedio, señora!
ORIANA.   ¿Qué tal?
MABILIA.   Muy bueno, señora mía: 1015
embíele su señoría
una carta cordeal,
namorada en demasía.

Y en persona vaya allá
Dinamarca, que es secreta   1020
y donzella muy discreta,
tal que sé que sanará
la llaga de esta saeta.   f. 144 b.
Este consejo os do:
que se haga luego en verde,   1025
luego, luego, digo yo,
porque el tiempo nunca usó
de ayudar a quien lo pierde.

ORIANA.   Vamos esso a concertar,
mas a según son mis penas,   1030
devía irme enterrar
debaxo de las arenas
que están 'n el hondón del mar.

Vanse ORIANA *y* MABILIA *a escribir la
carta; y vuelven* AMADÍS *y el* ERMITAÑO *de
pedir limosna, y dice éste:*

ERMITAÑO.   La limosna sea cerrada,
1085   porque hay dos mil ratones
                   en esta ermita cuitada.
AMADÍS.   Yo la porné tan guardada
                   como guardo mis passiones.
ERMITAÑO.   Y con esta escoba, hermano,
1040   barreréis esta posada...
                   ¿por qué alçáis ansí la mano?
AMADÍS.   Perdonad, padre ermitaño,
                   que yo pensé que era espada.

          CORISANDA, *andando en su barco en*
          busca de DON FLORESTÁN, *aportó en aquel*
          lugar con sus doncellas músicas, y dice al
          ERMITAÑO:

CORISANDA.   Padre, yo soy Corisanda
1045   (si me ya nombrar oístes).
                   Trayo con dolores tristes
                   la más enferma demanda
                   que en el mundo nunca vistes.
                   Determiné de salir
1050   de la nao con tiempo fuerte,
                   y querría aquí dormir,
                   porque me veo morir
                   de muy enamorada muerte.
f. 144 c. ERMITAÑO.   Pues de amor muerta venís,
1055   algún gran señor de salva
                   deve ser por quien morís.
CORISANDA.   Por don Florestán de Gaula,
                   el hermano de Amadís.
                   Dadme aquí, padres, posada
1060   a mí y a estas donzellas,
                   que si no fuera por ellas,
                   ya yo fuera sepultada,
                   y no puedo bevir sin ellas.

_____

1063   *puedo.* En 1562, *pudo.*

Tal música Dios les dio,
y mi tristeza es de suerte, 1065
que me livran de la muerte
que mi vida me buscó,
estando salva en la corte.
Que quando mis pensamientos
ahogan mi coraçón, 1070
tocando sus instrumentos
y cantando una canción,
adormecen mis tormentos.

ERMITAÑO. Dos casitas y más no,
hay en esta pobre ermita: 1075
una en que este padre habita,
la otra en que yo estó,
muy estrecha y muy chiquita.

AMADÍS. Padre, dalde vos la mía,
que yo 'n el yermo posaré. 1080
Repose su señoría,
que su mal ya lo passé,
y aun lo passo cadaldía.

CORISANDA. Padre, ¿qué nombre tenéis?
AMADÍS. Llámome Beltenebrós. 1085
CORISANDA. Pues, ansí me salve Dios,
que Amadís os parecéis,
pero no devéis ser vos.

AMADÍS. No sé de tal hombre parte.
[CORISANDA.] ¿Conocéis vos, padre, alguién 1090
en la corte de Lisuarte?
AMADÍS. Mabilia conocí bien,
y Urganda y otras de arte.
CORISANDA. Los hijos del rey Perión f.144 d.
de Gaula ¿adónde están? 1095
AMADÍS. A la Gran Bretaña son,
a según las nuevas dan

1066 *livran.* En 1562, *livram,* lusismo, tal vez de imprenta.
1090 En 1562 la acotación escénica es CASAN, sin duda por *Casandra,* errata evidente.
1096 El empleo de la preposición *a* con verbos de quietud era normal en el castellano medieval. Véase Gillet, III, 415, nota 4. El empleo

de Galaor y Florestán.

CORISANDA. ¿Y Amadís?

AMADÍS. Deve ser muerto,
partido de la vida humana,
que yo soñava esta mañana
que moría en un desierto,
y lo matava Oriana.

CORISANDA. ¡Oh Florestán!, ¿dónde estás?
¡Oh Corisanda!, ¿a dó estó?
¡Oh nao que comigo vas!,
¿adónde te salvarás,
pues la fortuna so yo?
¡Oh mis donzellas, pues veis
tan muerto mi coraçón,
socorred como soléis,
que en vuessas manos tenéis
toda mi resurreción!

Cantan las doncellas de CORISANDA; *y
acabada la música, aparece* DINAMARCA
que trae una carta de ORIANA *para* AMADÍS;
y viéndola AMADÍS, *dice al* ERMITAÑO:

AMADÍS. Padre, no puedo pensar
Dinamarca, que acá viene,
qué negocios aquí tiene:
que ha passado la mar
y punto no se detiene.

DINAMARCA. Señor, yo vengo cansada,
y cansando descansé:
pues trabajando cobré
el descanso que buscava,
que es hallar vuessa mercé.
Véngome a confesar
a vos con firme denuedo,

---

de *ser* para indicar la situación local seguía vivo hasta muy entrado e
siglo XVII. Véase Lapesa, pág. 248.

que me podéis remediar
las culpas con que no puedo
ni se pueden desculpar.

Apartados AMADÍS *y* DINAMARCA, *ella
le dice:*

DINAMARCA.   ¿Qué se hizieron vuessos primores?   f. 145 a.
¿Siendo sabio perenal   1130
y tan diestro en los amores
como discreto en lo ál:
y hazer tan flacos lavores?
    ¡Oh, qué mudar tan errado!
Que aunque ella mostró furor,   1135
bien sabéis, como avisado,
que el enojo enamorado
es crecimiento de amor.
    Y pues que tanto sentía
lo que el enano contó,   1140
grande muestra os hazía
que tanto más os querría
quanto más bravo escrevió.
    Si sin razón... ya sabéis,
que se havía de saber: 1145
la mentira no tiene pies,
porque aquello que no es
muy presto buelve a no ser.
Ansí que vos desculpado
con la verdad bien sabida,   1150
no pusiérades la vida   f. 145 b.
en tan poble despoblado,
y Oriana fuera servida.
    Y porque me crea, señor,
por verdad quanto le digo,   1155
trayo esta carta comigo
con este sello de amor
que Oriana tien' consigo.

Lee AMADÍS *la carta, y entonces dice:*

AMADÍS.   Todo lo quiero dexar,
1160   pues lo manda mi señora.
                  Vos, padre, devéis holgar,
                  por no os emportunar
                  con sospiros cada hora.
                  Vos, señora Corisanda,
1165   comigo quiero que vais
                  más leda de lo que estáis,
                  que yo porné vuessa demanda
                  como la vos desseáis.

          Y con esto se dio fin a esta comedia.

ÍNDICE DE LAS VOCES COMENTADAS
EN LAS NOTAS

Abreviaturas

Cas: Auto de la sibila Casandra.
Cua: Auto de los cuatro tiempos.
DD: Tragicomedia de don Duardos.
Gau: Tragicomedia de Amadís de Gaula.
Git: Auto de las gitanas.
Glo: Auto de la barca de la Gloria.
Mag: Auto de los reyes magos.
Mar: Auto de San Martín.
Pas: Auto pastoril castellano.
Vis: Auto de la visitación.
Viu: Comedia del viudo.

ÍNDICE